MÁS OSCURO QUE EL AMOR

ANNA ZAIRES

CHARMAINE PAULS

GREY EAGLE
PUBLICATIONS

Publicado por Grey Eagle Publications
www.greyeaglepublications.com

Traducción de Isabel Peralta

Portada de Najla Qamber Designs
www.najlaqamberdesigns.com

ISBN-13: 978-1-64366-194-0
Print ISBN-13: 978-1-64366-195-7

—¡*M*ami! —La niña tira de la manga de su madre desde el asiento trasero. —. Mami, ¿puedo comerme una galleta?

Está aburrida y hambrienta. Está oscureciendo y lo único que puede ver a través de la ventanilla del automóvil son árboles y nieve. Están yendo por la ruta panorámica, como dijo papá: una ruta bonita. Pero es más larga, y a ella no le parece tan bonita. Preferiría que hubiesen cogido el tren hasta casa de la abuela Hanna, como siempre.

—No, cariño mío. Vamos a cenar dentro de poco. — Su madre se vuelve en el asiento del pasajero para mirarla. Las comisuras de sus ojos azules se arrugan cuando sonríe con calidez, y sus rizos rubio platino se mueven suavemente rodeando su rostro a la vez que ella dice—: Aguanta solo otro poquito más, ¿vale?

—Vale. —La niña suspira y mira por la ventanilla. Árboles, nieve, más árboles. La cinta negra del asfalto que serpentea por el bosque. Todo es aburrido, aburrido y aburrido. Pero ella es una buena chica y sabe que es mejor no quejarse.

Es importante comer bien. Es importante escuchar los padres. Y si su madre dice que cenarán pronto, ella confía en que así será.

Está quedándose medio dormida, cuando su padre pisa el freno de golpe, y de su boca salen unas palabrotas que ella solo había escuchado antes en la tele. Su cuerpecito se mueve violentamente hacia adelante cuando el coche frena con un sonido de derrape, y solamente el cinturón de seguridad que se le clava la mantiene en su sitio.

—¡Ay! —Se frota la frente donde se ha golpeado con el respaldo del asiento de delante—. Papi, ¡eso me ha hecho daño!

—Cállate, Mina. —La voz de su padre suena extrañamente tensa mientras él mira al frente—. Solo estate calladita, ¿de acuerdo, cariño?

Pestañeando, la niña baja la mano y sigue su mirada. Hay dos hombres de pie delante del coche. ¿De dónde habrán salido? ¿Estaban ahí parados en medio de la carretera?

¿Por eso ha frenado papá tan de golpe?

Un hombre se acerca y da unos golpecitos en la ventana del conductor con algo duro y puntiagudo.

Su estómago cae en picado como un ave marina, y ella se siente de pronto helada y mareada. Porque la cosa dura y puntiaguda es un arma. Y el otro hombre, el que está delante del coche, también está apuntando con otra pistola hacia el parabrisas. Las dos armas son negras y tienen pinta de peligrosas, como las que se ven en las películas, no de un azul brillante como la pistola de juguete que papá le regaló para que jugara a soldados y prisioneros con los niños de su barrio. A ella se le dan realmente bien esa clase de juegos, es rápida y fuerte a pesar de su constitución diminuta. Ella puede ganarles a todos los chicos, pero ahora mismo no lleva su pistola azul encima. Y estos no son niños.

Puede escuchar la respiración de su padre. Es rápida e irregular. Él pulsa el botón para abrir la ventanilla. El desconocido se inclina y su madre ahoga un sollozo cuando presiona el arma, la pistola negra de aspecto aterrador, en la sien de su padre.

—Fuera. —La voz del desconocido es grave y dura—. Necesitamos el puto coche.

—P-por favor —dice su madre con un hilo de voz, aguda y tan temblorosa como su respiración—. Por favor, no hagáis esto. Te-tenemos una hija.

Los ojos del extraño se posan en la niña del asiento trasero, y su mirada fría y cruel la atraviesa como un cuchillo antes de volver su atención a su padre.

—He dicho que salgáis de una puta vez.

—Está bien, está bien. Solo un segundo. —Su padre suena sin aliento mientras se desabrocha el cinturón de seguridad—. Vamos, cariño. Venga... vamos.

Cuando abre la puerta, el hombre lo saca de un tirón del coche, y lo arroja desparramado sobre el asfalto. Sollozando de forma audible, la madre de la niña sale del auto por su cuenta, abre rápidamente la puerta trasera, y se mete dentro a desabrochar el cinturón de seguridad de su hija.

La niña también está llorando. Jamás había estado tan asustada. Afuera hace muchísimo frío, y ella siente el mordisco del viento helado cuando su madre la saca, y se inclina después para coger su abrigo. Ella no entiende qué está pasando, por qué a estos hombres malos se les permite hacer esto. Por qué papá no tiene una pistola propia para poder detenerlos. Si ella tuviera la suya, lo intentaría, aunque sea de un azul brillante y no parezca nada peligrosa.

El otro hombre, el que está delante del coche, se aproxima. De cerca, es aún más aterrador que su compañero, con el rostro sin afeitar y unos ojos desorbitados llenos de una especie de locura.

—Déjate de gilipolleces —sisea, y su mirada va de su amigo a la llorosa madre de la niña, que le está poniendo el abrigo con manos temblorosas, y al padre de la niña, que está rodeando rápidamente el coche y se dirige hacia su esposa y su hija—. Tenemos que *largarnos*.

El hombre de ojos fríos se pone al volante.

—Entonces vámonos. Sube. —Cierra la puerta de golpe.

La mirada aterradora del hombre se clava en él, y luego de nuevo en los padres de la niña, que ahora están delante de ella, protegiéndola con sus cuerpos.

—Por favor. —La voz de su padre tiembla cuando empuja a la niña más lejos detrás de él—. Por favor, ya tenéis el coche. Por favor, marchaos. No se lo diremos a nadie, lo juro. Solo... marchaos.

El hombre aterrador sonríe, y la locura que hay en sus ojos brilla con más intensidad.

—Lo siento, no se permiten los testigos. —Y levanta el arma.

¡Pum! ¡Pum!

Los disparos golpean los oídos de la niña igual que puñetazos. Aturdida, se tambalea hacia atrás cuando sus padres se derrumban frente a ella y un fuerte olor a quemado llena el aire, mezclándose con algo que huele a cobrizo y metálico.

—¿Qué cojones? —El otro hombre asoma la cabeza por la ventanilla—. ¡Ese no era el plan!

—Espera —dice el asesino, apuntando a la niña, pero ella ya ha salido corriendo. Puede que sea pequeña, pero es rápida, tan rápida que sale disparada detrás de los árboles antes de que suene el siguiente disparo. Detrás de ella, puede escuchar a los delincuentes discutiendo, pero sigue corriendo, y su corazón late como las alas de un colibrí.

No se adentra corriendo demasiado lejos en el bosque. En vez de eso, encuentra un hueco en unas raíces que asoman sobre el suelo y se esconde allí, diciéndose sin parar que todo es un juego al que está jugando. Las lágrimas que se congelan en su rostro y los temblores sacudiendo su pequeño cuerpo contradicen esa historia, pero ella los ignora.

Es fuerte y rápida. Puede vencer a todos los chicos. Incluso a los adultos con pistolas negras de aspecto aterrador que hacen que le duelan los oídos. ¿Y qué si tiene hambre y tanto frío que apenas puede sentir la nariz y los dedos de los pies? Va a esperar a que los hombres malos se vayan, y luego va a volver y encontrarse con sus padres. Y ellos la abrazarán y le dirán lo buena que es. Y luego se irán todos a cenar.

Así que espera y espera, temblando dentro del abrigo que le ha puesto su madre. Cuando sale de su escondrijo, ya está oscuro del todo, solo la luna llena ilumina su camino, y ella tiene miedo de que algo salte sobre ella desde los árboles. Un lobo o un oso o un monstruo. A los seis años, todavía es lo bastante pequeña como para creer en monstruos no humanos.

Tragándose su angustia, vuelve sobre sus pasos, igual que lo haría jugando a soldados y prisioneros. El coche y los hombres malos se han ido, pero sus padres siguen allí, tumbados en la cuneta, exactamente en las mismas posturas que cuando cayeron: su madre sobre un costado, con el cabello rubio platino cubriéndole la cara y su padre de espaldas, con el rostro vuelto hacia el otro lado.

El corazón de la niña se detiene un instante y luego comienza a latir tan deprisa que le duele. Vuelve a sentirse mareada, y helada. Pero no es ni su nariz, sus manos ni los dedos de sus pies lo que se está congelando ahora; es algo en lo más profundo de su interior. Temblorosa, se arrodilla junto a su madre y le tira de la manga.

—Mami. Mami, por favor. Vámonos.

No obtiene respuesta, y cuando baja la mirada hacia

su mano, ve una mancha roja en sus dedos. Y en sus vaqueros.

Está arrodillada en un charco de sangre.

Se le revuelve el estómago, y cree que va a vomitar. Retrocediendo a cuatro patas, se topa con el costado de su padre.

—¡Papi! —Le agarra de la mano y se la aprieta con todas sus fuerzas—. ¡Papi, despierta!

Pero él tampoco responde. Su mano se siente rígida y helada en la de ella, y cuando le gira el rostro para mirarlo, tiene los ojos abiertos, como si estuvieran contemplando la luna llena que hay por encima.

Pero no hay en ellos ninguna expresión. Están en blanco, vacíos. Y en medio de la frente, tiene un agujero.

Con todo el cuerpo tiritando, la niña se levanta. Ya no tiene hambre, pero sí frío. Tanto, tanto frío... Es como si la nieve estuviera dentro de ella, llenándole el pecho y el estómago. De alguna manera es una buena sensación, de entumecimiento. El dolor y el aleteo como el de un colibrí de su corazón parecen calmarse, superados por la gelidez que le llena los pulmones cada vez que respira.

La niña no sabe cuánto tiempo pasa allí de pie, mirando los cuerpos de sus padres muertos. Lo único que sabe es que cuando se da la vuelta y empieza a andar, ya no hay ningún dolor ni miedo dentro de ella.

Su corazón es de nieve y de hielo.

PARTE I

1

MINA

BUDAPEST, 15 MESES ATRÁS

Una oleada de nauseas me inunda, y la bandeja que llevo se tambalea en mis manos, haciendo que las botellas se caigan y derramen su espumoso contenido.

Maldita sea. ¿Cuándo va a terminar todo esto?

Apretando los dientes, me agacho rápidamente sobre una rodilla detrás de la columna y dejo la bandeja en el suelo pegajoso, fingiendo atarme los cordones de mis Doc Martens mientras espero a que se me pase el mareo y mis manos dejen de temblar.

Pasan treinta segundos. Luego un minuto. Y mis estúpidas manos siguen temblando.

Maldiciendo por lo bajo, limpio la cerveza derramada con un trapo. Eso sí que soy capaz de hacerlo. Sin embargo, levantar la bandeja me supera. Solo pesa un par de kilos, pero estoy tan débil que igual daría que pesase cien. Y solo estamos al principio de mi turno. No tengo ni idea de cómo voy a durar hasta que el bar cierre esta noche. Quizás Hanna tenía razón. Tal vez sea demasiado pronto, y debería...

—...meterle un tiro a ese hijo de puta en toda la cabeza. —Las palabras, pronunciadas en ruso por una áspera voz masculina, me atraviesan como un disparo. Instintivamente, me quedo inmóvil donde estoy, y mi entrenamiento militar se activa mientras escaneo mis alrededores, identificando la amenaza.

Ahí está. A las dos en punto, una mesa redonda detrás de la columna, en la sección de Eli. La columna oculta la mayor parte de la mesa de mi vista, pero puedo decir que hay dos hombres sentados en ella.

—Un único disparo, eso es todo lo que tenemos, ha dicho Sokolov —continua el que habla—. Y dado que el blanco posiblemente lleve chaleco...

—Lo sé —interrumpe el otro hombre, con una voz profunda y suave a pesar del deje de irritación de su tono—. Hay que apuntar a la cabeza.

Un escalofrío se desliza por mis venas. No lo he entendido mal. Estos son de hecho profesionales discutiendo su próximo golpe... y yo estoy agachada ahí mismo, a menos de dos metros de ellos.

La misma columna que los bloquea de mi vista me está ocultando a mí, y lo ha estado haciendo los últimos minutos, que es por lo que deben de estar hablando con tanta libertad. Aunque el bar se encuentre bastante lleno, están en una especie de rincón, protegidos por la columna, y con el nivel de ruido de la habitación, nadie puede escucharlos desde las otras mesas.

Sin embargo, *yo sí.*

Y si me levanto de donde estoy agachada, se darán cuenta de ello, y puede que no salga viva de aquí.

Hace un año, ni habría pestañeado por eso, confiando en mi capacidad para manejar lo que se me ponga por delante. Pero en mi estado actual, no soy rival ni para una rata agresiva, y mucho menos para dos hombres especializados en matar.

Hombres que son tan peligrosos como yo.

Rápidamente, examino mis opciones. Puedo quedarme aquí y esperar que nadie me vea hasta que los rusos se vayan, pero lo más probable es que Eli venga a buscarme en cualquier momento.

La otra alternativa, que es hacia la que me inclino, es levantarme y fingir total ignorancia. Después de todo, es muy posible que yo no sepa hablar tanto ruso como para entender lo que han dicho. De hecho, es muy probable, porque que la mayoría de los húngaros de mi generación aprenden inglés en la escuela y no ruso.

Sí, eso es. Voy a hacerme la tonta. Y para eso, tengo que salir yo en vez de esperar a que alguien me descubra.

El chute de adrenalina me estabiliza las manos. Levanto la bandeja y me pongo en pie, murmurando unas ruidosas palabrotas en húngaro. Porque eso es lo que haría una inocente e ignorante camarera si se le cayera la cerveza por toda la bandeja y no tuviera ni idea de que estaba justo al lado de dos asesinos.

—Mina, ¿estás bien? —pregunta Eli al pasar con su

propia bandeja de bebidas a mi lado, y yo le lanzo una sonrisa tranquilizadora.

—Sí, solo un poco torpe hoy. —No estoy mirando en dirección a su mesa a propósito, pero puedo sentir como los ojos de ambos hombres se clavan en mi cuando salgo de detrás de la columna y vuelvo hacia la barra para cambiar las botellas de cerveza.

El corazón me retumba con fuerza en el pecho mientras camino, y un riachuelo de sudor helado me chorrea por la espalda. Puedo sentir sus miradas siguiéndome, pero mantengo la sonrisa en el rostro mientras me meto tras la barra, tiro las botellas al contenedor de reciclaje y me pongo a limpiar la bandeja.

¿Veis? Solo estoy haciendo mi trabajo. Eso es lo que espero que digan mis despreocupadas acciones. *Soy una inocente camarera, eso es todo.*

Cuando mi bandeja está limpia, la cargo con más botellas y me acerco a mi sección, evitando mirar en la dirección de la columna. Mi pulso es demasiado rápido, pero la expresión de mi rostro es brillante y alegre, como corresponde a alguien que trabaja a cambio de propinas.

Pasan quince minutos. Veinte. Después de media hora, me arriesgo a echar un vistazo detrás de la columna mientras sirvo unos cócteles a un grupo de chicas universitarias.

Mierda.

Los dos hombres siguen ahí, y continúan observándome.

Miro rápidamente hacia otro lado, pero no antes de fijarme en su aspecto. Uno es enorme, alto y ancho, como un defensa de fútbol americano. Lleva la cabeza afeitada, y el cráneo decorado con tatuajes, lo cual enfatiza sus facciones fuertes, casi bestiales. Viste de manera informal, con vaqueros y una sudadera con capucha negra sobre una camiseta oscura. El otro es de la misma altura pero de complexión más esbelta, y lleva un elegante par de pantalones de vestir con una camisa blanca abotonada, como si acabase de salir de una reunión de negocios o de una entrevista. Sus cabellos son de color castaño oscuro, pero sus ojos son claros y llamativos, aunque no puedo distinguir su tono exacto desde esta distancia.

En general todo lo que rodea al hombre más esbelto es notable, desde las fuertes y bien cinceladas líneas de su oscuramente hermoso rostro hasta el poder y la seguridad en sí mismos que se hacen evidentes de su postura engañosamente indiferente.

De forma instintiva, sé que a ese es al que debo temer.

Él es quien decidirá si vuelvo a casa con vida.

Para mi sorpresa, los latidos de mi corazón se aceleran y un escalofrío de calor florece entre mis piernas cuando me imagino peleándome con él. Está claro que mi cuerpo no ha recibido el memorándum de que el peligro, algo que siempre me ha atraído, no es nada bueno para mí justo ahora. Peor aún, mi cerebro parece estar interpretando los efectos de la adrenalina como excitación sexual... como una atracción hacia el hombre que probablemente esté considerando si necesita cortarme la garganta o no.

Esto no es bueno.

No es nada bueno.

Puedo sentir cómo su mirada me sigue mientras trabajo. El otro hombre me está mirando también, pero son los ojos del peligroso desconocido los que siento más visceralmente, como si él me estuviera ya tocando. La electricidad resbala por mi piel, y más calor me inunda entre las piernas al imaginármelo tocándome *de verdad* y no con el afilado borde su cuchillo.

Joder. No tengo ni idea de por qué mi libido ha elegido este momento para salir de su hibernación prolongada, pero no me gusta.

El sexo, especialmente con un asesino ruso, es lo último que necesito.

Otra ola de mareos me golpea, y casi lo agradezco esta vez. Mi excitación se desvanece, reemplazada por las débiles náuseas que a menudo acompañan a estos episodios de extrema debilidad. Obligándome a coger aire penosamente, me concentro en permanecer en pie y no dejar caer la bandeja que sostengo. No puedo darme el lujo de abandonarme al deseo de descansar, de actuar de ningún modo que agudice las sospechas de los rusos. Tengo que parecer una camarera normal que está haciendo su trabajo, y nada más.

El mareo pasa después de unos instantes, y yo prosigo con mi turno, resistiéndome a la tentación de mirar hacia la mesa de los hombres y ver si el peligroso desconocido sigue observándome.

Una hora después, me permito por fin echar otro vistazo.

Los dos hombres se han ido, y hay un grupo de chicas sentadas allí en su lugar, riéndose y colocándose las melenas sobre sus finos hombros. Son lo más inofensivo del mundo, y el nudo de tensión de mi interior se suelta ligeramente.

Tal vez los rusos se hayan tragado mi teatro de hacerme la inocente, y no vuelva a verlos más.

Tendría que ser un alivio, y lo es, pero también conlleva mezclada una nada lógica decepción. Por inapropiada que fuera mi atracción por el peligroso desconocido, era la primera vez en años que sentía *algo*, y sentir, cualquier cosa, es mejor que no sentir nada.

Bueno. Él y su compañero se han ido, y es lo mejor.

Ahora puedo concentrarme en mi trabajo sin la tentación de mirarle.

A medida que avanza la noche, continúo con mi turno, luchando contra las oleadas de mareos y el creciente agotamiento, y para cuando los últimos clientes se van, estoy al borde del colapso.

—Dame, déjame a mí. —Eli coge los vasos sucios de mis inestables manos y yo se lo permito.

Si los dejo caer, todos tendremos más trabajo.

Por fin, todo está hecho y de alguna manera sigo de pie. Con los últimos miligramos de mis fuerzas, me arrastro hasta el cuarto de atrás, me echo por encima mi mullido chaquetón de invierno y salgo tambaleante al callejón de fuera, con la mente nublada por el agotamiento.

Estoy tan cansada que casi me había olvidado de los dos rusos, y para cuando oigo los pasos, ya es demasiado tarde.

Ya los tengo encima.

2

YAN

*A*garro a la chica mientras Ilya vigila la salida del bar, asegurándose de que nadie me ve arrastrar a mi prisionera hasta un callejón todavía más estrecho al lado del bar. A pesar de la voluminosa chaqueta que envuelve su pequeño cuerpo, es increíblemente ligera, como si sus huesos estuvieran hechos de aire. Tapándole la boca con una mano, la medio arrastro, medio llevo con mi brazo libre... una hazaña sencilla, ya que ella casi no opone resistencia.

Un gatito asustado habría sido más fácil de sujetar.

El sitio en el que nos alojamos solo queda a un par de manzanas de aquí, así que vamos directamente allí, manteniéndonos en las zonas más oscuras para evitar ser vistos por alguno de los pocos turistas borrachos que siguen tambaleándose por las calles escasamente iluminadas. Es arriesgado llevársela así: siendo fugitivos, no queremos llamar la atención. Pero la alternativa era seguirla hasta su casa y quién sabe qué o quién podría haber estado allí.

Ella podría haber tenido un novio esperando en su cama.

Un sentimiento desconocido se remueve en mí al pensar eso, algo oscuro y feo. No lo entiendo, no mucho más de lo que entiendo por qué estoy haciendo esto. La amenaza que representa la chica es mínima. Incluso aunque nos haya oído y haya entendido lo que decíamos, daría igual, porque se supone que mañana nos vamos de Budapest. En el peor de los casos, habríamos tenido que renunciar a dormir y acelerar nuestra partida para evitar a las autoridades.

Pero no. En vez de ser sensato y olvidarme de la chica, le he dicho a Ilya que teníamos que retenerla con nosotros hasta mañana por la mañana, por si acaso decidía chivarse de lo que había escuchado, y mi hermano estuvo rápidamente de acuerdo... probablemente por la misma razón por la cual no he podido evitar observar a la chica durante dos horas seguidas.

Porque es la cosita más sexy con la que nos hemos topado.

Al principio, no me lo pareció: solo veía a una chica pálida y delgada vestida como una aspirante a roquera-punk, con un suéter demasiado grande, unos vaqueros negros rotos y unas feas botas. Pero cuanto más la miraba, más me sentía incapaz de mirar hacia otro lado. Siempre he preferido el cabello largo en las mujeres, pero sus mechones rubio platino, más cortos que los míos y peinados de punta en la parte superior de su cabeza bien formada, enfatizaban la delicada belleza de sus rasgos élficos de una manera que un corte más femenino no habría hecho, llamando la atención sobre sus ojos azules de tupidas pestañas y sus labios suaves y carnosos. Y lo que inicialmente pensé que era una figura sin formas como la de un muchacho, resultó ser todo curvas sutiles y tentadores atisbos de músculo, como si ella hubiese sido bailarina o gimnasta. Hasta el exceso de piercings de su oreja izquierda y el pequeño tatuaje en un lado de su grácil cuello empezaron a gustarme, en una metamorfosis de desagradable a sexy en cuanto me di cuenta de que esos adornos grunge solo resaltaban la blancura de su piel. Sin embargo, lo que más me cautivó fue la forma en la que se movía alrededor del bar, con una confianza tranquila y una deliberación fluida que desmentía su supuesta torpeza de antes, cuando salió de su escondite detrás de la columna con la cerveza derramada sobre su bandeja.

Me pregunté brevemente si nos habría espiado a propósito, pero concluí que era poco probable. Si hubiera tenido alguna idea de quiénes somos, el bar se habría plagado de agentes de la Interpol. Aun así, su repentina aparición nos hizo sentir a Ilya y a mí lo suficientemente inquietos como para vigilarla, y cuanto más la mirábamos, más la deseábamos.

Pude ver la misma lujuria que yo sentía reflejada en la cara de mi hermano.

Normalmente, eso no me habría molestado. Por

alguna razón, Ilya y yo a menudo nos sentimos atraídos por las mismas mujeres, y como ninguno de nosotros es celoso, no nos importa compartirlas y, en ocasiones, consentir a la fantasía de alguna mujer de un *ménage à trois* con gemelos.

No nos parecemos mucho, pero *somos* genéticamente idénticos.

Esta vez, sin embargo, la idea de que mi hermano se acerque a esta chica hace que quiera partirle esa mandíbula suya superdesarrollada a base de esteroides. Sé lo que está pensando: que una vez que la tengamos en nuestro cuarto, la calmaremos y haremos todo lo posible para seducirla juntos. Pero se equivoca. Esta noche él no va a tocarla.

La hermosa camarera es mía y solo mía.

Me gusta la sensación de tenerla apretada contra mí, pequeña e impotente, cuando la levanto y la llevo en brazos por las decrépitas escaleras hasta nuestro apartamento en la segunda planta. Su aroma, algo dulce como la madreselva y fresco como el limón, juguetea en mi nariz, y mi polla se endurece cuando una oscura expectación inunda mis venas. Siempre me han gustado las mujeres altas, las encuentro una pareja más adecuada en la cama; pero hay algo sobre lo diminuto de esta chica que me atrae a un nivel profundamente primitivo.

Puedo hacer lo que quiera con ella, y las cosas que quiero hacerle son oscuras y retorcidas, tan poco correctas como secuestrarla en primer lugar.

—Puedes bajarla ya —dice Ilya, entrando por la

puerta detrás de mí y girando la llave—. No va a ir a ninguna parte.

De mala gana, la suelto, y ella inmediatamente se aleja trastabillando, poniendo tanta distancia entre nosotros como se lo permite el estrecho pasillo de este apartamento de mierda. Está claramente aterrorizada, con sus ojos azules muy abiertos y su cuerpo temblando mientras presiona su espalda contra la pared. Sin embargo, también hay un brillo peculiar en su mirada, algo que no parece ser propio de la situación.

Algo casi como curiosidad.

—No vamos a hacerte daño —le dice Ilya en húngaro—. No tienes que estar asustada, *malyshka*. Te hemos traído aquí porque queremos hablar contigo.

Yo me quedo callado, dejando que él haga todo el trabajo de tranquilizarla. Se le dan mejor esas cosas... aunque no es que tengamos como práctica habitual secuestrar a las mujeres que nos atraen.

Ella es la primera, de hecho.

Su mirada va del uno al otro, y veo el momento exacto en que ella decide que Ilya es más fiable, una conclusión a la que casi todos llegan, a pesar del atemorizador tamaño de mi hermano y todos esos tatuajes. De alguna manera, la gente puede percibir eso sobre nosotros.

Pueden decir cuál de los dos ha conservado su humanidad.

—No lo entiendo —le dice a Ilya, con una voz llena de pánico—. ¿Quiénes sois? ¿Qué queréis de mí?

Sus palabras, su postura, su tono... todo clama a gritos el tipo de miedo que cualquier mujer sentiría cuando dos extraños la cogieran en la calle, pero todavía estoy captando esa peculiar vibración en ella. Sin embargo, curiosidad no es exactamente la palabra adecuada.

¿Emoción, tal vez?

Intrigado, me acerco y ella se echa hacia atrás; una reacción adecuada. Pero todavía no me lo trago. Hay algo casi... calculado al respecto, como si se estuviera haciendo la asustada.

Doy otro paso adelante, hasta que estoy cerniéndome sobre su pequeño cuerpo. Apoyo la palma de la mano en la pared al lado de su cabeza y me inclino, atrapándola físicamente.

—¿Cómo te llamas? —Con la otra mano, le levanto suavemente la barbilla, que tiembla con el dramatismo apropiado, como si estuviese a punto de echarse llorar.

—Mi-Mina. —Su nombre brota con un tartamudeo sin aliento y temeroso, y puedo sentir a mi hermano tensarse detrás de mí. No le gusta esto; se supone que debemos calmarla, no aterrorizarla.

Claramente no ve lo que yo veo.

Él piensa que esta es una chica normal.

Haciendo caso omiso de él, me concentro en el bonito misterio que tengo delante.

—Bien, Mina —murmuro, acariciando la delicada línea de su mandíbula. Su piel es suave, incluso más suave de lo que imaginaba, lo que me hace preguntarme cómo se sentirá más abajo, debajo de esa chaqueta voluminosa y ese suéter grande—. Esto es lo que va a pasar esta noche. ¿Me estás escuchando?

Un parpadeo aterrorizado y un ligero y brusco asentimiento de cabeza. Qué buena actriz. Lástima que siempre he tenido un sexto sentido de lo que se esconde por debajo de la superficie, y con esta chica, miedo no es lo que hay.

Al menos, no todo lo que hay.

—Vamos a pasar la noche aquí, nosotros tres —prosigo, observándola atentamente mientras dejo caer mi mano sobre su hombro, apretándolo ligeramente a través de su chaqueta. Veo que el tatuaje en el lado izquierdo de su cuello es un colibrí, pequeño, pero dibujado con exquisito detalle—. Tenemos algunas cervezas y bocadillos en la nevera, algo de música en nuestros teléfonos. Una pequeña fiesta en casa para celebrar el final de tu turno. ¿Qué me dices? ¿Cómo suena eso?

Sus grandes ojos azules se inundan de lágrimas.

—Por favor. Solo quiero irme a mi casa. Estoy... estoy muy, muy cansada.

Frunzo el ceño. Las lágrimas también forman parte del teatrillo, estoy seguro, pero así de cerca, puedo ver la gruesa capa de maquillaje bajo sus ojos, que pretende ocultar las oscuras sombras impresas en su blanca piel. No miente sobre lo de estar cansada; si acaso, parece no haber dormido desde hace días.

Joder. Tenía muchísimas ganas de poseerla. Estoy bastante seguro de que al menos parte de lo que siento por su parte es atracción, el mismo tipo de atracción oscura y potente que yo estoy sintiendo hacia ella. Sin embargo, si está tan cansada, es posible que no esté dispuesta a echar un polvo, y yo no fuerzo a las mujeres.

Una mano pesada cae sobre mi hombro, tirando de mí antes de que pueda decir algo.

—Si estás cansada puedes dormir aquí en el sofá —dice mi hermano, casi apartándome de un empujón para ponerse frente a ella—. Solo necesitamos que te quedes hasta mañana por la mañana, ¿de acuerdo?

Apenas me resisto al impulso de empujarlo hacia atrás, como lo hubiera hecho cuando éramos niños. En aquel entonces, peleábamos todo el tiempo, y las narices ensangrentadas y los labios partidos eran nuestros compañeros constantes. En estos días, sin embargo, nuestras discusiones rara vez se vuelven físicas, ya que con nuestro conjunto de habilidades, las cosas podrían volverse rápidamente mortales.

Usamos la violencia con los demás, no entre nosotros.

Aun así, mi mano se cierra en un puño a mi costado mientras Mina pregunta con voz temblorosa:

—¿Pero por qué? ¿Qué queréis de mí?

Puto Ilya. Quiero que ella me mire a *mí* con esos ojos de miedo fingido, no a él.

—Podrías haber escuchado algunas cosas que no debías escuchar —contesta mi hermano con toda la sutileza de un elefante salvaje—. Así que solo queremos vigilarte hasta que salgamos de la ciudad.

—Oh. —Sus ojos se agrandan—. Pero no lo he hecho... no hablo ruso.

—¿Es eso cierto? —No me molesto en ocultar el escepticismo de mi tono cuando su mirada se vuelve hacia mí—. ¿Ni siquiera lo suficiente para reconocer algunas palabras? ¿O algún nombre?

Específicamente, el nombre que Ilya mencionó descuidadamente, el del líder de nuestro equipo, Peter Sokolov, que está en todas las listas de los más buscados a nivel mundial.

Ella nos mira, la imagen misma de la inocencia.

—¿Qué nombre?

Mi hermano me mira, titubeante, y le hago un pequeño gesto con la cabeza. No es un buen juez para saber si alguien está mintiendo, y él lo sabe; por eso en situaciones como esta, siempre me hago cargo.

—Mátala ahora mismo —le digo en ruso, mirando a la chica mientras hablo—. Podemos arrojar su cuerpo al río antes del amanecer.

Su expresión no cambia, pero no me dejo engañar.

Ha entendido exactamente lo que he dicho.

La mandíbula de Ilya se tensa y él se vuelve hacia la chica.

—¿Qué tal si hablamos de esto con un par de cervezas? —dice en húngaro, con tono dulce—. De verdad que no vamos a hacerte daño, te lo prometo.

Ella vacila, sus ojos van de mi hermano a mí un par de veces. Finalmente, hace un dubitativo gesto de asentimiento.

—Bueno, yo... podríamos. ¿Pero podría beber agua o

té, por favor? Estoy demasiado cansada para tomar alcohol.

—Marchando un té —digo, con un jocoso saludo militar y me encamino a la cocina. Mis dotes culinarias son una mierda, pero hervir agua entra dentro de mis capacidades.

Tal vez si meto algo de cafeína en su sistema, no se duerma antes de que pueda convencerla de que se meta en mi cama.

3

MINA

—Así qué, ¿cuánto tiempo llevas trabajando en el bar? —me pregunta el tipo con los tatuajes en el cráneo, el que aparenta ser más amable, cuándo me quito mi chaquetón de invierno y nos sentamos en la sala de estar. Con su empapelado naranja de estilo soviético y sus cortinas marrones, este lugar parece no haber sido renovado desde los años ochenta, pero el sofá en el que estamos sentados es sorprendentemente cómodo. Tal vez *acepte* su oferta de dormir aquí. Es decir, si no me matan y arrojan mi cuerpo al río antes del amanecer.

Creo que mi captor solo estaba comprobando mis habilidades lingüísticas al hacer propuesta, pero no puedo estar segura.

—¿Mina? —me apremia el hombre, y me doy cuenta de que había desconectado en lugar de responder a su pregunta. Ahora que parte de la adrenalina se está desvaneciendo, vuelve mi agotamiento extremo, confundiendo mis pensamientos y ralentizando mis reacciones. Lo único que me apetece es estirarme en este sofá y quedarme dormida, pero si lo hago es posible que no vuelva a despertar.

Los rusos podrían decidir que lo que escuché merece que me maten en lugar de mantenerme prisionera hasta que sea de día.

—He trabajado allí durante unos meses —respondo con voz temblorosa. Es fácil sonar aterrorizada, porque lo estoy.

Estoy con dos hombres que pueden querer matarme, y no estoy en condiciones de defenderme.

Lo único que me hace albergar esperanzas es que todavía no lo hayan hecho. Podrían haberme asesinado fácilmente en el callejón; no necesitaban traerme aquí para eso. Por supuesto, existe otra posibilidad, una que toda mujer debe considerar.

Pueden estar planeando violarme antes de matarme, en cuyo caso arrastrarme hasta aquí tiene mucho sentido.

La idea me revuelve el estómago, los viejos recuerdos amenazan con regresar todos de golpe a mi mente, pero por debajo del miedo y el asco hay algo más oscuro, infinitamente más jodido. El breve chisporroteo de excitación que había experimentado en el bar no era nada comparado con cómo me había sentido cuando el peligroso desconocido me atrapó contra la pared, acariciándome la cara con aquella cruel gentileza. Mi cuerpo, el cuerpo débil y arruinado que llevo todo un año odiando, cobró vida con tanta fuerza que fue como si por debajo de mi piel hubiesen entrado en ignición unos fuegos artificiales, haciendo que mi interior se volviese líquido y abrasando mis inhibiciones.

¿Había sido él capaz de notarlo?

¿Sabía lo mucho que yo deseaba que siguiera tocándome?

Creo que sí. Y más aún, creo que él lo quería. Sus ojos, de un verde duro como el de una piedra preciosa, me habían vigilado con la intensidad oscura de un depredador, absorbiendo cada temblor de mis pestañas, cada parón de mi aliento. Si hubiéramos estado solos, podría haberme besado, o matado, en el acto.

Con él, es difícil decir cuál.

—¿Te gusta? ¿O sea, trabajar en el bar? —pregunta el hombre tatuado, haciendo que vuelva a centrar mi atención en él. Él *sí* que es fácil de interpretar. Hay un interés masculino inconfundible en la forma en que me mira, un brillo evidente en sus ojos verdes.

Espera un segundo. *¿Ojos verdes?*

—¿Vosotros dos sois hermanos? —suelto, y luego maldigo para mis adentros. Estoy tan cansada que no pienso claridad. Lo último que necesito es que estos dos imaginen que estoy recopilando información sobre ellos, o...

—Sí, lo somos. —Una sonrisa ilumina su rostro ancho, suavizando sus rasgos duros—. Gemelos, de hecho.

Mierda. *No* necesitaba saber eso. Lo siguiente será que me diga sus...

—Yo soy Ilya, por cierto —dice, extendiendo una gran zarpa hacia mí—. Y mi hermano se llama Yan.

Oh, mierda. Estoy tan jodida. Sí que *van* a matarme.

—Encantada de conocerte —digo débilmente, estrechando su mano en piloto automático. Mi apretón es tan flojo como mi voz, pero no pasa nada. Estoy interpretando a una damisela en apuros, y cuanto más convincente sea, mejor.

Lástima que el papel sea casi una realidad en estos días.

Ilya me estrecha la mano con cautela, como si tuviera miedo de aplastarme los huesos sin querer, y mis esperanzas se reavivan mínimamente. No sería tan cuidadoso conmigo si planearan violarme brutalmente y matarme, ¿verdad?

Como si leyera mis pensamientos, él me dirige otra sonrisa, una incluso más amable esta vez, y dice bruscamente:

—Lo siento por lo de mi hermano. Está acostumbrado a ver enemigos a la vuelta de cada esquina. *Vas* a salir de esto sana y salva, te lo prometo, *malyshka*. Necesitamos que te quedes aquí toda la noche por precaución, eso es todo.

Es extraño, pero le creo. O al menos creo que *él* no tiene intención alguna de hacerme daño. El jurado aún no ha emitido un veredicto acerca de su hermano... quien elige ese momento exacto para entrar, llevando una taza de té en una mano y dos cervezas en la otra.

Me quedo sin aliento cuando él, Yan, pone las bebidas en la mesa de café frente a nosotros y se sienta entre Ilya y yo, encajándose sin remilgos en el espacio demasiado pequeño. Instintivamente, me aparto alejándome hasta donde el sofá lo permite, pero eso es solo unos seis centímetros, y mi pierna termina presionada contra la suya, con el calor de su cuerpo quemándome incluso a través de las capas de nuestra ropa.

Se ha quitado la chaqueta invernal de ante que llevaba, y ahora va igual que cuando estaba en el bar, con sus elegantes pantalones de vestir y su camisa con botones. Salvo porque lleva las mangas enrolladas, exponiendo los antebrazos musculosos y ligeramente coloreados con un vello oscuro.

Es fuerte, este despiadado captor mío. Fuerte y magníficamente en forma. Su cuerpo es un arma mortal por debajo de esa ropa confeccionada y ajustada a medida.

—Té —dice con esa voz suave y profunda suya, tan diferente de los tonos más ásperos de su hermano—. Lo que ha pedido la princesa.

—Gracias —murmuro, alcanzando la taza. Mis manos tiemblan visiblemente, mi respiración es superficial y estoy sudando... y ninguna de esas cosas es teatro. Puedo oler el aroma limpio y masculino de su colonia; algo sensual y ligero, como a pimienta y sándalo, y su cercanía me inquieta, haciendo que mis entrañas se amotinen con una confusa mezcla de miedo y deseo. Incluso si él no fuera el peligro personificado, me sentiría atraída por su aspecto magnético, pero sabiendo lo que sé sobre él... sobre lo que hace y lo que podría hacerme... soy incapaz de controlar mi inexorable respuesta a él.

Incluso mi cansancio disminuye un poco, dejándome en un estado de inquietud y nerviosismo, como si me hubiese bebido dos litros de expreso.

Soy muy consciente de su mirada sobre mí cuando me llevo la taza a los labios y bebo un sorbo, reprimiendo un silbido por la temperatura hirviente del agua. Estoy tratando de no mirarle, de centrarme solo en mi té, pero no puedo evitar quedarme absorta en sus manos cuando él coge una de las cervezas. Sus dedos son largos y masculinos, y aunque sus uñas están bien arregladas, las callosidades en los bordes de sus pulgares desmienten la elegancia de su apariencia.

Este es un hombre acostumbrado a hacer cosas con las manos.

Cosas terribles y violentas.

A una mujer normal le repelería esa idea, pero mi corazón late más rápido, un pulso doloroso comienza a latir entre mis piernas y mi ropa interior se humedece con un calor líquido. La oscuridad en él me llama, haciéndome sentir viva de una manera que nunca antes había experimentado.

Es como si los iguales nos reconociéramos, lo que hay de malo en mí anhelando lo mismo en él.

Ilya recoge la otra botella con sus manos gruesas y ásperas, con algunos tatuajes en el reverso. No hay ningún artificio en él, ningún intento de ocultar lo que es por detrás de una elegante máscara.

—Por los nuevos amigos —dice, chocando su botella contra la de su hermano y luego, más suavemente, contra mi taza de té. Me arriesgo a levantar la vista hacia él, pero en vez de eso me topo con la dura mirada verde de Yan.

Miro deprisa hacia otro lado, pero no antes de que un rubor traicionero me suba por el cuello y me inunde el rostro.

—Por los nuevos amigos —repito, mirando mi taza como si pudiera ver mi destino escrito en las hojas de té. No estoy segura de querer que Yan sepa el efecto que tiene sobre mí, aunque probablemente ya lo sabe.

No estoy exactamente en mi mejor momento esta noche.

—Sí, por los nuevos amigos —murmura Yan y su gran mano aterriza en mi rodilla para apretarla ligeramente.

Sorprendida, le miro y veo cómo levanta la cerveza, y cómo su fuerte garganta se mueve cuando traga. Es una visión extrañamente sensual, y mi interior se tensa cuando él baja la botella y se encuentra con mi mirada, con los ojos oscurecidos e intensos, mientras la mano de mi rodilla sube unos centímetros por mi muslo, más cerca de donde estoy mojada y dolorida.

Oh, Dios.

Lo sabe.

Definitivamente, lo sabe.

—Ilya —dice en voz baja, sin dejar de mirarme—.

Haznos un par de sándwiches, ¿quieres? Creo que Mina tiene hambre.

—¿En serio? —Ilya suena confundido cuando se pone de pie, y miro hacia arriba para encontrármelo frunciendo el ceño hacia nosotros... específicamente, hacia el muslo en que la mano de Yan descansa tan posesivamente. Lentamente, la tensión impregna su gran cuerpo, y sus manos se cierran a los costados mientras su mirada se dirige hacia la cara de su hermano.

—No creo que tenga hambre —espeta, con voz grave y dura. Sus ojos me atraviesan—. ¿Es así, Mina?

Trago con dificultad, sin saber cuál es la respuesta correcta. Si estoy leyendo esto correctamente, Yan acaba de reclamar una especie de derecho de adjudicación exclusiva sobre mí, una a la que yo daría pie si admitiera este deseo imposible.

¿Es eso lo que quiero?

¿Alejar al hermano que ha sido amable conmigo, para poder quedarme a solas con el hombre que ha propuesto tirar mi cuerpo al río?

—U... un sándwich estaría bien. —Las palabras no parecen ser mías, pero es mi voz la que las dice, aun al mismo tiempo que mi cerebro se apresura a averiguar las implicaciones—. Es decir, si no es demasiado problema.

Los labios de Ilya se hacen más delgados.

—Vale. Veré lo que tenemos en la nevera.

Y dándose la vuelta, se aleja, dejándome en el sofá con su hermano.

4

YAN

*M*e vuelvo hacia Mina, con el corazón latiendo con oscuro triunfo. Estaba casi seguro de que la había leído correctamente, pero ahora lo sé con certeza.

Ella me desea.

Desea esto.

Sus ojos azules muestran un gesto de cautela cuando le quito la taza de la mano y la dejo sobre la mesa de café, y luego agarro su mano y me levanto, poniéndola de pie. Su palma es pequeña y la noto húmeda en la mía, temblando ligeramente. *Está* nerviosa de verdad, esta extraña chica que está dispuesta a acostarse con un hombre que la ha secuestrado y ha amenazado con matarla.

—Ven conmigo. —Mi voz consigue de algún modo sonar fría y neutra, a pesar de que me arde la sangre con el deseo de poseerla, de tirarla sobre el sofá y follármela aquí mismo, ahora mismo, de no ser por la maldita cercanía de Ilya.

—¿I-ir a dónde?

En vez de responder, la llevo a mi dormitorio, ignorando el obvio titubeo en su paso vacilante. Tirando de ella hacia la habitación, cierro la puerta detrás de nosotros y echo la llave por si acaso.

Entonces me vuelvo a mirarla.

Su rostro pálido está sonrosado con un delicado color melocotón, y sus labios abiertos mientras me observa fijamente.

—¿Vas...? —Se humedece el labio inferior—. ¿Vas a matarme? ¿Después?

Una sonrisa oscura eleva las comisuras de mis labios.

—¿Tú qué crees?

Ella traga saliva.

—No estoy segura.

—Y sin embargo aquí estás. ¿Por qué?

Ella no responde, pero su color se intensifica, respondiéndome tan claramente como si hubiera dicho las palabras.

Ella está aquí porque me desea.

Porque ella también siente este hambre.

La he tenido dura desde el momento en que puse mi mano sobre su rodilla y vi sus pupilas dilatarse en respuesta, pero la necesidad que me atraviesa ahora es de una naturaleza casi violenta, salvaje y descontrolada. Me gustan las cosas bonitas, y está claro que ella lo es, pero esto es mucho más. Nunca había deseado tanto a una mujer, nunca había conocido un ansia tan intensa. Iba a jugar con ella, para prolongar la deliciosa anticipación de este momento, pero mis manos se mueven por su cuenta para cogerla, tirando de ella hacia mí mientras inclino la cabeza y tomo posesión de sus labios con un beso profundo y oscuramente carnal.

Un pequeño jadeo se escapa de su garganta, un sonido mitad de protesta, mitad de sorpresa, pero en lugar de empujarme para alejarme, sus pequeñas manos se alzan para agarrar mi cabeza y sus dedos se deslizan en mi cabello mientras presiona contra mí con descarado deseo. Sabe a té con miel, su boca es tersa y cálida mientras su lengua se enreda con la mía y sus dientes se hunden agresivamente en mi labio inferior.

Cualquier autocontrol que aún poseía se evapora ante ese mínimo atisbo de dolor. Con un gruñido profundo, la echo de espaldas contra la cama, le arranco el suéter a tirones sobre su cabeza y lo arrojo a un lado a un lado mientras ella cae boca arriba sobre la manta. Debajo, lleva una camiseta blanca sin sujetador, y la vista de sus pezones erectos por debajo del delgado tejido envía más sangre velozmente hacia mi ingle. Con la visión nublada por la lujuria, me subo a la cama y me monto sobre sus estrechas caderas. Su torso es delgado, casi demasiado, pero sus senos son deliciosamente redondos, sorprendentemente llenos para su pequeña constitución. Mis manos se mueren por tocarlos, moldearlos en mis palmas mientras me hundo profundamente en su cuerpo, y me dejo llevar, toqueteando bruscamente los suaves montículos mientras me inclino para besarla vorazmente de nuevo.

Ella responde con la misma agresividad, con su lengua empujando contra la mía y sus manos arrancando los botones de mi camisa. Un par de ellos salen volando, y los escucho repiquetear sobre el suelo, pero no podría importarme menos la destrucción de mi ropa. Mis propias manos ya están rasgando su camiseta, arrancándola de su cuerpo mientras sigo devorando su boca, incapaz de obtener suficiente de su adictivo sabor a miel.

El resto de nuestra ropa desaparece con frenesí, mis pantalones italianos se enredan con sus vaqueros rotos en la esquina de la cama, y entonces ya la tengo desnuda y retorciéndose debajo de mí, con sus uñas dejando surcos en mi espalda mientras inundo de besos y mordisqueos su cuello, su clavícula, sus hermosos senos... Un pezón erecto aparece en mi boca, y lo chupo, deleitándome con sus gemidos jadeantes mientras mi mano viaja por su cuerpo, deslizándose sobre su estrecha caja torácica y su estómago plano antes de alcanzar las suaves columnas de sus muslos y la resbaladiza calidez de su sexo.

Lleva un piercing en el ombligo, y unas cuantas líneas de texto tatuadas en el costado izquierdo, observa la pequeña parte de mi mente que aún funciona. Quiero explorarlo todo en detalle, reducir la velocidad y examinar todo su elegante cuerpo, guardándolo en mi memoria, pero la lujuria que me golpea es demasiado fuerte para poder pararla.

Separando sus muslos, me muevo hacia abajo, y se me hace la boca agua al pensar en probar esa cálida humedad.

Su coño es tan bonito como el resto de ella, rosado y suave, completamente afeitado, y me sumerjo directamente en mi festín lamiendo con mi lengua su raja empapada antes de subir por sus pliegues.

—Oh, joder —gime, sus caderas se levantan convulsivamente cuando llego a mi objetivo, y sus manos se aferran a mi cabello, apretando fuertemente mientras succiono y después lamo rítmicamente su clítoris, dejando que mis dientes lo rocen entre lametón y lametón. Ella es dulce y salada, tan deliciosa como me esperaba. Mi polla palpita con una desesperada necesidad de estar dentro de ella y mis bolas se aprietan contra mi cuerpo mientras acelero, ansiando su orgasmo tanto como el mío.

Sus gemidos aumentan de volumen, sus caderas suben y bajan con creciente urgencia mientras continúo, y siento el momento exacto en que sucede. Con un grito, se arquea contra mí, sus ojos se cierran con fuerza y todo su cuerpo tiembla a la vez que más de esa sabrosa humedad me cubre los labios y la lengua. Espero un par de segundos hasta que sus espasmos se alivien, y luego subo y la cubro con mi cuerpo.

—Espera —jadea, y sus ojos se abren de golpe mientras encajo mi rodilla entre sus muslos, separándolos. Sus pupilas están dilatadas, su rostro rosado y brillante con un toque de transpiración—. No tomo la... no tengo...

—Yo sí que tengo —gruño, incapaz de creer que casi me olvido de algo tan básico. Sosteniéndome con una mano, busco en la maraña de ropa del rincón y saco un paquete de aluminio que siempre llevo en la cartera. Mis dientes rasgan rápidamente el envoltorio, y desenrollo el condón sobre mi pene antes de guiarlo hacia sus mojados pliegues.

Entonces empujo hacia adentro, con la sangre golpeteando en mis sienes.

5

MINA

*M*e tenso y mi respiración se detiene en mis pulmones mientras él empuja y su gruesa polla me penetra lenta pero inexorablemente. Estoy más mojada de lo que recuerdo haberlo estado jamás, pero incluso con mi cuerpo preparado para su posesión, noto una punzada de dolor. La tiene muy grande, y ha pasado demasiado tiempo para mí.

Debe de notar la dificultad que estoy teniendo porque hace una pausa, su mandíbula se cierra con fuerza y sus ojos verdes se entornan con fiereza frente a mi cara.

—¿Te estoy haciendo daño? —Su voz es áspera, ronca por la lujuria y sus poderosos hombros se tensan por encima de mí. No hay rastro de su fachada civilizada ahora, no hay indicios del sofisticado hombre de mundo del bar. Sin su ropa a medida, se ve como el depredador salvaje que es, su cuerpo grande y musculoso tan letal como perfectamente proporcionado.

—No, es que... —Mi voz tiembla—. Estoy bien. —Es mentira, pero no quiero que pare. Puede que sea retorcido, pero ahora que hemos llegado hasta aquí, siento que me merezco esto, tanto el dolor como el placer. Este hombre, este asesino, es mi castigo *y* mi recompensa, un oscuro regalo para mí por haber llegado tan lejos.

Sus fosas nasales se dilatan, sus ojos se estrechan aún más, y siento que los últimos fragmentos de su autocontrol se desintegran. Con un sonido gutural en lo profundo de su garganta, él atrapa mis muñecas, sujetándolas por encima de mi cabeza, y se clava dentro de mí, empalándome hasta el fondo con un potente movimiento.

Jadeo, con mi interior ardiendo por el estiramiento despiadado, pero mi cuerpo se arquea contra él y mis piernas se envuelven alrededor de sus caderas para llevarlo aún más adentro. Me duele, pero por debajo hay algún tipo de consuelo perverso, una garantía de que estoy aquí, de que estoy viva para poder sentirme así.

No me deja recuperar el aliento esta vez. Bajando la cabeza, posee mis labios con otro beso profundo y devorador y comienza a moverse, y la fuerza de sus empentones me aprisiona contra el colchón. Su boca está caliente y áspera, con sabor a mi humedad y un toque de cerveza, y me encuentro devolviéndole el beso con la misma ansia agresiva mientras el dolor se transforma en un placer salvaje y primitivo. Nunca me he corrido más de una vez durante el sexo, pero mi cuerpo se tensa de nuevo, la tensión en mi interior crece y se enrosca en tensión como un muelle. Un calor febril late por mis venas, y mi corazón se acelera como si tratara de escapar de mi pecho.

Siento que la liberación me golpea igual que un volcán en erupción dentro de mi cuerpo, incinerándolo todo. Se me nubla la vista y mis jadeos entrecortados resuenan ensordecedores en mis oídos mientras cada terminación nerviosa que poseo cobra vida. Con un grito desgarrador, me arqueo contra él y mis músculos internos dan espasmos alrededor de su polla invasora. Es demasiado, y demasiado abrumador, pero de alguna manera, sobrevivo a ello, y cuando estoy bajando desde lo alto, él gruñe roncamente en mi oído mientras su polla palpita profundamente dentro de mí en su propia liberación.

DEBO DE HABERME DESMAYADO DE PURO AGOTAMIENTO inmediatamente después porque lo único que recuerdo al despertar es una toalla fría y húmeda entre mis piernas, limpiando y calmando mis carnes irritadas. No recuerdo cuándo ha salido de mí ni cuándo se ha deshecho del condón, ni siquiera cuando me ha soltado las muñecas. Sin embargo, sí tengo un vago recuerdo de estar abrazada contra un cuerpo masculino grande y cálido y sentirme extrañamente tranquila y segura.

Luchando contra el aturdimiento residual, me siento y miro a mi alrededor. La luz se filtra a través de las pesadas cortinas, por lo que tiene que ser de día. Además, estoy sola. Sin embargo, puedo escuchar el sonido de unas voces de hombre al otro lado de la puerta.

Ellos siguen aquí, y yo sigo siendo su prisionera.

El lado positivo es que obviamente he sobrevivido a la noche. Nadie me ha hecho nada mientras dormía, lo que me hace concebir la esperanza de que tal vez cumplan con su palabra y realmente me dejen ir.

Sin hacer ruido, echo los pies al suelo y me levanto, reprimiendo una mueca por el dolor que siento por todas partes, pero especialmente entre mis muslos. También estoy un poco débil y mareada, pero eso no es nada nuevo. Me siento así la mayoría de las mañanas, aunque esté mejorando lentamente.

Moviéndome tan silenciosamente como puedo, recojo mi ropa, excepto la camiseta interior rota, me visto, y luego me acerco de puntillas a poner la oreja contra la puerta. Las voces de afuera se están haciendo más fuertes, más furiosas.

Los dos hermanos están discutiendo sobre algo.

—... no es tuya —gruñe Ilya en ruso—. No puedes simplemente quedártela como a un gato callejero, haciéndole todo lo que jodidamente te apetezca...

—Que te jodan. —La voz de Yan es igualmente dura —. Solo estás enfadado porque ella me eligió anoche y yo no la compartí.

—No te engañes a ti mismo, joder. Nunca le diste la

opción de negarse. Probablemente se figuró que era o follar contigo o morir...

Un fuerte golpe interrumpe el resto de su discurso, y yo me aparto de la puerta, con el corazón al galope.

Esto es malo, realmente malo. Si lo he entendido bien, Yan planea mantenerme cautiva más tiempo, algo a lo que su hermano se opone. Esto no solo reduce mis posibilidades de salir viva de todo esto: cuanto más tiempo esté cerca de estos asesinos, más probabilidades tendré de escuchar información incriminatoria... pero además también significa que no podré hacer mi trabajo.

Mi auténtico trabajo, no el del bar, que es mi tapadera.

Y por si la posibilidad de hacer que mis clientes se cabreen no era lo suficientemente preocupante, Ilya mencionó algo acerca de querer vigilarme hasta que se vayan de la ciudad. Lo cual, considerando que los hermanos me iban a dejar marchar esta mañana, debe de ser hoy.

¿Quiere eso decir que Yan quiere llevarme con él?

¿Secuestrarme y arrastrarme a otra parte?

Más ruidos de cosas rompiéndose, mezclados con palabrotas en ruso, llegan a mis oídos. Los dos hermanos todavía están peleando, pero a menos que uno de ellos mate al otro, es probable que paren pronto. Lo que significa que tengo que actuar ahora.

Mi mirada busca hasta que cae en las cortinas y me lanzo rápidamente a abrirlas. La brillante luz del sol golpea mis ojos, cegándome por un momento, pero luego veo que estamos en un segundo piso.

No es una ubicación óptima, pero es una con la que puedo trabajar.

Afortunadamente, la ventana es tan antigua como el resto del edificio, y consiste en dos paneles separados con marcos de madera que se abren hacia afuera, como unas puertas francesas. La cerradura del medio está oxidada y repintada, pero cuando la empujo con todas mis fuerzas, el sellado de la pintura se rompe y puedo girar el pestillo y abrir los paneles.

El esfuerzo, por pequeño que haya sido, me deja exhausta, pero no es momento de descansar. La calle de afuera es estrecha y está desierta. Si tuviera que pedir ayuda, nadie me escucharía; no es que contara con que alguien fuese a rescatarme por arte de magia.

Me acerco deprisa a la cama, arranco las sábanas de arriba y de abajo y las ato entre sí. Luego anudo la cuerda improvisada alrededor de la pata de la cama y vuelvo a la ventana, sosteniendo el otro extremo.

No se extenderá más de un metro hacia fuera de la ventana, pero cualquier cosa que me acerque al suelo es algo bueno.

Me tiemblan las manos y estoy sudando cuando trepo al alféizar de la ventana, agarrando la sábana con fuerza. Hace un año, podría haber saltado desde esta altura y haberme marchado caminando tranquilamente, pero ahora estoy fuera de forma, y mis huesos son débiles y quebradizos. El suelo parece peligrosamente lejos y el asfalto agrietado se cierne por debajo de mí como una sentencia de muerte.

Por un momento, considero la idea de quedarme, de seguirles la corriente y ver qué sucede. Después de todo, ¿sería tan malo ser la prisionera de Yan? ¿Para tener esos orgasmos alucinantes y dormir en sus brazos cada noche? Tal vez me cogiera apego después de un tiempo, tanto como un hombre así es capaz de hacerlo, y no me mataría aunque me enterara de más cosas sobre ellos. De hecho, incluso podríamos asociarnos y...

Cierro la puerta a esa idea antes de que llegue más lejos. Las hormonas del sexo todavía deben de estar confundiendo mi mente para que incluso me pare a considerar una idea tan loca. Si me quedara, no sería más que el juguete sexual de Yan, estoy seguro de eso. Además, incluso si estuviera dispuesto a correr este tipo de riesgo, no se trata solo de mí.

Hanna me necesita.

Pensar en mi abuela me centra, como siempre. No puedo darme el lujo de ceder a este capricho, de dejar que la atracción por un asesino guapo me aparte de mi responsabilidad con la mujer que me crio. Ella me ha cuidado durante toda mi vida, y ahora es mi turno de hacer lo mismo por ella.

—Adiós, Yan —pronuncian mis labios, sin emitir ningún sonido y, apretando la sábana con más fuerza, salto.

PARTE II

YAN

COLOMBIA, EN LA ACTUALIDAD

*C*omo es mi costumbre últimamente, saco mi teléfono para revisar mi correo electrónico. Con toda la mierda que ha pasado en los últimos meses, que la información me llegue rápidamente es esencial.

—¿Dónde está Kent? —pregunta Julian Esguerra cuándo Peter Sokolov, nuestro ex líder del equipo y la razón de nuestra situación actual, entra y se reúne conmigo, mi hermano y nuestro compañero de equipo, Anton Rezov, en la oficina de Esguerra.

—¿Cómo quieres que lo sepa? —replica Peter, sentándose a mi lado en la mesa ovalada. Solo soy periféricamente consciente de su presencia, o de que Ilya se está comiendo una galleta que el ama de llaves de Esguerra trajo antes. Toda mi atención está centrada en mi bandeja de entrada, donde acaba de llegar un mensaje de nuestros hackers.

—¿No se queda en la casa contigo? —continúa Peter mientras abro el correo electrónico.

—Estaba haciendo las rondas con los guardias esta mañana —dice Esguerra—. Parece que tendremos que ponerle al corriente más tarde. Tengo una llamada pendiente. —Y después de un instante añade—: ¿Sabemos algo de Henderson?

—No, y no esperaría tener noticias suyas pronto. Todavía estamos... —Peter hace una pausa, como para comprobar la hora— ... aproximadamente a una hora desde el inicio de la fecha límite. Supongo que tendremos que cumplir nuestra amenaza con al menos unos pocos cuerpos antes de que se dé cuenta de que hablamos en serio.

—De acuerdo —dice Esguerra mientras leo el mensaje—. Ya les he dado a nuestros hombres las instrucciones sobre qué rehenes deben ser asesinados primero. ¿Alguna noticia de tus hackers?

Levanto la vista del teléfono.

—De hecho, sí. Justo acaban de rastrear al francotirador... el que le disparó al agente durante el arresto de Peter.

Peter se pone visiblemente tenso.

—¿Quién es él?

—Al parecer no es *él*, es *ella* —digo, según voy leyendo más del correo electrónico—. Se hace llamar Mink y es de la República Checa. Espera... la foto se está cargando ahora.

—¿Qué hay de nuestros dobles? —pregunta Anton —. ¿Alguna palabra sobre esos cabrones?

Sus palabras me llegan como a través de una pared de agua, el rugido de los latidos de mi corazón me golpetea en los oídos mientras la sorpresa y la furia retuercen mis entrañas. Siempre me he enorgullecido de mantener la cabeza fría, la tensa correa con que sujeto mis emociones a menudo engaña a los demás haciéndoles creer que no tengo ninguna. Pero la ira volcánica que se está generando dentro de mí es imposible de frenar.

En mi teléfono hay una cara que nunca pensé que volvería a ver: una cara pálida y bonita enmarcada por unos cabellos cortos y rubios, peinados de punta. El fotógrafo la captó de perfil parcial, y por si hubiera alguna duda en mi mente sobre la identidad de la mujer, el tatuaje del colibrí en el costado de su cuello y los piercings que tachonan su delicada oreja los habrían disipado.

El francotirador que disparó a un agente SWAT durante el arresto de Peter, desencadenando el tiroteo que resultó en la muerte de sus suegros, no es otro que Mina, mi linda camarera de Budapest.

La chica a la que había buscado obsesivamente durante días después de que se escapara.

—¿Qué es? —pregunta Ilya, y aparto la mirada de la pantalla para encontrarme con mi gemelo frunciéndome el ceño.

Si trato de hablar, explotaré. Así que le entrego el teléfono y dejo que lo vea él mismo.

Su áspera cara se congela.

—¿Ella? —Levanta la vista, tensando el rostro—.

¿Ella es Mink?

Peter le quita el teléfono a Ilya y examina la imagen con el ceño fruncido. Por supuesto, él no ve lo que Ilya y yo vemos.

Nunca ha conocido a la zorrita traidora, ni ha se ha corrido docenas de veces recordando follarla.

—¿Quién es ella? —pregunta, mirándonos a mi hermano y a mí—. ¿De qué la conocéis?

Fuerzo a mis palabras a atravesar el nudo de ira de mi garganta.

—Eso da igual. —Arranco el teléfono de las manos de Peter, luchando contra el impulso de romperle los dedos al mismo tiempo—. Voy a enviar a unos hombres a capturarla. Puede que sepa dónde está Henderson.

—No da igual —dice Esguerra mientras yo tecleo furiosamente un correo a los hombres que tenemos en Europa, buscando el rastro de Henderson, el antiguo general de EEUU que es el mayor enemigo de Peter, y ahora mismo, también de nosotros. Les envío el archivo del hacker sobre Mink/Mina y les ordeno que la capturen viva.

No solo necesitamos interrogarla sobre Henderson, quien aparentemente es su jefe, sino que también tengo pendiente un interrogatorio propio.

—¿Quién cojones es ella? —exige saber Esguerra cuando nadie responde a Peter.

—La conocimos en Budapest —explica sombríamente mi hermano mientras envío el correo electrónico y miro hacia arriba—. Ella trabaja como camarera en un bar.

Anton, el hijo de puta, me está mirando y cayendo en la cuenta.

—¿Te acostaste con ella hace algún tiempo? —exclama—. ¿Es esa por la que Ilya hacía pucheros cuando estábamos en Polonia?

Casi planto el puño en su rostro barbudo. Solo una vida de autodisciplina me mantiene inmóvil, pero mis dedos aprietan el teléfono con tanta fuerza que seguramente me van a quedar moretones en la palma.

Mi hermano no es capaz de controlarse tan bien ni de lejos.

—Yo no hacía pucheros —gruñe en respuesta, con una mirada asesina—. Pero sí, *él...* —su pulgar señala hacia mí—... se la tiró.

Mi visión se llena de manchas rojas y la ira dentro de mí hierve fuera de control. Volviéndome para mirar a Ilya, dejo el teléfono sobre la mesa dando un golpe.

—Cállate la puta boca.

Con la cara roja de la furia, él se pone de pie de un salto, haciendo que su silla caiga al suelo, y yo sigo su ejemplo, listo para golpear su grueso cráneo contra la mesa. *A la mierda el autocontrol.* La sed de sangre canta en mis venas, oscura y tóxica, estimulada por la ira y el agudo aguijón de la traición.

Mina es Mink.

Ella me mintió, jugó conmigo como con un tonto.

Y mi hermano, con lo *ublyudok* que es, todavía está cabreado porque no la compartí.

Mi puño ya se está levantando, a punto de volar hacia su cara, cuando Lucas Kent irrumpe en la sala con su rostro de mandíbula cuadrada tenso y su camiseta empapada de sudor.

—Es Sara —dice, jadeando como si hubiera atravesado corriendo todo el recinto—. Peter, tienes que venir conmigo de inmediato.

Sokolov ya se está moviendo, la simple mención de su esposa basta como para hacerle olvidar todo lo demás que existe bajo el sol. Un momento después, él y Kent se han ido, y con ellos, algo de la furia que me había cegado.

Tomando una bocanada de aire para calmarme, me siento de nuevo e Ilya hace lo mismo, aunque Anton y Esguerra nos miran como si fuéramos una bomba lista para explotar. Pero no tienen que preocuparse. He vuelto a tener el control.

Mi hermano no es el enemigo aquí.

Ella sí.

Y cuando ponga mis manos en su pequeño y bonito cuello, pagará hasta por el último de los pedacitos de su engaño.

7

MINA

*M*e despierto con una jaqueca punzante y un dolor sordo en las costillas. Tengo un sabor como a cobre rancio en la boca, los brazos entumecidos, las muñecas atadas dolorosamente sobre mi cabeza, y yo estoy tendida sobre una superficie dura. Hace un calor húmedo, y puedo oler mi propio sudor, combinado con los olores de madera podrida y mohosa. Durante un instante, no logro entender nada, pero después recupero la memoria, y mi cuerpo se inunda de adrenalina. Preciso echar mano de todo mi entrenamiento para poder permanecer inmóvil, con los ojos cerrados y la respiración regular, cuando las imágenes de lo ocurrido invaden mi mente.

Atacada.

Capturada.

Me dirigía a uno de mis turnos de camarera en Budapest cuando cuatro hombres me rodearon en un oscuro callejón, mirándome con ojos tan fríos como las armas que llevaban en sus manos. Conseguí desarmar a uno y herir a otro, pero eran demasiados.

Aun estando fuerte y sana, no sería rival para ellos.

Después de eso, mis recuerdos son borrosos. O me drogaron o me dejaron inconsciente. Recuerdo vagamente una sensación de movimiento, lo más probable de un coche, seguido por un fuerte rugido que me recordó al de los motores de un avión. ¿Me han hecho volar a algún sitio?

Si es así, ¿por qué?

El miedo me atenaza, su metálico y potente sabor me amarga la boca, pero lo dejo de lado, obligándome a concentrarme. *Piensa, Mina. Céntrate y piensa.* Repaso rápidamente mis borrosos recuerdos, buscando cualquier cosa que pueda explicar esta situación.

¿Quién querría capturarme y por qué?

Me viene a la mente el tenue y borroso recuerdo de una conversación. En medio del rugido de los motores, los hombres estaban hablando: una mezcolanza de inglés, ruso y español, si no me equivoco. ¿Qué fue lo que dijeron? Mencionaron algo acerca de alguien llamado Esguerra, y algo más sobre un capitán o un general...

Oh, mierda.

Mi estómago se tensa cuando caigo en la cuenta, cuando comprendo de qué va esto. Tendría que haber sabido que el jodido desastre de Chicago iba a volverse contra mí.

Fue la única vez en mi vida que no le hice caso a mi instinto.

La única vez en que acepté un trabajo que no iba conmigo.

El sonido de unos pasos me saca de mis pensamientos.

Alguien se acerca.

Mis latidos se aceleran, pero no permito que se me note, esforzándome al máximo para fingir que sigo inconsciente. El recién llegado no se deja engañar. Se detiene a mi lado... de alguna manera, sé que es un *él*, y se agacha de golpe para observarme con risueña malevolencia. Percibo el peso de esa mirada, noto la oscuridad que encierra, y una extraña sensación de familiaridad se apodera de mí cuando un aroma sutil y masculino, como de sándalo y pimienta, juguetea en mis fosas nasales. Entonces él se echa a reír con un sonido áspero y cruel, y cuando sus dedos rozan con ternura mis labios, se me hiela la piel al comprender algo que me parece imposible.

—Si esta no es mi pequeña Mina... —dice Yan en húngaro, con una voz suave y profunda, como salida directamente de mis más oscuros sueños—. ¿O debería llamarte *Mink*?

8

MINA

*C*on los pulmones atenazados por una mezcla de shock y perversa excitación, miro al hombre que he intentado, y no he conseguido, olvidar durante los últimos quince meses. Está tan peligrosamente atractivo como le recuerdo, con unos rasgos duros tan simétricos como si hubiesen sido tallados por un escultor, y con una camisa azul abotonada perfectamente y ajustada a su musculoso cuerpo. Su boca, esa misma hábil boca que había lamido mi sexo con un ansia sorprendente, se curva en una sonrisa fría, y sus ojos verdes están llenos de la amenaza de desatar todos los infiernos.

Mierda. Tiene que ver con todo aquello.

Esa posibilidad se me había pasado por la cabeza cuando Walton Henderson III, un ex general de los Estados Unidos, contactó conmigo con aquel encargo. Quería que interfiriera en el arresto de un asesino ruso en los suburbios de Chicago, un hombre que respondía al nombre de Peter Garin.

El objetivo era asegurarse de que Garin no fuese capturado vivo.

El encargo sonaba simple y directo, pero la parte del asesino ruso me hizo pensármelo. Me preguntaba si los hombres que me habían secuestrado aquella noche estarían involucrados de alguna manera... si eso podría tener algo que ver con Yan e Ilya. Pero la foto del objetivo no se parecía en nada a los gemelos, y tras algunas deliberaciones, acepté el trabajo.

Henderson me ponía la piel de gallina, pero me pagó bien y me hacía falta para pagar las facturas de Hanna.

Me convencí a mí misma de que no había forma de que Garin estuviera conectado con Yan e Ilya, mientras volaba a Chicago con el pasaporte estadounidense que me había dado Henderson. Rusia es un país enorme, donde abundan toda clase de criminales. Que mi objetivo compartiera una nacionalidad y una oscura vocación con el hombre con el que me había acostado era una coincidencia, nada más.

Después, cuando sucedió ese jodido desastre y la cara y el nombre de mi objetivo, el verdadero nombre de Peter Sokolov, aparecieron en todas las noticias, recordé que Ilya había mencionado a alguien llamado Sokolov en el bar. Pero para entonces ya era demasiado tarde y además, todavía podría tratarse de una coincidencia.

Sokolov es un apellido ruso bastante común.

Pero ahora ya está claro que no había sido ninguna coincidencia, y vuelvo a ser prisionera de Yan, en un cobertizo de madera de algún lugar cálido.

—¿Dónde estoy? —pregunto en húngaro con voz fría y firme mientras examino rápidamente mi entorno. Ahora sabe lo que soy, así que no hay necesidad de fingir ser una damisela desvalida al borde del desmayo. Al hablar noto un dolor punzante en el labio inferior y un latido sordo en la mandíbula... probablemente de cuando peleé durante mi captura.

—Colombia. —La sonrisa de Yan se vuelve más oscura cuando yo cambio ligeramente de postura, tratando de aliviar la presión de mis muñecas atadas—. El complejo de Julian Esguerra en el Amazonas. —Lo dice en ruso, burlándose de la mentira que le conté la noche que me secuestró.

Lo miro sin pestañear. El nombre "Esguerra" no significa nada para mí, aunque el hecho de que me hayan arrastrado al otro lado del mundo es más que un poco preocupante. Cambio al ruso:

—¿Por qué estoy aquí? ¿Qué quieres de mí?

—Ahora mismo, respuestas. Después, ya veremos.

A pesar del dolor de mi cuerpo magullado, mi interior se contrae y un calor oscuro chisporrotea en mi piel. Ignorando esa sensación, pregunto con la mayor calma que puedo:

—¿Y qué gano yo si te doy esas respuestas?

—Tu vida —responde alguien en ruso. Es una voz diferente y más áspera, y aparto la mirada de Yan para ver a su hermano acercarse a la tenue luz del cobertizo que hace que los tatuajes de su cráneo parezcan un corte de pelo irregular.

—Hola, Ilya. —Le muestro mi sonrisa más radiante... algo de lo que me arrepiento de inmediato, ya que ese gesto vuelve a hacer que se me abra el labio partido. Aun así, vale la pena. Ilya parece sorprendido por mi entusiasta saludo, y parte del oscuro regocijo de la cara de Yan se desvanece.

No le gusta que me alegre de ver a su hermano.

Probablemente no sea prudente cabrear a Yan, pero no creo que vaya a salir viva de esto. No esta vez. Con el trabajo de Henderson, me equivoqué en más de un sentido. No solo acepté un trabajo sobre el que tenía dudas, sino que los agentes del SWAT *no* mataron a Sokolov cuando me cargué a uno de ellos desde un tejado cercano. De alguna manera, el bastardo había logrado sobrevivir a una tormenta de fuego de proporciones épicas y escapar con su esposa.

Y si él es el amigo o el jefe de los gemelos o lo que sea, lo mejor que puedo esperar es una muerte rápida.

—Mina. —Ilya se agacha junto a su hermano, con una expresión tensa en la mirada—. Supongo que nunca fuiste camarera, ¿verdad?

—Lo era... lo soy. Soy camarera y barman a tiempo parcial. —Necesito una fuente de ingresos legítimos para cosas como alquilar un apartamento y mantener engañada a mi abuela.

—Claro. —El tono de Yan es de ironía—. Y el resto del tiempo, ¿haces qué? ¿Matar a agentes del SWAT por diversión?

—No por diversión —digo con tono neutral—. Por dinero. Igual que vosotros dos. Me entrenaron como francotiradora en las Fuerzas especiales húngaras, pero las cosas no funcionaron para mí con ellos. Así que cuando tuve ocasión de ganar algo de dinero extra, pensé en poner mis habilidades en práctica.

Ahí está. Ya lo he dicho. Es extrañamente liberador admitir la verdad, dejar caer la máscara que he venido llevando en los últimos años. Nadie, excepto mi instructor, conoce esta faceta de mí, y si los demás lo supieran, se sorprenderían y horrorizarían.

Los dos hombres que tengo delante no parecen ni sorprendidos ni horrorizados. Parecen estar pensando en matarme, lo que viene a ser mejor de algún modo que la desaprobación moralista.

Yan extiende su mano y acaricia mi labio otra vez, tocando mi herida con una caricia engañosamente tierna.

—¿Dónde está tu jefe?

Cuando él aparta la mano con los dedos manchados de rojo, me lamo los labios y noto el sabor de la sangre.

—No tengo ningún jefe. Voy por libre.

—Te está hablando de Henderson —dice Ilya con dureza, y cuando levanto la vista hacia él, veo que, por algún motivo, mira fijamente a su hermano. Centrándose de nuevo en mí, gruñe—: ¿Dónde está?

—No tengo ni idea. Solo lo vi una vez en persona, cuando me encargó el trabajo. El resto del tiempo, se comunicó conmigo a través de correos electrónicos cifrados. —No tiene sentido negar mi participación.

Aunque consiguiera convencerlos de algún modo de que todo esto es un malentendido, no van a disculparse y a llevarme volando de vuelta a Budapest.

Soy una muerta andante... o más bien, una tumbada de espaldas.

—¿Y cuál era exactamente tu encargo? —La voz de Yan es suave como la seda—. ¿Acostarte conmigo formaba parte del plan?

Ilya se tensa visiblemente ante esa pregunta, y mi cara se enrojece a pesar de mi resolución de mantener la calma.

—Por supuesto que no. Tú me secuestraste en la calle y me arrastraste hasta tu casa, ¿recuerdas? No tenía ni idea de quién eras esa noche, y en cualquier caso, a Henderson hace solo un par de meses que lo conozco.

—¿En serio? —dice Yan arrastrando las sílabas, con los ojos brillantes—. ¿Entonces no nos estabas espiando en el bar?

—No a propósito. Si no queríais que nadie os oyera, no tendríais que haber estado hablando de vuestros asuntos en público. Yo estaba trabajando en ese bar, eso es todo.

—Y una mierda. —El tono de Yan no cambia, pero la temperatura del cobertizo se desploma cuando él toca un lado de mi cuello, limpiándose sus dedos manchados contra mi tatuaje—. No pudieron ubicarte en su sistema, y no volviste por allí... ni siquiera para recoger tu mísera paga. Tampoco había ninguna Mina con un tatuaje de colibrí en las redes sociales.

Trato de ignorar el efecto que su contacto está teniendo sobre mi cuerpo.

—Así que me buscaste. —Temí que lo hiciera, así que cuando milagrosamente no me rompí nada al escapar, volví a al bar y borré mi archivo de personal del ordenador. El propietario nunca prestaba mucha atención a sus trabajadoras a tiempo parcial, y yo no era muy amiga de ninguno de mis compañeros de trabajo, así que pensé que era poco probable que ellos se supieran de memoria mi dirección ni mi nombre completo. Parece ser que no me equivocaba en eso... al igual que evitando siempre las redes sociales.

Incluso antes de aceptar mis tendencias criminales, creía en mantener mi vida lejos de internet tanto como me fuera posible.

—Oh, te busqué. —La mirada de Yan se oscurece, su mano baja para recorrer mi clavícula—. Después de todo, tu coñito...

—¿Te contrató para hacer qué? —interrumpe Ilya bruscamente a la vez que mi cara se inunda con más color. Los toques posesivos de su hermano y las crudas referencias a nuestra noche juntos parecen molestar al enorme ruso casi tanto como a mí. ¿Es porque, como dijo Yan ese día, Ilya está molesto porque su hermano no me compartió?

¿Comparten estos dos a las mujeres a menudo?

Alejando las imágenes clasificadas X de mi mente, digo con voz serena:

—Ya lo sabéis. Tenía que dispararle a uno de los agentes que lo iban a arrestar, incitándolos a que ellos dispararan a Sokolov. Salvo que entonces yo creía que se llamaba Garin.

De haber sabido el auténtico nombre de mi objetivo, habría recordado a Ilya mencionándolo el bar, y no habría aceptado el trabajo. Estaba desesperadamente necesitada de fondos, pero no lo bastante como para cabrear a alguien tan peligroso como Yan.

—¿Eso es todo? —Sus dedos están dejando un rastro de fuego sobre mi oreja, jugueteando con cada uno de mis piercings—. Piénsalo con cuidado antes de mentirme, Minochka. —La versión en diminutivo de mi nombre, algo que se usaría con una niña o con un ser querido, suena cruelmente burlón en sus labios, especialmente cuando sonríe y agrega suavemente—: Peter Sokolov es muy bueno en conseguir extraer información.

A mi pesar, trago saliva y mi estómago vacío se subleva. He estado tratando de no pensar en eso, en lo que podría suceder si no soy capaz de darles las respuestas que buscan. No le temo demasiado a la muerte... con el pago de lo de Henderson en mi cuenta, Hanna debería heredar lo suficiente para cubrir sus gastos durante bastante tiempo; pero no puedo negar que la posibilidad de la tortura me da escalofríos.

—Hay una cosa más —le digo, decidiendo dárselo todo. Tal vez si coopero lo suficiente, no sientan la necesidad de recurrir a los métodos de Sokolov para *extraer información*—. Henderson también necesitaba a otros hombres que fueran hábiles en ciertos asuntos... y que estuvieran dispuestos a cualquier cosa.

La mirada de Yan se agudiza, llena de interés.

—Cuéntanos.

—Hay un equipo con el que he colaborado en algunos trabajos en el pasado. —O mejor dicho, con el que ha colaborado Gergo, pero no estoy dispuesta a arrastrar a mi mentor y adiestrador a todo esto—. Les di sus nombres a Henderson. No sé para qué los necesitaba... —aunque después de ver las noticias, tengo una terrible sospecha—... ni dónde están ahora mismo, pero puedo deciros quiénes son. Tal vez si los encontráis a ellos, sepan dónde está Henderson.

—Adelante —dice Yan mientras Ilya saca su teléfono para tomar nota—. Habla.

Recito todos los nombres del archivo que le entregué a Henderson. En realidad, solo he visto a esos hombres una vez y los odié a primera vista, así que no me siento particularmente mal por estarles traicionando. Puede que a Gergo le disguste perderlos, pero lo superará. Después de todo, es por su culpa que yo me encuentre en esta situación.

Él fue quien me envió a Henderson.

—¿Lo has apuntado todo? —pregunta Yan, mirando a su hermano, e Ilya asiente

—Lo tengo.

—Muy bien. —Yan se incorpora—. Veamos qué podemos sacar.

—Espera —le digo mientras se da vuelta para irse—. Tengo que hacer pis. Por favor. —No miento, mi vejiga está incómodamente llena. Pero también necesito que me saquen de este cobertizo, para poder evaluar mi entorno y descubrir cuáles son mis posibilidades de escapar.

Lo más probable es no pasen de cero, pero tengo que intentarlo.

Los labios de Yan se curvan en una cruel sonrisa.

—¿En serio? Entonces háztelo aquí mismo.

Ilya se le acerca, cerrando sus enormes puños.

—La sacaré yo. De hecho...

—Ya lo hago yo. —La voz de Yan adquiere una tensión letal, que es un eco de la rigidez que invade su cuerpo alto y musculoso—. Tú puedes ponerte con los nombres.

Esa orden tensa visiblemente a Ilya, y hay tanta testosterona flotando en el aire que prácticamente puedo olerla.

¿Están a punto de llegar a las manos? ¿Sobre quién me lleva a mear, nada menos?

Sin embargo, en el último segundo, Ilya gira sobre sus talones y sale del cobertizo, dando un portazo, y yo me quedo con Yan.

Mi captor.

El hombre a quien temo y deseo en igual medida.

9

MINA

*L*os ojos verdes como gemas preciosas de Yan brillan con frialdad mientras recorre mi rostro con la mirada, deteniéndose un instante en mis labios, antes de centrar su atención en la vena que palpita en mi cuello. Mi corazón comienza a latir aún más deprisa. Su proximidad me asusta a la vez que me excita y el peligro que representa aumenta perversamente su atractivo. Por retorcido que sea, mi cuerpo reacciona a él exactamente igual a como lo hizo en Budapest, y cuando me agarra por las muñecas para deshacer el nudo de la cuerda, su contacto me provoca una respuesta involuntaria, como el calambre de una descarga eléctrica.

Me desata con la fluida eficiencia de un asesino que conoce cómo usar las cuerdas. Me da la vuelta, y me pone a la fuerza los brazos detrás de la espalda. Mis músculos protestan por el cambio violento de postura y me empiezan a doler los brazos cuando la circulación sanguínea se invierte. Manteniéndome tumbada en el banco con una rodilla presionada contra la parte baja de mi espalda, agarra fácilmente mis dos muñecas con una mano y usa la misma cuerda para atarlas de nuevo, enrollándola varias veces antes de anudarla un poco demasiado fuerte.

Bruscamente, me pone de pie. Con las manos atadas detrás de la espalda, y después de haber permanecido tanto tiempo inmóvil, mi sentido del equilibrio no funciona bien y empiezo a tambalearme. Él me sujeta con un fuerte brazo alrededor de mi cintura. Un fogonazo de algo conocido se dispara en mi cerebro, un recuerdo de unos cálidos brazos y de una extraña sensación de seguridad, pero antes de que tenga tiempo de digerir esa reacción, él vuelve a tirar de mí hacia su pecho firme, con un brazo apretándome el vientre y su mano libre haciéndose hueco en mi pelo.

Tirando de mis cortos mechones, inclina mi cabeza, dejando mi cuello expuesto y me gruñe en el oído:

—No intentes nada. Para mí sería divertido. No tanto para ti.

No lo dudo ni por un segundo.

Cuando me empuja hacia adelante, vuelvo a tropezar, pero él me mantiene derecha sin esfuerzo, manejándome como si yo fuese un títere. Reprimo el arraigado impulso de resistirme. Sin un arma, no tengo ninguna posibilidad, no contra Yan. Es demasiado hábil. Ninguno de mis movimientos de combate cuerpo a cuerpo lo tomará por sorpresa. Si pretendo escapar, tengo que usar la cabeza.

Nos movemos a través de la penumbra hacia una puerta mal aislada. Tiene un cerrojo, además de una cadena y un candado, y la luz del día brilla a través de las grietas entre el marco y las paredes de madera. Cuando Yan la abre, el aire de fuera no proporciona ningún alivio. La cálida humedad es peor que la oscura sombra del interior. Parpadeo un par de veces para que mis ojos se ajusten a la brillante luz.

Cuando salimos, dos guardias se vuelven, y los clasifico rápidamente. Equipo de combate negro. Sendos AK-47. Muy machos, con rasgos hispanos y complexión bronceada. Sus ojos oscuros se fijan en mi cara antes de saltar a mi camiseta blanca. Tengo el cuerpo empapado en sudor y el fino algodón no es protección suficiente contra sus miradas invasivas. Con los dos brazos hacia atrás, mis pechos están a la vista y no hay nada que pueda hacer al respecto.

Manos que me sujetan y puños que no se detendrán. Voces burlonas. Furia impotente.

Joder, no. Reprimo el viejo recuerdo, y entorno los ojos en dirección a los hombres que con los suyos están diseccionando mi cuerpo, pero eso solo consigue sacarles sendas sonrisas.

—¿*Qué pasa?* —pregunta el más alto en español.

—Perdeos —le espeta Yan en inglés. Debe de hablar varios idiomas, igual que yo.

—Tenemos órdenes —responde el otro guardia con un fuerte acento hispano.

—Entonces espero que puedas ejecutarlas a ciegas —le replica Yan en un tono tan audazmente sádico que me estremece—, porque estás a punto de que te saquen los ojos.

No tengo ninguna duda de que esa amenaza se hace en el sentido más literal. Tampoco los guardias, porque el alto mira hacia otro lado y señala con la cabeza hacia un complejo que hay a lo lejos antes de decirle a su amigo:

—*Vámonos.*

El que habla inglés aparta la mirada. Los dos se van caminando juntos hacia los edificios blancos, sin mirarme al pasar.

Yo evalúo dónde estamos. Estamos rodeados de exuberante vegetación. La mayoría de las plantas no me son familiares, pero reconozco las flores del tucán y los árboles de yopo con sus vainas de semillas de haberlos visto en fotos. A una buena distancia del complejo, se ve una torre de vigilancia sobre las copas de los árboles a la izquierda. Hay dos más a mi derecha. Y si hay torres de vigilancia, la propiedad estará cercada.

Se me cae el alma a los pies. Fugarme se me antoja más improbable a cada segundo.

Escucho un zumbido por encima y levanto la vista.

Un dron.

Maldita sea, también estamos siendo observados. Aunque consiguiera escaparme, no llegaría lejos.

Yan me da la vuelta en dirección a la jungla y me da un pequeño empujón.

—Andando, princesa. —Vuelve a hablarme en ruso.

Doy un traspiés y luego consigo enderezarme.

Mientras camino hacia donde Yan me está llevando a empellones, miro de reojo al sol abrasador. Tengo los labios resecos, pero me obligo a no pensar en mi sed.

Me paso la lengua por el corte palpitante del labio inferior y pregunto:

—¿Qué hora es?

—¿Importa eso? —pregunta con un tono de cínica burla

—Solo me pregunto cuánto tiempo llevo inconsciente.

Él se ríe, sin tragarse mi indiferencia, pero sorprendentemente, responde:

—Son más de las dos.

Hago un cálculo aproximado de dónde debería estar el norte usando la posición del sol.

Después de cruzar el pequeño claro que rodea el cobertizo, nos adentramos en la espesa vegetación. El dron se queda flotando en el límite, incapaz de seguirnos. Yan me adentra más en la selva sombría hasta que estamos completamente fuera del alcance de la vista del dron.

Me da la vuelta y me empuja contra un árbol. Mi espalda hace un ruido al golpear el tronco y la áspera corteza se me clava en la piel de las manos mientras él me mira con esa nueva expresión helada en los ojos. Ahora, soy el enemigo. Me odia. Cree que le mentí. Y lo hice, pero solo acerca de no entender el ruso, y él ya sabía que le estaba mintiendo sobre eso. No, la furia silenciosa que emana de él hace evidente de que todavía piensa que lo estaba espiando, y nada de lo que yo le diga lo convencerá de lo contrario.

Busca el botón de mis vaqueros y yo trago saliva. Tengo la garganta como si fuera lija. Podría pedirle que me desatara, pero caería en saco roto. Eso no va a suceder. El botón se abre y se escucha la cremallera cuando él la baja despacio, sosteniéndome la mirada todo el tiempo.

Esos otros tipos, los guardias, me asustaron. He visto lo que los hombres pueden hacer a una mujer en tiempos de guerra. De no ser por Gergo, habría estado infinitamente más familiarizada con esas siniestras intenciones. Sin embargo, no tengo miedo de Yan. No en ese sentido. Me aterra que me mate, pero no que me viole. Me secuestró en Budapest y me llevó a su casa. Si hubiese querido, podría haberme hecho cualquier cosa. Pero a pesar de la situación retorcida de aquel entonces, yo me sentí segura en su cama. A salvo. Un sentimiento que para mí era raro experimentar con ningún hombre.

Me mete los pulgares en la cintura de los vaqueros y los desliza por debajo del elástico de mis bragas de algodón. Mi cara se calienta, como si yo fuese una inexperta adolescente, no solo por lo íntimo de la situación, sino también al recordar cómo él me devoró, y cómo le devoré yo.

Sus labios se curvan con la seguridad de un hombre que conoce el efecto que tiene sobre una mujer, pero sus ojos permanecen tan fríos como las luces del norte, burlándose de mí, despreciándome, mientras desliza mis vaqueros y ropa interior sobre mis caderas y muslos hasta las rodillas. Mi piel sufre un estallido de carne de gallina, siguiendo el recorrido de su contacto. Se endereza lentamente, arrastrando las puntas de sus callosos dedos hacia el exterior de mis piernas desnudas y sobre la zona donde empiezan mis nalgas.

El calor de mis mejillas se intensifica cuando finalmente baja la mirada, contemplando el triángulo de entre mis piernas como si tuviese todo el derecho. No es nada que no haya visto antes, pero esto es diferente. Estoy atada y desnuda, expuesta, con las manos atadas y los vaqueros alrededor de las rodillas. Mientras que él está bien, en calma y completamente vestido. Mientras continúa mirándome, una fuerte oleada de vulnerabilidad asalta mi estómago. Es humillante, y a juzgar por su implacable sonrisa, humillarme es lo que pretende.

Furioso castigo. Venganza servida fría.

A pesar de todo, la corriente subyacente de peligro envía una chispa de alegría a mi vientre. Puedo evitarlo tan poco como puedo evitar mi atracción por este hombre peligroso. Mi cuerpo ansía sus caricias. Solo una vez más, para recordar lo bueno que fue. Una cucharadita que me recuerde a qué sabe estar vivo. Él tiene un efecto en mí como ningún otro. Antes de él, creía que nunca sería capaz de volver a tolerar el contacto de un hombre sin que lo acompañara la repulsión.

Pero ahí está. Una reacción inoportuna, pero innegable. Mi interior se calienta. Mi sexo se satura. El manojo de nervios de entre mis pliegues hormiguea. Necesito todo el autocontrol que poseo para no acercar mis caderas hacia el hueco de sus muslos. Estoy lo bastante lúcida como para admitir que es algo más que físico, que hay un elemento psicológico en mi deseo de sentir sus brazos rodeándome. No soy estúpida. Sé que no saldré viva de aquí, aunque tengo la intención de intentarlo. De cualquier manera, de repente anhelo la relajante seguridad que encontré en su abrazo en Budapest. No me importa que sea falsa. Solo quiero sentirla una vez más, y me niego a juzgarme a mí misma por eso.

Es algo natural. Nadie quiere morir solo.

Me concentro en donde sus manos descansan ligeramente sobre mis caderas desnudas, esas manos increíblemente masculinas con dedos largos y varoniles y uñas de manicura perfecta. Manos que pueden infligir dolor de un millón de formas distintas. Tomo un entrecortado aliento, a punto de rogarle que haga que el final sea dulce y rápido cuando él se aparta y me da la espalda.

—Date prisa. —Su voz es neutra, carente de emociones—. Tienes diez segundos.

Me agacho y hago mis cosas rápidamente. Habiendo vivido cerca de hombres en todo tipo de situaciones tácticas, no sufro de miedo escénico.

Llevo la cuenta del tiempo en mi cabeza. Me da exactamente diez segundos antes de darse la vuelta. Yo ya estoy de pie. Acaba rápido con la tarea de subirme la ropa interior y los vaqueros por las caderas y cerrar la cremallera y el botón. De repente, parece tener prisa.

Me agarra por el brazo, me lleva de malos modos hasta el cobertizo y me obliga a sentarme en una silla que hay en medio de la estancia... para hacerme un interrogatorio, sin duda. Se me hielan las entrañas al intuir lo que me espera. Yan levanta mis brazos maniatados por encima de la silla para que no los aplaste con el peso de mi cuerpo, un extraño alivio temporal cuando un interrogatorio es la conclusión inevitable, y la tortura una más que plausible posibilidad. Entonces coge más cuerda, me abre las piernas y ata mis tobillos a las patas de la silla.

Y así es como me deja, atada en la oscuridad.

Estoy entrenada para soportar la incomodidad y el dolor. Me evado a un lugar de mi mente donde las impresiones sensoriales del hambre, la sed y los miembros doloridos no son más que señales para mi cerebro. Se trata de usar el control mental. Si no fuera por esta técnica, me volvería loca.

No pasa mucho tiempo hasta que la puerta se abre de nuevo y entra un hombre alto y fornido. Con la luz del sol a sus espaldas, solo distingo su silueta. No necesito dotes de clarividencia para saber que el aura de este hombre está imbuida con mismo tipo de peligrosidad que la de Yan.

Dos hombres se colocan detrás de él. Los gemelos.

Sus rostros están en las sombras, pero reconocería la constitución robusta de Ilya y la peculiar forma de caminar de Yan, como la de una pantera, en cualquier parte.

Se enciende una luz y una bombilla desnuda proyecta un círculo de luz a mi alrededor.

—Acabamos de recibir los archivos de los hombres cuyos nombres nos ha dado ella —dice Ilya en ruso, mostrando su teléfono—. Nuestros dobles tienen un buen currículo. Los cuatro son antiguos Delta Force, de la misma unidad.

¿Sus dobles? ¿Qué demonios?

Ilya dirige su mirada hacia mí.

—A ellos y a algunos de sus amigos los juzgaron en un tribunal militar hace quince años por violar en grupo a una niña de dieciséis años en Pakistán.

¿*Qué?* Todos los pelos de mi cuerpo se erizan al oír eso. No iba desencaminada cuando tuve un mal presentimiento sobre ellos. ¿Lo sabe Gergo? No, es imposible. Teniendo en cuenta mi historia, él no habría trabajado con ellos. Me alegro de haber revelado sus nombres. Espero que los rusos los atrapen. Espero que les hagan sufrir.

—Seis de ellos fueron arrestados —prosigue Ilya—, pero el resto los liberó y el grupo entero se dio a la fuga. Desde entonces, han estado haciendo trabajos casuales por diversos lugares, un poco de todo desde asesinar a políticos menores hasta poner bombas para organizaciones terroristas.

El hombre agarra el teléfono de Ilya mientras él

habla, y su pulgar va deslizándose sobre la pantalla, presumiblemente revisando fotos de los hombres en cuestión, los hombres que le recomendé a Henderson. Un hilillo de sudor corre por mi espalda. Luego, el recién llegado se da vuelta y sostiene el teléfono en un ángulo desde el que puedo ver claramente las caras que va pasando adelante y atrás, y me quedo helada.

La madre bendita de todos los putos desastres..

En el teléfono están los rostros que reconozco de los hombres de Delta Force, pero debajo, emparejados con cada uno de ellos, hay otras imágenes de baja calidad que deben de haber salido de una cámara de seguridad y que muestran a unos hombres completamente diferentes. Uno de ellos se parece al que sostiene el teléfono frente a mí, y otro es un tipo de aspecto duro con barba oscura. Pero son los dos últimos los que hacen que me dé un vuelco el estómago.

Los gemelos.

Son Yan e Ilya, y sin embargo, no lo son. Reconozco los rasgos de los Delta Force por debajo de los disfraces hábilmente aplicados.

¿Es eso lo que Ilya quiso decir con "nuestros dobles"? El bombardeo del FBI en Chicago, el acto terrorista por el que Sokolov iba a ser arrestado: ¿fue todo una trampa tendida por Henderson para inculparle? ¿Utilizó el general al equipo de los Delta Force que le indiqué para llevar a cabo el bombardeo y cargarles las culpas a Sokolov y su equipo? ¿Un equipo que incluye a Yan y a su hermano?

Al pensarlo, me dan ganas de vomitar.

No veo mucho las noticias, pero ni siquiera *yo* fui capaz de no enterarme de esa historia, especialmente porque mi objetivo, el hombre al que se suponía que debía matar durante su arresto, era el principal sospechoso del atentado. Su cara y la de su esposa aparecían en todos los boletines de noticias. Al principio seguí la cobertura de la historia, pero después de un par de días, tuve suficiente.

Era repetitiva, y no necesitaba recordatorios constantes de cuánto la había jodido al involucrarme en este desastre.

Ahora, sin embargo, tengo que preguntarme si ese fue otro error más por mi parte. ¿Las caras de Yan e Ilya... o más bien, las de sus dobles, se difundieron también al final?

Si hubiera seguido viendo la tele, ¿me habría enterado de su implicación?

Un momento, esos disfraces... miro otra vez las fotos en el teléfono y se me seca dolorosamente la boca.

Esos disfraces, tienen una marca distintiva de su origen, una que conozco bien. Conozco el estilo, porque yo misma lo he utilizado en muchas ocasiones. Es un estilo que el mismísimo maestro me había enseñado.

Solo hay una persona en el mundo capaz de haber creado ese efecto.

Un hombre conocido como el Camaleón.

Gergo Nagy.

Mi mentor, salvador y amigo. El hombre a quien debo mi vida, y mucho más que eso.

También él debe de haber estado involucrado en esto. Lo cual tiene sentido... Gergo ha trabajado antes con los Delta Force. Muchas veces. Y fue él quien le pasó mi contacto a Henderson.

Empiezo a temblar en medio del calor tropical. Si esto sale a la luz, Gergo es hombre muerto.

Sé lo que el tipo que ha venido con Yan e Ilya va a preguntarme incluso antes de que se dé la vuelta y me diga:

—¿Quién hizo su maquillaje y sus disfraces?

La luz de la pantalla del teléfono ilumina sus rasgos duros, y lo reconozco por las imágenes de las noticias.

Es Peter Sokolov, el asesino ruso al que me contrataron para matar indirectamente, y al parecer, el compañero de equipo de los gemelos.

Esto no puede terminar bien para mí.

Él entra en el círculo de luz y se detiene justo frente a mí, mirándome la cara con expresión fría y calculadora.

—Parece haber sido alguien muy hábil.

Yan e Ilya se colocan detrás de él, Yan un poco demasiado cerca. Los rostros de los gemelos son duros y severos mientras me dirigen sus miradas escrutadoras, pero es la de Yan la que siento en las entrañas, como si me estuviera abriendo en canal y mirando dentro de mí.

Me humedezco los secos labios. No puedo traicionar a Gergo. Todo lo que soy se lo debo a él. No voy a pagárselo delatándole. De todos modos, estoy muerta. Todos lo sabemos, los cuatro que estamos en esta habitación. Solo hay una solución, que implica terribles consecuencias, algo que intensifica las náuseas de mi estómago vacío.

Los hombres me observan en silencio. No van a dejar que la pregunta sobre los disfraces quede sin respuesta. Quieren de verdad a quien lo haya hecho. Al final, acabarán descubriéndolo. No hay otro camino.

Una parte de mí muere antes incluso de juntar las palabras y articular la mentira. Sokolov es el que representa una mayor amenaza, cerniéndose sobre mí como el brutal asesino que percibo que es, pero el rostro de Yan es al que me dirijo mientras digo con voz suave:

—Soy yo. Yo lo hice.

Esa afirmación es tremenda. Acabo de admitir haberles tendido una trampa a Yan y a su equipo de la manera más sucia posible. La mera idea me abrasa el estómago como una bola de fuego, aunque no sea verdad. Sin embargo, no hay reacción alguna en la mirada helada de Yan. Nada en su expresión. Ni siquiera un tic.

Cualquier magia que hayamos compartido de forma tan poco convencional en lo más oscuro de la noche está tan muerta como sus ojos inexpresivos y verdes.

10

YAN

Tengo la sensación de que una bandada de buitres está peleándose dentro de mi pecho, arrancando toda la carne de mis huesos, pero por fuera, no demuestro nada. No le daré ese gusto a esta linda zorrita. Me tendió una trampa. Me hizo parecer un terrorista, nada menos.

Lo que habíamos compartido no le importó ni una mierda.

No me detengo a examinar porqué esa idea me desgarra las entrañas. Sencillamente, así es. Tal vez porque mientras yo la buscaba por las calles como un puto lunático, a ella yo le importaba un bledo. Mientras la deliciosa intimidad que hemos compartido ha estado reproduciéndose en bucle en mi memoria, ella se había olvidado enseguida de todo con respecto a mí, tal vez desde el segundo exacto en que escapó de mi habitación.

Da igual. Tengo planes para recordárselo. A fondo.

Sokolov la mira con escepticismo.

—¿Es eso cierto? —Parece que le cueste creer que ella haya hecho los disfraces.

Las fosas nasales de su delicada nariz se ensanchan, como si ese escepticismo por su parte fuese insultante para su honestidad cuando ya hemos establecido que su honestidad es cuestionable en el mejor de los casos.

—¿Por qué iba a mentir? —La ira que se muestra en su rostro élfico está también presente en su voz, pero eso no la hace menos melodiosa—. Ya os he dado todos esos nombres. ¿Qué me importaría daros otro más en el esquema general de las cosas?

Una idea anida en mi mente exaltada. Llamémoslo esperanza. Llamémoslo estupidez. Llamémoslo jodido delirio de locura.

—Eso será fácil de verificar. —No me gusta lo cerca que está Sokolov de ella, y me abro hueco en su espacio. Si lo que dice es cierto, aunque esa estúpida parte de mí que no puedo reprimir por completo todavía espera que esté mintiendo, le proporcionaré el castigo que se merece. Es mi derecho, y solo mío—. Puede demostrar sus habilidades conmigo esta noche.

—Y conmigo —añade Ilya como un crío insolente.

Y una mierda. Nadie la tocará excepto yo. Ella tuvo elección. Ella eligió *mi* cama. Es a mí a quien jodió cuando me lo dio todo y nada en absoluto.

Sokolov hace más preguntas. Ella las contesta todas. Durante su diálogo, vigilo de cerca a Sokolov. Por culpa de Mina, o más bien, de mi pequeña y mentirosa Mink, los suegros de Sokolov están muertos. Conozco bastante bien a mi antiguo jefe de equipo. No lo va a dejar correr. Aunque esté plantado ahí, mirándola con expresión pétrea, veo lo que bulle en su mente. La ejecución de Mina es cosa hecha. La diminuta francotiradora no va a salir de aquí con vida. Su lengua nunca volverá a enredarse en un beso, su coño nunca cederá para dejar entrar a una polla como lo hizo con la mía, con un ajuste perfecto. Sus exuberantes labios jamás dejarán escapar otra mentira.

El corte de esos labios me molesta. No pega nada allí. Tampoco los moretones de su piel translúcida y perfecta. Es bueno que los tipos que nos la trajeron ya se hayan marchado, o lo harían en bolsas para cadáveres. Mentirosa o no, no tenían derecho a maltratarla. Tendría que haber especificado que la cogieran ilesa, no solo viva.

Sokolov está jugando con ella, haciéndole creer que su cooperación le conseguirá la libertad, pero veo la comprensión dibujada en sus sorprendentes ojos azules. Mina es más lista que eso. Ella no una civil cualquiera que hemos cogido en la calle. Le cuenta lo que él quiere escuchar, pero dice que solo conoció a Henderson en persona una vez, y que no sabe dónde están nuestros imitadores, aunque ha trabajado con ellos en el pasado.

Cuando Sokolov se va por fin, bajo la guardia lo suficiente como para mirar bien a Mina. Ella está aguantando bien. Mi pecho se hincha de orgullo. Orgullo no deseado, pero puedo evitarlo tan poco como puedo evitar que mi polla se despierte por su cercanía. A pesar de mi ira, hay una retorcida emoción dentro de mí, la alegría de haberla recuperado por fin. La pequeña traidora todavía me fascina sin mesura.

Esa fascinación no durará mucho más si no bebe y come algo pronto. Lo hemos alargado tanto como hemos podido.

Nuestros pensamientos a menudo están en sintonía, los de Ilya y los míos, y justo cuando estoy a punto de ofrecerle lo que parecería a cualquier prisionero una recompensa por su cooperación, Ilya pregunta:

—¿Tienes hambre?

Ella le dedica una sonrisa que es demasiado amistosa para mi gusto.

—No le diré que no al agua.

Tiene la voz ronca.

—Te conseguiremos algo de comer y beber.

Resentido, me vuelvo hacia él.

—Buena idea. ¿Por qué no te acercas corriendo hasta el complejo y nos traes una comida y algo de agua?

Su rostro se retuerce con una expresión que conozco bien de nuestra infancia, cuando discutíamos sobre las tareas pendientes.

—¿Por qué yo?

Me cruzo de brazos.

—Tú eres el que le ha ofrecido comida.

—Ve tú a por ella.

—Vale. —Me dirijo a mi bonita cautiva—. Lo siento, pero parece que el servicio de habitaciones no está funcionando hoy.

Ilya maldice por lo bajo, dirigiéndome una serie de coloridos epítetos rusos. Me río a sus espaldas cuando se aleja hacia la puerta como un toro furioso. Cuando él se ha ido me vuelvo a mirar a Mina y me la encuentro estudiándome.

—¿Vosotros dos siempre compartís a las mujeres?

Me encojo de hombros como si eso no tuviese importancia... lo cual así era, hasta ella.

—No nos importa.

—¿Al mismo tiempo, o siempre vas tú primero? —Hay una pizca de sarcasmo en su pregunta.

Agarrando los reposabrazos de la silla, invado su espacio personal.

—Ambas cosas, de hecho. —Sonrío—. ¿Celosa?

Ella estira el cuello para alejarse de mi proximidad.

—A mí no me compartiste.

Solo escuchar eso hace que el pelo de mi nuca se erice.

—¿Querías que te compartiéramos? —Paso los dedos por los mechones sedosos de su cabello corto, de color platino, veteados de suciedad. Ella me mira con cautela, perspicazmente desconfiando de mi suave caricia—. ¿Es ese tu fetiche, *malyshka*? —Uso a propósito el apodo ridículamente dulce de mi hermano para ella. En ruso significa *Chiquitina*.

—No —responde ella con vehemencia, casi como ofendida.

La respuesta me tranquiliza lo suficiente como para liberarla y dar un paso atrás. Es tan bonita... incluso empapada de sudor y cubierta de tierra. Me dan ganas de arrancarme la camisa y crear un tipo diferente de sudor en ella. Ninguna mujer me ha afectado así jamás. Ayer, podría haberla adorado por eso. Hoy la odio.

Girando sobre mis talones, me voy enérgicamente hacia la puerta. Como la asesina profesional que es, no me pregunta a dónde voy o qué estoy planeando. Sabe que no obtendrá respuesta.

Los guardias han vuelto. Por si acaso, aseguro la cadena y cierro la puerta por fuera. Luego voy a nuestros dormitorios del complejo en busca de un balde y una pastilla jabón. Una vez allí, cojo una camisa limpia y un nuevo cepillo de dientes desechable de mi bolsa. Un rápido paseo por la cocina me confirma que Ilya está furiosamente haciendo a manotazos un sándwich. Me voy antes de que él me vea. Solo empezaría con una nueva sesión de quejas.

De vuelta en el cobertizo, lleno el balde con agua del grifo de fuera y cierro la puerta detrás de mí de nuevo. La expresión de Mina no cambia, pero el rápido movimiento de su pecho al respirar revela su miedo.

Probablemente piense que voy a torturarla sumergiéndola en él.

Le desato las piernas y en un santiamén le quito las botas, los calcetines, los pantalones y la ropa interior antes volver a atarle los tobillos a la silla. No me molesto en quitarle la camiseta ni el sujetador. Esos se los arranco. Están sucios y empapados en sangre más allá de la salvación. Pensándolo bien, los pantalones y todo lo demás también pueden ir a parar a la basura. No pienso hacerle la colada a la pequeña traidora.

No iba a mirarla, no así, pero ella ya no es una visión de un recuerdo favorito en mi mente. Está aquí mismo, desnuda y abierta de piernas. A la vista. No puedo resistirme. Comienzo por sus finos tobillos y deslizo mi mirada por sus pantorrillas bien formadas hacia la carne suave del interior de sus muslos. Entre ellos está mi premio, el coñito más hermoso que he visto en mi vida. Extiendo mi exploración a su musculado estómago y al piercing de su ombligo, un aro de oro. Luego al tatuaje dibujado en su costado. Sus costillas son como los huesos de un pajarito. Con sus brazos estirados hacia atrás, puedo contarlas de una en una.

Los tonos azules y negros sobre su piel blanca nacarada evidencian que ha recibido algunos golpes en el estómago. Aprieto los puños con rabia. Verla así de magullada hace que surja algo dentro de mí, algo que me da ganas de matar.

Tirarle un cubo de pintura por encima a la Mona Lisa sería un sacrilegio. Esto no es muy distinto. Es un pecado estropear algo tan absolutamente perfecto. Después de haber vivido en condiciones sucias y apestosas durante toda mi infancia y la mayor parte de mi adolescencia, he cultivado el gusto por la belleza y por todo lo estéticamente atractivo para la vista. Prefiero las camisas de vestir a la ropa informal, las marcas de diseño en lugar de las prendas sin marca. Y no puedo soportar ver un retrato de valor incalculable destrozado por unos vándalos.

Aparto la vista de la perturbadora visión de su

abdomen herido, la muevo hacia arriba y me veo recompensado con esos pechos turgentes. Sus pezones son rosados y delicados, como el glaseado de un pastel. El recuerdo de su sabor me hace la boca agua.

Levanto los ojos hasta su rostro. Ella me mira en silencio, aceptando la inevitable ley de los de nuestra clase, aunque una nueva capa de sudor perla su frente. A la mayoría de los prisioneros se les tortura desnudos. Eso no es solo porque facilita el acceso a todas las partes del cuerpo, sino también porque añade una sensación psicológica de vulnerabilidad.

Sumerjo una esponja en el balde y la enjabono bien. Sus labios se separan ligeramente cuando me agacho delante de ella y le pongo la esponja húmeda en el pie. Ella se sobresalta con el primer contacto, y luego suelta el aire en muda exclamación. El agua está fría, pero le supondrá un bienvenido alivio en cuanto se acostumbre. Aquí hace tanto calor como en un horno.

—¿Qué estás haciendo, Yan?

Joder. La forma en que ella pronuncia mi nombre me la pone todavía más dura. Por extraño que sea, al tocarla siento como si volviese a casa... y no es que yo sepa cómo es eso. Nunca he tenido un hogar, al menos no en el sentido seguro y cómodo.

—¿A ti qué te parece?

—Entonces, ¿*Por qué* lo haces? —Su voz es suave, tan suave como su piel por debajo de la palma que deslizo hacia arriba por su pantorrilla.

De hecho, ¿por qué? Porque es una Mona Lisa, y estoy fascinada con esta extraña mujer que es más pequeña que la mayoría, pero que hace el trabajo de hombres grandes y despiadados como yo. Porque es bonita y no puedo dejar de mirarla. Porque tal vez, solo tal vez, todavía quiero creer en ella. Hay algo en ella que me toca una fibra de humanidad que ignoraba que seguía teniendo. O tal vez es porque verla sucia me trae recuerdos no deseados y profundamente enterrados de estar sucio y hambriento. Todavía puedo saborear esa miseria. Sabe demasiado a pan rancio y desesperación.

—Porque quiero poner tu cuerpo en tu ataúd como la obra de arte que eres. —digo la última parte como un insulto, pero honestamente, ella merece un ataúd de cristal, como el de Blancanieves, para que todos puedan admirarla en la muerte igual que en vida.

Su garganta se mueve cuando traga, pero no puedo obligarme a lamentar mis crueles palabras.

El dolor de su traición está demasiado fresco, es demasiado visceral.

—¿Cómo vas a hacerlo? —pregunta con voz ronca.

—¿Hacer qué?

—Matarme.

Me imagino su cuerpo sin vida sobre el suelo. No con un cuchillo. Demasiado sucio para su piel blanca como el papel. No estrangulándola. Eso dejaría hematomas en su fino cuello. Con veneno, tal vez. Una muerte cruel, pero la dejaría intacta.

—Coopera —le digo—, y podemos considerar dejarte ir.

Son solo palabras vacías. No significan nada. Y su silencio dice que ella es consciente de eso.

Meticulosamente, bajo hacia abajo con la esponja siguiendo el camino desde su cintura. Le lavo el sudor y la suciedad. Lavo el olor de los hombres que la capturaron, a pesar de que dicho olor sea solo un concepto en mi mente. Trazo la esponja jabonosa por el interior de su muslo, mirando su rostro mientras la arrastro sobre los delicados pétalos de su sexo.

Los recuerdos de lo que se esforzó su coño por acomodar mi polla, de lo hermosamente que se estiró para mí y de lo mucho que me apretó cuando llegó al clímax, me enfurecen. Abre un poco la boca y su hinchado labio inferior hace que algo ferozmente protector se remueva en mi pecho. Ella se retuerce en la silla mientras yo separo sus pliegues con dos dedos y arrastro la esponja por su abertura. Su pecho sube y baja más deprisa. Doy vueltas a su clítoris dos veces antes de abandonar ese cruel jugueteo y pasar a su otra pierna.

Le lavo el vientre y los costados, arrastrando las manos suavemente sobre la piel magullada para evaluar el daño en las costillas. Nada parece estar roto, pero ella respira profundamente cuando yo toqueteo su carne. Finalmente, tengo la oportunidad de estudiar su tatuaje. Inclinando la cabeza, leo las palabras.

In aeternum vivi. Adéla & Johan.

Soy en gran medida autodidacta, lo que significa que me he enseñado todo tipo de cosas no estándar, como el latín básico. Así que sé lo que dice el tatuaje.

Eternamente vivos.

¿De qué irá eso? Tendré que preguntárselo más tarde.

Sumerjo la esponja en el balde, absorbo una gran cantidad de agua y la dejo gotear entre sus senos. Hipnotizado, veo los riachuelos correr por el hueco de su ombligo, sobre el anillo del vientre y su monte de venus, y por entre sus pliegues. Sus pezones se tensan, y les presto especial atención con la esponja, así como a las curvas inferiores de sus senos.

Cuando termino de jugar con sus senos, me muevo hacia su cuello. El arco de esa columna es elegante, tan delicado como el intrincado detalle del colibrí que lleva tatuado allí. Lo busqué después de aquella noche en Budapest. El lindo pajarillo es un símbolo de la vida. Un extraño símbolo para que lo lleve una asesina.

Mi atención se desplaza hacia su hermoso rostro. Mi palma cubriría fácilmente los cuatro sentidos situados allí. Si estiro la mano así, podría taparle los ojos, la nariz y la boca y bloquearle las orejas con los dedos. Qué cosita tan delicada. Quizás asfixiarla sería la forma perfecta de hacer que se fuera.

Lavo cuidadosamente la sangre seca de su labio partido y confirmo que es el único corte que hay en su cuerpo. La sangre de su camiseta no es de ninguna otra lesión. Luego me muevo hacia su cabello, enjabonando sus mechones cortos hasta que están de un rubio platino puro y no queda ningún resto de la suciedad del largo viaje ni del polvo del banco. Aliso su cabello mojado sobre su cabeza bien formada y me aparto para admirar mi trabajo.

Ahí está. Ya vuelve a estar toda limpia y reluciente. Excepto por el corte y los moretones, pero esos se desvanecerán.

Me está mirando con todo el cuerpo cubierto de piel de gallina y los pezones erectos. Está confusa. Probablemente preguntándose por qué no estoy bajándole la cabeza para hundírsela en el balde. Y ya llegaremos a algo parecido, pero no como ella piensa.

Mi polla ya se ha puesto dura de tocarla, de verla y olerla, de sentir su cálido aliento en mi cara. Estoy tentado de liberarla y hundirme en ella, aquí mismo, en la silla, pero no así.

Un fuerte golpe en la puerta me hace salir del mis pensamientos. La voz de Ilya se filtra a través de la madera.

—Abre.

Ni lo sueñes.

—Deja la comida junto a la puerta.

—¿Qué cojones…?

—¿Tienes algún problema de oído?

Me llama por todos los nombres de animales inferiores que puede imaginar. Cuando finalmente se queda sin insultos, se escucha un sonido de tintineo de cubiertos, y luego el ruido furioso y retumbante de unos pasos que se alejan.

Espero bastantes segundos antes de ir a la puerta y mirar por la rendija. Los guardias están de espaldas a la entrada. No hay señales de Ilya. Abro la puerta y cojo la bandeja antes de volver a cerrarla. Mina me lanza otra de esas miradas cautelosas mientras llevo la bandeja y la dejo en el suelo.

—¿Hambrienta? —Sé la respuesta, pero no me ha dicho una palabra desde que me preguntó lo de la forma de matarla, y tengo ganas de escuchar el dulce sonido de su voz, melodiosa como la de un pájaro.

—Sedienta —dice con voz ronca.

Quito el tapón de la botella de agua y la sostengo contra sus labios. Ella bebe con avidez, tomando todo lo que puede conseguir. En su posición, no sabe si volverá a recibir otra gracia semejante.

Cuando lleva un cuarto de botella, la aparto para indicarle que debería ir más despacio. La vomitará toda si bebe demasiado rápido. Me entiende, y empieza a, beber en pequeños sorbos. Cuando se acaba la mitad del agua, dejo la botella a un lado y alcanzo el sándwich. Lo giro de lado para revisar el relleno. Jamón de york y queso.

Jodido Ilya. ¿No podría haber pensado algo un poco más interesante?

Me pongo entre sus piernas y le ofrezco el pan. Ella separa un poco demasiado los labios, como la gatita hambrienta que es. Su herida vuelve a abrirse, pero eso no impide que ella le dé un gran mordisco a una esquina.

—Bocados pequeños —le recuerdo.

Ella mastica y traga, mirándome mientras come, probablemente preguntándose si la comida está envenenada. No vuelvo a acercarle el pan a los labios. Esta vez, me detengo y espero. Ella se inclina hacia mí sin apartar sus ojos de los míos, tomando cuidadosamente el mordisco de mi mano. Es igual que ganarse la confianza de un pequeño animal salvaje, hasta llegar a enseñarle a comer de la palma de tu mano. Me está gustando demasiado. Por otra parte, no puedo olvidar que los animales salvajes, sin importar lo bonitos que sean, no dudarán en morder la mano que los alimenta. Está en su naturaleza.

El corte de su labio vuelve a sangrar con todo ese movimiento que hace para acomodar el sándwich. Me asaltan visiones de esos labios rodeando la dureza que tanto me atormenta en mi polla, pero las aparto. No voy a permitir que mis esperanzas crezcan hasta que ella haya pasado, o más bien fallado, la prueba de disfrazarme.

Parto el pan en pedazos más pequeños y se los doy para evitar que lo siga pasando mal por culpa de su herida vuelta a abrir. Los alterno con sorbos de agua hasta que se lo ha terminado todo, excepto el último trago de agua. Se lo doy para que se enjuague la boca, después de cepillarle los dientes, y le digo que lo escupa en el suelo.

Tiene un aspecto infinitamente mejor después de comer, aunque sigue estando débil. Hasta hay algo de color en sus mejillas, el mismo resplandor melocotón que tenía cuando yo le metía y le sacaba la polla. Antes de que recupere sus fuerzas y decida pelear, la desato, le pongo mi camisa, y vuelvo a atarla otra vez a la silla.

Su mirada sigue el movimiento de mis manos mientras yo le abrocho los botones.

—Es tuya.

Como si yo fuera a vestirla con la ropa de otro hombre. Reprimo una risa maliciosa.

—¿Por qué estás haciendo esto? —pregunta.

—¿Prefieres que te deje desnuda?

Eso le hace cerrar la boca.

El dobladillo le llega hasta los muslos, pero su coño desnudo está solo a un brazo de distancia de mí. Me enderezo y pregunto bruscamente:

—¿Qué te hará falta para hacerme el disfraz?

Su respuesta es titubeante, como si fuese reacia a hacer esto.

—Lo normal. Una peluca. Barba. Maquillaje teatral.

La fulmino con la mirada.

—¿Qué esperabas conseguir la noche en que dejaste que te cogiera? —No puedo dejarlo correr. No puedo quitármelo de la cabeza—. ¿Información, tal vez? —Nunca se sabe. Cierta información es una mercancía muy valiosa.

—Ya te lo he dicho. Nada.

Me echo a reír.

—¿Esperas que me crea eso?

Ella me devuelve la mirada con igual intensidad.

—¿Y tú qué, Yan? ¿Qué esperabas conseguir *tú*? Os escuché a ti y a Ilya. Os oí cuando hablabais de retenerme.

—¿Por eso te largaste?

Ella aparta la mirada.

La cojo por la barbilla y le giro el rostro hacia mí.

—Respóndeme.

—Estaba eso, y... —Durante un instante, parece sentirse culpable—. Y quién soy yo.

—Ah. Una asesina, quieres decir. No te habría tomado por una, princesa, pero ¿tenderme una trampa para hacerme parecer un terrorista? Eso ya es otra historia.

—No fue algo personal —susurra ella.

Mi sonrisa es cruel.

—¿Ah, sí?

—Era un trabajo.

Un trabajo. Yo era un trabajo.

Que me jodan si sé por qué averiguar eso me desgarra en diez direcciones diferentes por dentro. Tal vez porque ella no es la camarera que fingía ser, y lo que de verdad es la haga aún más perfecta para mí.

En otras circunstancias, podríamos haber tenido algo, ella y yo. Pero tal como están las cosas ahora, somos enemigos.

Y su vida me pertenece.

11

MINA

*H*a pasado un rato desde que Yan se marchó, llevándose consigo mi ropa sucia, pero el aroma a sándalo y pimienta picante perdura en la estancia. Al contrario que su abrumadora personalidad, su distintiva colonia es sutil y ligera, pero aun así domina el cobertizo, tanto como para enmascarar el olor a humedad de la madera en mis fosas nasales. Impregna su camisa, la que llevo puesta. ¿Por qué me ha bañado, alimentado y vestido con ropa limpia? ¿Es esta una táctica psicológica, una forma de ablandarme antes de romperme? Si es así, va a ser tremendamente efectiva. Si se propone ser físicamente cruel conmigo más tarde, toda esta amabilidad lo hará parecer mucho peor.

Las líneas de sombras que forman las delgadas grietas entre las tablas de la pared se estiran sobre el suelo poco a poco hasta que al final desaparecen. Los grillos comienzan a cantar. Hay uno en alguna parte, en la esquina del cobertizo, atrapado dentro igual que yo. Su canto desentona con el coro de los que están libres ahí afuera. Me distraigo intentando ver a mi pequeño compañero, pero el resplandor de la luz que Yan me ha dejado encendida no llega hasta las esquinas. Cae a mi alrededor formando un charco blanquecino, sin llegar a los rincones oscuros de mi corazón, donde el miedo late desafinado.

Está completamente oscuro afuera cuando la puerta se abre y Yan entra al cobertizo llevando dos maletines metálicos. Son maletines genéricos, del tipo que igual se usa para guardar armas que instrumentos de tortura. El nudo de mi estómago se hace más acusado cuando levanto la vista de los maletines hasta su cara. Sus angulosas facciones dibujan un gesto de dureza, y junto con la belleza masculina de su rostro, lo hacen parecer de algún modo más peligroso, más calculador. Él cierra la puerta y atraviesa la estancia. Mis entrañas se encogen con más fuerza con cada paso que él da.

Deja caer los maletines a mis pies.

—¿Qué tal lo llevas, mi pequeña camarera?

Su acusación está cargada de rencor. Responder a ella solo aumentaría su furia. Y no puedo culparle por sentirse así. Entiendo cómo se ve esto desde su punto de vista. Una noche, nos conocemos y nos acostamos, y quince meses después, él descubre que soy la francotiradora que ha intentado que mataran a su jefe/amigo. ¿Qué se supone que debe pensar? La única conclusión lógica es que yo lo estaba espiando aquella noche en el bar. Para colmo, como he mentido para proteger a Gergo, cree que colaboré en tenderles una trampa no solo a Sokolov sino a su hermano y a él, poniendo sus caras en los del equipo culpable de un terrible atentado terrorista. No sabe que yo no tenía ni idea de lo que Henderson iba a hacer con los Delta Force que había en los archivos que le di, ni que jamás habría aceptado el trabajo de Sokolov de haber sospechado siquiera que tenía algo que ver con Yan. Y no puedo decirle la verdad a Yan.

A sus ojos, soy un monstruo desalmado y tengo que seguirlo siendo mientras me dejen seguir viva.

—Vamos a hacer esto a la inversa —dice Yan—. Vas a disfrazarme a mí para que me parezca a uno de esos gilipollas Delta Force. —Se inclina, agarra los reposabrazos y agrega, con una voz suave e inquietante —: por tu bien, espero que fracases.

Trago saliva. Ya fracasé cuando asumí la responsabilidad por el trabajo.

Una de las comisuras de sus carnosos labios se eleva, pero el gesto no tiene nada de amable.

—¿Preparada, princesa?

Yo asiento.

Su boca pasa rápidamente cerca de la mía.

—Si intentas algo, haré que desees estar muerta. ¿Entendido?

Me estremezco más por la frialdad con que lo ha dicho que por la amenaza en sí misma.

—Bien —dice, tomando mi silencio por la respuesta correcta. En este juego, no tengo otra opción.

Lo estudio mientras se agacha para desatarme los

pies. Lleva camisa de vestir y pantalones a medida, y ningún arma, al menos ninguna que yo pueda ver. Tampoco es que le haga falta llevarla. Sus manos son lo bastante grandes como para infligir un daño letal. Y venir desarmado es inteligente. Elimina la posibilidad de que yo lo desarme y use su propia arma contra él.

Él me rodea y se pone a mi espalda para desatarme las muñecas.

—¿Necesitas ir al baño?

—Sí.

Suelto aire ruidosamente cuando las cuerdas caen y él mueve mis brazos a mis costados. Después de horas de estar en la misma posición, hasta ese ligero movimiento es doloroso. Él me frota los brazos con sus grandes y cálidas palmas, para devolverme la circulación. Cuando la mayor parte del hormigueo ha desaparecido, tira de mi antebrazo para ponerme en pie y me conduce hacia afuera.

No hay luz alrededor del cobertizo, pero puedo distinguir a dos guardias, diferentes de los de antes, bajo la luz de la luna. Uno de ellos sujeta a un perro con una correa. El animal nos enseña los dientes cuando pasamos a su lado. Es más que un perro rastreador. Está entrenado para atacar.

—No querrías que te pusieran las manos encima —Yan dice suavemente contra mi oído.

Entiendo lo que quiere decir y tiene razón. No quiero. También entiendo por qué me ha traído aquí fuera. Es para asegurarse de que sé lo que me espera si de alguna manera logro dominarlo.

Me lleva hasta el mismo árbol, pero esta vez, no se da la vuelta mientras hago lo mío. A pesar de mi entrenamiento, mis mejillas se ponen rojas. El borde de su camisa oculta mis partes, pero él me mira como si fuese capaz de ver a través de la tela. Cuando he terminado, saca un paquete de toallitas húmedas de su bolsillo y me lo entrega. Me limpio rápidamente antes de limpiarme también las manos, apreciando ese pequeño lujo higiénico. Sin saber qué hacer con las toallitas usadas, hago una bola con ellas y la guardo en la mano.

Él me agarra por el brazo y me lleva de vuelta al cobertizo. El ejercicio, por breve que haya sido, es bienvenido. Me alivia un poco el dolor de espalda.

De vuelta adentro, nos encierra y deja caer la llave en el bolsillo delantero de sus pantalones. Luego me empuja bruscamente hacia la silla.

Señalando los maletines, me ordena:

—Ábrelos.

Hay una papelera al lado de la silla, supongo que para echar sangre o vómitos cuando torturan a sus enemigos. Tiro allí las toallitas usadas.

—Ahora, *Mink*. No tengo toda la noche.

Ignoro el tono acusador implícito en su forma de decir mi nombre en clave, me agacho delante de los maletines, abro los cierres y levanto las tapas. Uno está lleno de un surtido de pelucas, bigotes, peines y pegamento, y el otro con maquillaje y pinceles. ¿Cómo ha conseguido todo esto tan deprisa? Con una mirada me basta para saber que estos productos son de la gama más alta.

—Elige uno —me dice.

Vuelvo a dirigir mi atención hacia él.

—¿Qué?

—Elige a uno de los tipos. —Su tono es burlón, pero no se me escapa la ira que subyace por debajo—. ¿En quién me vas a convertir?

—No los recuerdo de memoria. Tendré que volver a ver sus caras.

Me lanza puñales con la mirada mientras saca su teléfono del bolsillo y desliza el dedo por la pantalla sin romper el contacto visual. La intensidad de su mirada hace que mi frente se cubra en sudor. Si hubiese disfrazado de verdad a esos hombres, tendría que ser capaz de recordar sus rasgos. Contengo el aliento, rezando para que él no caiga en la cuenta.

Examina brevemente la pantalla antes de levantarla a la altura de mi cara.

Dejo escapar un silencioso suspiro de alivio. Lo miro para pedirle permiso, y extiendo la mano. Él asiente. Deslizo un dedo sobre la pantalla, pasando las fotos de los Delta Force. Me detengo en el de la barba y las cejas pobladas.

Él gira el teléfono para mirar la imagen.

—Qué hijo de puta más feo. —Deja el teléfono fuera de mi alcance sobre el banco, y se vuelve hacia mí con los brazos cruzados—. ¿A qué estás esperando?

—Tendrás que sentarte. —Es demasiado alto para que llegue hasta su cara.

Un pequeño shock me atraviesa cuando él me agarra por las caderas. Su mirada se hace más intensa, como si lo supiera. Nos recoloca, invierte nuestras posiciones y se sienta en la silla. Abriendo las piernas con un movimiento perezoso, me empuja entre ellas.

—Házmelo, *malyshka*.

Doy un respingo por dentro, por el doble sentido. Los recuerdos de nosotros dos *haciéndonoslo* desnudos en su cama asaltan mi mente, y un leve latido de excitación comienza a dar saltitos en mi vientre.

Inclinándose lentamente hacia atrás con un brillo de depredador en los ojos, Yan me suelta y deja los brazos descansando en una pose engañosamente despreocupada sobre los brazos de la silla. Hago lo más sensato. Doy un paso atrás para aumentar la distancia entre nosotros, y me pongo a revolver el contenido del estuche de maquillaje. Elijo un surtido de bases de maquillaje en crema y la estudio bajo el resplandor de la bombilla desnuda.

—Me hace falta mejor luz.

—Esto es lo que hay.

Selecciono un color que se corresponde con el tono de piel más oscuro del hombre con barba y saco una esponja triangular de su envase. Para llegar a su rostro, tengo que acercarme, y mis muslos rozan el interior de sus piernas. Mi cuerpo se tensa con una sensación inesperada, una que envía calor a mi interior. Me afano en pasar la esponja por la base, absorbiendo suficiente del cosmético para extenderlo uniformemente sobre sus mejillas sin crear un efecto apelmazado.

A la primera pasada sobre el hueco de su mejilla que enfatiza las severas líneas de sus altos pómulos y su fuerte nariz, mi mano empieza a temblar. Tengo que acercarme más para llegar. Inclinando la cabeza hacia atrás, sostiene mi mirada con el interés penetrante de un amante, o tal vez de una bestia al acecho, mientras me ofrece su rostro como lienzo. No me centro en la belleza no convencional de dicho lienzo, sino en que me esté ofreciendo cualquier cosa. Los hombres como Yan no dan nada fácilmente. ¿Emociones? Nunca. Puedo olvidarme de contar con su compasión para escapar con vida.

Recojo más base y la aplico sobre la piel áspera de su mandíbula. Se ha afeitado. Por el olor a jabón que desprende, también se ha duchado. Respiro hondo, pero es inútil. No puedo mantener la mano firme. Me congelo cuando él cierra sus piernas solo un poquito, apretando mis caderas suavemente. La parte inferior de mi cuerpo comienza a vibrar y más calor se acumula en mi abdomen. La noción de la muerte cerniéndose sobre mí solo añade más intensidad a las sensaciones, haciendo que mi cuerpo se sienta más vivo que nunca. Cada relámpago de sensación que me atraviesa se amplifica. Cuando tienes hambre, la comida sabe mucho mejor. Cuando la muerte es tan real que puedes saborearla en tu paladar, tu conciencia física es más intensa. Soy incapaz de controlar estos impulsos. Como antes, mi cuerpo responde a él. Mi carne no reconoce que el hombre que le dio la vida es el mismo que se la quitará para siempre.

—¿Nerviosa? —dice lentamente.

Otra pregunta con segundas. Sabe la respuesta. Puede notarlo en el temblor de mis manos. Con sus finos sentidos de asesino, probablemente pueda percibir el minúsculo cambio en mi respiración cuando mi pulso se acelera.

No tiene sentido negar la verdad. Me muerdo el labio y asiento.

Por algún motivo, mi respuesta le gusta. Le gusta ponerme nerviosa.

Sosteniéndome la mirada, coloca sus manos sobre mis muslos, justo debajo del dobladillo de su camisa. Sus palmas anchas y llenas de callos se sienten abrasivas contra mi piel, haciendo que mi carne se contraiga. Midiendo mi reacción con su mirada penetrante y perspicaz, desliza lentamente sus manos por debajo de la camisa hasta que descansan sobre mi trasero desnudo.

Mi escalofrío resulta visible. Las descargas eléctricas corren por mi columna vertebral y suben por mis piernas para chocar en el centro. Como una carga invisible, la corriente explota en mi clítoris, haciéndolo hincharse con un deseo instantáneo. Mirándome, leyéndome, frota sus manos contra la parte posterior de mis muslos y hacia arriba por el interior de mis piernas. Junto las rodillas con fuerza, tratando de ocultar su efecto sobre mí, pero él las separa sin mucho esfuerzo. En el borde de mis pliegues, se detiene. Contengo el aliento.

Su perezosa despreocupación de antes ha

desaparecido. El hambre en sus ojos es afilada como una cuchilla. Más peligrosa. Más tensa. Durante uno, dos segundos, nos congelamos, mientras yo deseo poder negar la reacción de mi cuerpo: no quiero que sepa cuánto poder ejerce sobre mí... y mientras él demuestra la intención inequívoca de examinar esa reacción. Luego coloca sus manos de vuelta en mi trasero con un suave movimiento. Apretando sus dedos sobre mis nalgas, me empuja contra él, fuerte. Choco contra su cuerpo y me agarro a sus hombros para estabilizarme. Su erección está atrapada entre nosotros, presionando a la entrada de mi vagina. Intento alejarme, pero cuanto más lucho por escapar, más fuerte me abraza. Lo único que estoy consiguiendo al resistirme es frotarme contra su dura polla.

Me detengo.

Él gruñe.

—Ven aquí.

No puedo ir más cerca. Estoy prácticamente sobre su regazo. Y ahí es exactamente donde quiero estar, y a la mierda lo que pase después. Si voy a morir de todos modos...

—Mina —dice con más dureza.

Me concentro en sus ojos, en el color verde jade que brilla tan fríamente.

Él arrastra sus palmas por mi espalda y sobre mis hombros hasta que sus grandes manos enmarcan mi cara.

—¿Lo deseas?

Hay muchas razones por las que no debería, pero la

verdad es una respuesta fácil. Solo es una palabra, y no es complicada: ignora quiénes somos y lo que eso significa para el poco futuro que me queda. Solo es consciente de la innegable atracción que atrae nuestros labios.

Él da el último paso y hace que nuestras bocas se junten con fuerza. La esponja de maquillaje cae al suelo, pero no antes de dibujar una línea de color bronceado sobre el cuello de su camisa. Consigo soltar un endeble quejido, un débil sonido de rendición, pero se pierde en el turbulento beso que se hace cargo de mi razón. El quejido se convierte en un gemido, y su significado es muy diferente. Dice cuánto lo deseo a él, a este peligroso asesino ruso.

En el momento en que ese sonido de ansia se desliza en su boca, él se vuelve aún más salvaje. Abre mis labios impacientemente con su lengua, como si yo le perteneciera. La aspereza de su beso iguala la gentileza con la que acuna mi cabeza. Arrastra sus manos hacia mi cuello y una gran palma me rodea la nuca mientras la otra se cierra por delante, sujetando mi cuello de forma posesiva. Me mantiene en el sitio mientras conquista mi boca, asegurándose de que no tengo a donde ir salvo a donde él quiere que esté.

Me fallan las rodillas. Como percibiendo esa pequeña señal de sumisión, él me agarra por detrás de los muslos y me levanta sobre su regazo. Mis piernas se estiran incómodamente sobre los reposabrazos mientras lo rodeo, pero no me importa. Solo me importa tener más de él. Nuestros pechos se aprietan el uno contra el otro, y la calidez de su cuerpo me inunda. Sus latidos me alcanzan a través de la carne, la piel y la ropa. Su latido fuerte y errático me tranquiliza al mismo tiempo que me excita todavía más: saber que él me desea aumenta el calor ardiente dentro de mí.

Apartándome con impaciencia sin romper el beso, me desabrocha la camisa. Cuando se abre, se toma un momento para mirarme y luego baja la cabeza y cierra la boca alrededor de uno de mis pezones. El movimiento húmedo y caliente de su lengua sobre la punta insoportablemente sensible me hace arquear la espalda, dándole más. Cierra los dientes alrededor de la punta y vuelve a hacer esa cosa malvada con su lengua otra vez. Otro gemido escapa de mi garganta, esta vez más fuerte.

El calor húmedo alrededor de mi pezón desaparece, y él presiona un dedo sobre mis labios.

—Shh. —No debe querer que los guardias lo escuchen.

Se aparta y mira fijamente mi cuerpo con satisfacción y hambrienta lujuria. Mi pezón está duro y erecto, un signo revelador de mi excitación. Igual que la humedad de entre mis piernas. Me pasa un dedo por el otro pezón, invitándolo a que reaccione igual que el primero, y luego lo baja entre mis pechos, pasando por el piercing de mi ombligo, y deteniéndose al principio de mi sexo. Sus ojos se encuentran con los míos. Quiero mirar su mano, observar el devastador trabajo de su dedo, pero estoy indefensa ante esas lagunas verdes que tiran de mí.

Lentamente, separa mis pliegues, leyendo mi cara. Jadeo cuando él pasa la yema de su pulgar sobre mi clítoris. La aprobación endurece sus rasgos cuando descubre lo húmeda que estoy. Toda su gentileza se desvanece. Levanta la palma de su mano y me mete un dedo hasta dentro. Al mismo tiempo me tapa la boca con la otra mano de golpe. Mi jadeo involuntario cuando el borde de su palma golpea contra mi sexo se queda allí atrapado. Con el pulgar, dibuja círculos sobre mi clítoris. Estoy atrapada como en una prensa, y su camisa se desliza por mis brazos mientras me retuerzo con exquisito placer. Balanceándome en su regazo, mueve el dedo que me ha metido dentro, alejándome de la dureza de mi realidad con un tipo diferente de dureza. La acepto con avidez, dejando que me folle con el dedo de la forma en que quiera.

—Eso es —dice con tierna apreciación—. Enséñame cómo te corres.

Y yo lo hago. Mis paredes internas se aprietan con una deliciosa presión. Sabe a dulce libertad. Las ondas expansivas me atraviesan, enviando impulsos letárgicos a mi cerebro. Me desplomo en sus brazos, cogiendo aire por la nariz para tratar de calmar mi respiración entrecortada. Quitándome la mano de la boca, aprieta sus labios contra los míos en un suave beso.

Quiero sentir su piel sobre la mía. Cuando alcanzo los botones de su camisa, él no me detiene. Los desabrocho y separo los bordes. Inclinándome hacia adelante, pongo nuestros pechos uno contra el otro.

Absorbo tanto calor como puedo, dejando que se hunda en mi piel antes de alejarme para trazar los surcos de sus esbeltos músculos. Es una forma que ha quedado impresa en mi mente. La plancha de su abdomen estriado es dura como el mármol, su piel aterciopelada. El rastro de vello que desaparece bajo la cintura de sus pantalones dirige el camino de mis manos. Deslizo mis palmas sobre su erección, trazando el contorno a través de sus pantalones. Cuando cojo su cinturón, él tampoco me detiene. Me deja desabrocharle la hebilla y desabotonarle los pantalones, y por fin bajarle la bragueta.

Nunca antes había temblado de expectación, pero ahora lo hago mientras deslizo mis manos dentro del elástico de sus calzoncillos. Ahí es cuando él me detiene, cerrando sus dedos alrededor de mi muñeca.

—Todavía no.

Me levanta hasta que estoy de rodillas, con las piernas a cada lado de sus muslos en la silla. Cuando se desliza hacia abajo en el asiento para poner su cabeza al nivel de mi sexo, comprendo sus intenciones. Me tenso, anticipándome.

Su voz es autoritaria.

—Ni un solo sonido.

Sí, me los tragaré por él. Lo que sea por que use su boca conmigo.

Esta vez, no me mira a la cara. Toda su atención se centra entre mis piernas. Mi cara se calienta cuando me abre con dos dedos, exponiendo mi clítoris.

—Qué florecita tan linda.

Mis mejillas se calientan aún más por sus dulces palabras, murmuradas roncamente. Nadie había sido dulce conmigo antes.

Al primer lametazo de su lengua, me olvido de todo. Me olvido de por qué estoy aquí y de que no voy a ir a ningún lado. Renuncio al control por el que siempre he luchado tan duro. Solo siento. Y es alucinante. Él muerde suavemente mi clítoris mientras mueve su lengua sobre la carne henchida. Los dedos de mis pies se contraen de placer cuando me mete la lengua dentro, follándome con movimientos superficiales. Me aferro a sus hombros y susurro su nombre, sin atreverme a gritarlo. Cuando chupa con fuerza mi clítoris, las chispas chisporrotean en la parte inferior de mi cuerpo y otro orgasmo comienza a gestarse. Este no va a ser de detonación lenta como el primero. Este me va a destrozar. Empiezan a temblarme las piernas.

Sus dedos se aprietan en mi cintura, y me sostiene cuando explota el placer, comiéndome durante todo el clímax mientras me muerdo el labio para contener los sonidos. Cuando me deja, por fin, estoy agotada por completo y a la vez extrañamente llena de energía. Cruzando los brazos alrededor de su cuello para mantener el equilibrio, me siento sobre mis talones y lo observo, embelesada, mientras él libera su polla. Es tan grande como la recordaba. La piel es suave como el terciopelo y con venas masculinas que le marcan un relieve. Pasando un dedo por la punta, cojo una gota de fluido preseminal. Su polla da un saltito.

Él me observa, esperando.

Me está dando elección. La acepto con gusto, me levanto de la silla y me arrodillo entre sus piernas. Doblo mi mano alrededor e inclino el miembro hacia mis labios. Cuando lamo la punta, él sisea. Me gusta ese sonido. Me gusta saber que también yo tengo poder. Quiero más.

Un brusco sonido de placer sale de su pecho cuando cierro mis labios alrededor de su polla. No puedo metérmela entera, es demasiado grande; pero trazo su longitud y circunferencia hasta que he cubierto cada centímetro con mi lengua. Sus manos descansan en mi cabello, guiando mi ritmo mientras pongo los labios sobre la gruesa punta y la llevo lo más profundo que puedo.

—Ya basta —suelta trabajosamente por fin, y me hace coger un condón del bolsillo delantero de sus pantalones.

Rasga el paquete con los dientes y se lo coloca sin esfuerzo; luego me ayuda a ponerme de pie. Me da la vuelta para ponerme de espaldas a él y me empuja sobre su regazo. Me tenso un poco, recordando lo difícil que fue tenerlo dentro.

Él besa mi cuello.

—Solo relájate.

Susurrando palabras de aliento en mi oído, me levanta más alto y coloca su polla en mi entrada. Lentamente, comienza a bajarme. Me agarro a los reposabrazos para sujetarme. Incluso mojada y con los músculos laxos por dos orgasmos, tengo que luchar para que me quepa toda. Él es paciente, metiéndose más profundamente poco a poco.

Parece que haya pasado una eternidad cuando está totalmente dentro. Me arde, pero lo acepto encantada. La incomodidad reaviva el fuego, haciendo que mi deseo vuelva a dispararse.

Presiona sus labios contra mi oreja y pregunta:

—¿Todavía bien?

—Mm-mm. —Apenas logro asentir.

Él me folla con empujones superficiales hasta que me he estirado lo suficiente para aceptar más. Luego él se mueve un poco más duro, haciéndome gemir.

Oh, Dios. Voy a volver a correrme.

Sus movimientos se vuelven más urgentes. Trato de igualar su ritmo, moviéndome hacia abajo cuando él sube, pero él me rodea por la cintura con un brazo y me detiene. Su ritmo se torna exigente. Me aferro a su brazo, y mis uñas se clavan en su piel cuando ahogo un grito. Justo cuando estoy a punto de alejarme flotando de la realidad otra vez, una voz seca dice desde el otro lado de la puerta:

—Abre, Yan. Peter quiere ver su trabajo.

Es Ilya.

—Joder —murmura Yan, sin romper su ritmo.

—¿Mina? —dice Ilya—. ¿Estás bien?

—No hemos terminado —le grita Yan, y la irritación es evidente en su voz.

Me arden las mejillas. Ilya debe de saber lo que estamos haciendo. Intento alejarme, pero Yan me abraza más fuerte.

—Ignóralo. —Muerde suavemente la piel donde se unen mi cuello y mi hombro—. Termina conmigo.

—Abre la jodida puerta, Yan.

—Vete a la puta mierda, Ilya.

—Que te jodan.

Es imposible. El momento se ha ido.

—Yan.

Él usa su mano libre para frotar mi clítoris.

—Solo una vez más.

—No puedo.

—Podrás.

Me lo hace más duro, se mueve más rápido y gira las caderas con más fuerza hasta que estoy al límite de lo que puedo soportar. A pesar de mi timidez, el deseo que Yan crea sigue escalando. Se eleva dentro de mí como una marea, hasta que quedo atrapada en las olas espumosas de un océano violento, y el latir de mi corazón en mis oídos hace desaparecer los golpes persistentes en la puerta.

Mi placer estalla. Dejo escapar un sonido primitivo. Yan se pone rígido. Su polla se vuelve más gruesa dentro de mí, y luego todo su cuerpo se sacude.

—*Mater' Bozh'ya* —gruñe.

Nos corremos juntos. En un cobertizo sucio con testigos afuera, encuentro la liberación en los brazos de mi futuro asesino. No me detengo a pensar en lo irónico que es eso. Apenas tengo tiempo para recuperar el aliento antes de que Yan salga, dejándome extrañamente vacía y fría. Me baja al suelo, y comprueba que me tengo en pie antes de soltarme. En un instante, ha pasado del calor al frío. Su rostro es una máscara impenetrable mientras se quita el condón y lo tira a la basura.

—Yan —Ilya llama desde afuera—, voy a echar la puerta abajo. No estoy de broma, cabrón.

Yan se ajusta la ropa con calma y me mira con ojos pétreos.

—Cúbrete.

Miro hacia abajo, a la camisa abierta. Hay manchas de maquillaje en la parte de delante. El cuello de Yan tiene las mismas marcas. Me tiemblan las manos mientras me abrocho los botones. Yan espera a que termine y luego me recorre con los ojos. Frunce el ceño. Se inclina y me quita la tierra de las rodillas. Me quedo allí como un títere, por primera vez en mi vida, sin saber cómo actuar.

Cuando se endereza y me habla, hay hielo en su voz. Es como si el calor que creamos no hace ni unos segundos se hubiese congelado.

—Es hora de volver al trabajo.

Se acerca hasta la puerta, saca la llave de su bolsillo y la abre.

Ilya casi se cae dentro. El más voluminoso de los gemelos nos mira a Yan y a mí, y de nuevo a Yan. La acusación arde en sus ojos.

—¿Qué está pasando aquí?

—Nada —Yan dice con mucha irritación. Cierra la puerta con llave y vuelve a la silla, dejando caer su gran cuerpo sin una pizca de emoción—. Ya me has oído, princesa. Enséñanos lo que vales.

Miro a Ilya, que está allí de pie con los puños apretados y las fosas nasales dilatadas.

—Pasa de él —dice Yan—. Bueno, ¿dónde estábamos?

Sí. ¿Dónde estábamos? Estaba a punto de demostrar mi culpa con solo deslizar un pincel de maquillaje.

—Yo voy primero —dice Ilya con un obstinado gesto de su barbilla.

Yan le clava la mirada.

—Tú no vas a ninguna parte.

—¿Cuál es tu puto problema?

—Ahora es un buen momento para cerrar el pico.

—Que te jodan.

—Eso has dicho.

Me aclaro la garganta.

—Cortad el rollo, vosotros dos.

—Tú —Yan dice rotundamente—, no nos dices qué tenemos qué hacer.

Bien. Que se hagan pedazos entre ellos. ¿A mí qué me importa? Una vocecita dice que sí que me importa, pero es una noción tonta. Nada que pueda importarme tiene ningún valor ahora mismo, de todos modos.

Con un taciturno Ilya observando, me pongo a trabajar. Utilizo las habilidades que Gergo me enseñó, transformando a Yan en un hombre diferente. Cuando termino, retrocedo para evaluar el resultado.

—Joder —dice Ilya detrás de mí.

La orden de Yan es brusca.

—Dame un espejo.

Le entrego el del estuche de maquillaje.

Si fuera posible que el brillante color de piedra preciosa de sus ojos se volviera opaco, eso es exactamente lo que habría hecho.

—Bueno —dice, moviendo la cara de uno a otro lado—, al menos esto es algo sobre lo que no has mentido.

No puede existir una mentira mayor entre nosotros. ¿Qué tal eso a modo de ironía?

—Mejor vayamos a decírselo a Peter —dice Ilya con un tono hosco.

—Sí. —Yan se pone de pie, recuperando su teléfono del banco—. Será lo mejor.

—Yan. —Le cojo por el brazo—. Siento que las cosas sean así.

Él se suelta con una sacudida.

—Estoy seguro de que sí. —Acerca su rostro al mío —. Vas a sentirlo mucho más antes de que esto termine.

Y tras esas palabras proféticas, me lleva de vuelta al banco, me hace tumbarme y me ata los brazos a un gancho de la pared sobre mi cabeza. Luego él y su hermano se van y esta vez apagan la luz al salir.

La oscuridad se impone.

En algún rincón solitario, un grillo canta desafinado.

YAN

Solo quiero librarme del disfraz. Es algo que va más allá de lavarme el maquillaje de la cara. Quiero frotarlo hasta arrancarme de la piel las pruebas de la traición de Mina.

Voy andando de regreso desde la casa principal al edificio de nuestros dormitorios después de enseñarle a Sokolov el trabajo de Mina cuando Ilya me alcanza.

Me corta el paso.

—Dame la llave del cobertizo.

Me echo a reír.

Su rostro enrojece.

—¿Quién te ha nombrado su carcelero?

—Ella me eligió. —Me golpeo el pecho con el pulgar.

—No le diste elección.

Y un carajo.

—Ella tomó la decisión.

Quizás no por el motivo correcto. Tal vez solo me

follase esa noche en Budapest para distraerme y evitar que la matara, o para ganar tiempo y poder escapar más tarde, pero ella me eligió *a mí*. Fue mi mano la que ella cogió. Fue a mí a quien siguió hasta el dormitorio.

Aun así, la desagradable semilla de la duda germina en mi mente. Si Ilya se hubiese quedado sentado a su lado en el sofá y yo me hubiese ido a prepararle el sándwich, ¿se habría ido con Ilya? Pero no. Habían tenido ocasión mientras yo le preparaba a la princesa su té.

—Ella me deseará —dice Ilya—. Dame la llave y te lo probaré.

—Lo siento, hermano. —Lo esquivo y digo por encima del hombro—: no esta vez.

Él corre para seguir el paso de mis grandes zancadas.

—¿Por qué solo puedes tenerla tú? ¿Por qué no la podemos compartir?

Lo veo todo de un puto rojo encendido.

—Fue a mí a quien jodió. La venganza es mía.

—Yo estaba allí.

Suelto una risita.

—Tú hiciste el sándwich. —Cuando hablamos de venganza, un polvo pesa mucho más que un sándwich desperdiciado.

Me agarra del brazo y me detiene.

—Sokolov la va a matar. Lo sabes, ¿verdad?

Me suelto.

—¿Por quién me tomas? ¿Por un imbécil?

—¿De eso va todo esto? —Baja el volumen y mira

hacia el cielo, probablemente buscando algún dron entrometido—. ¿Quieres ser quien blanda el hacha?

—Eso es, exactamente —mascullo entre dientes.

Él suelta un sonido burlón.

—¿Crees que tienes derecho a ello?

Mejor será que se lo crea.

—Lo tengo en todo lo que respecta a esa pequeña traidora.

—Explícame como un polvo la convierte en propiedad tuya.

Le planto la cara a escasos centímetros.

—¿Por qué? ¿Porque te la quieres tirar antes de que me la cargue?

Su expresión se vuelve tensa.

—Estas exagerando. Es su trabajo. Cualquiera habría hecho lo mismo. Ponte en su lugar. Te la has follado una vez, por pura casualidad, y haciendo que se cague de miedo. Entonces aparece alguien, digamos, Sokolov, y te enseña una foto de Mina. Te ofrece dinero para disfrazar a otra mujer para que se le parezca. Así es como te ganas la vida, así que lo haces. ¿Habrías hecho preguntas? ¿Hubieras querido saber por qué necesitaba él hacer que otra mujer se pareciera a Mina?

Sí. Yo habría hecho preguntas. Y no, no lo habría aceptado. No le habría tendido una trampa a la mujer que solo había tenido una vez en mi cama, pero a la que había echado de menos todos los días desde entonces. Tal vez eso es lo que espolea a mi furia a arder con tanta fiereza.

—No justifiques su comportamiento —le digo—. Lo hecho, hecho está.

Él cambia de táctica, buscando un enfoque más suave.

—Déjame llevarle algo de comida, tal vez un poco de vino. Déjame al menos que haga que las cosas sean mejores para ella.

Sonrío.

—¿Para que puedas soltarla u obligarla a aceptar tus proposiciones?

Y así, sin más, su furia regresa.

—No la obligaría.

—Estoy cansado de darte la misma respuesta. Te lo digo por última vez. No.

—Eres un cabrón —grita a mis espaldas mientras yo continúo por el sendero—. Ella no se merece esto, y lo sabes.

¿Lo primero? Cierto. ¿Lo segundo? Falso.

Ella se merece todo lo que le pase.

Dejo a mi hermano allí en la jungla parado como el idiota que es, y continúo hasta nuestra habitación, donde me arranco las cejas y la barba antes de ducharme. Luego me cambio y voy a la cocina a hurgar en la nevera. Me preparo un sándwich y lo engullo con una cerveza, luego hago otro y agarro una botella de agua.

Es tarde, y los guardias que cambiaron de turno se han ido a la cama. Me escabullo en silencio, no porque me importe que alguien sepa a dónde voy, sino para evitar a Ilya, y me dirijo al cobertizo. Saludo a los guardias con un movimiento de cabeza, abro la puerta y me aseguro de cerrarla detrás de mí.

Ella esta despierta. No necesito encender la luz para saber eso. Puedo notarlo en su respiración entrecortada. La luz de la luna se cuela por las grietas de las paredes. Sus rayos caen sobre su cuerpo, formando manchas que la iluminan por partes. Un atisbo de su bello rostro, la turgencia de un pecho, su vientre plano, un muslo desnudo, un delicado tobillo. Es distinto verla de esta forma. En sutiles pedacitos. Puedo concentrarme en pequeñas porciones de ella, de una en una.

Sin encender la luz, me aproximo. Ella se pone rígida. Cada visita mía trae consigo la promesa de su muerte. Lo sé. Ella lo sabe. Y yo sé qué le hace a una persona saber ese tipo de cosas. A pesar de ser frágil y pequeña como un gatito, de estar atada e indefensa, no entra en pánico cuando su enemigo se cierne sobre ella. Oh, sí que está asustada. Aterrorizada. Pero es valiente. Admiro su coraje. De hecho, lo admiro demasiado. Me hace odiarla más, pero no me hace desearla menos.

Mi polla cobra vida de un salto al pensarlo. Puedo tomarla así, abierta como un sacrificio.

Pongo la comida y el agua en el suelo, y le paso una mano por la pierna. Su piel es suave. Ella me observa cuando agarro el dobladillo de su camisa y lo subo más arriba, abriendo el camino con los dedos. Paso las yemas de mis dedos por sus muslos, sus caderas, y por un lado de su pecho, dejándola expuesta lentamente hasta que yace desnuda frente a mí con finas astillas de luz cayendo diagonalmente sobre su piel de perla. La luz ilumina un pezón rosado que sube y baja con su respiración. El espacio entre sus piernas queda en la oscuridad.

Ligeramente, deslizo mis nudillos por el valle de entre sus senos turgentes. A pesar del calor, sus pezones se endurecen. Su estómago revolotea bajo mi contacto, y ella jadea suavemente cuando alcanzo su sexo. Mantengo la exploración suave y paso el dorso de mis dedos sobre sus pliegues hasta donde las curvas de su trasero presionan sobre el banco. Suavemente, cojo su coño con una mano. Está mojada y caliente, y casi gimo cuando su humedad se escurre por mi palma.

Ella me desea.

Mirando fijamente su rostro, curvo mi dedo corazón y lo hundo en su calidez. Ella está apretada. Perfecta. Sus labios se separan con un suspiro suave, y su espalda se arquea. Me está mostrando placer, pero las palabras de Ilya retumban en el fondo de mi mente.

No le diste elección.

—¿Quieres esto, *Mina*? —Su nombre es delicioso, un sonido suave en mi lengua, una palabra prohibida que juré que no volvería a pronunciar. Pero es una palabra hecha solo para mí. ¿Cómo puedo no tragármela como si fuera miel?

—Sí —susurra ella.

—¿Por qué?

—¿Necesito una razón?

Le sonrío lentamente.

—No.

Ella gime cuando retiro mi mano y dejo un rastro húmedo en el interior de su muslo. Tampoco yo necesito una razón para quitarme la ropa, para que ella me la ponga dura. Me tomo mi tiempo para doblar mis pantalones y camisa, y lo coloco todo cuidadosamente en la silla. Quiero alargar esto, pero ya sé que no voy a durar.

Cuando me planto desnudo a su lado, ella traga saliva. Siempre veo este atisbo de nerviosismo en sus ojos antes de que la posea, como si cada vez fuese la primera, algo nuevo. Me tomo unos instantes para estudiarla. Cuanto más miro, más se filtra su belleza no convencional por debajo de mi piel. Desde el momento en que noté la feminidad escondida por debajo de las capas de ropa holgada, la deseé. Quería ver y sentir cada centímetro de ella. Desnudarla una vez no apaciguó ese deseo. Solo despertó más mi apetito. Su hermosura vuelve a asombrarme cada vez que le quito la ropa.

Recorro su pequeño cuerpo con la vista. Es tan pequeña y liviana… su cuerpo tiene apenas la anchura del estrecho banco. Podría aplastarla fácilmente con mi constitución más fornida.

Es tan frágil. Está tan completamente a mi merced.

Sin un colchón que absorba mi peso, me siento a horcajadas sobre el banco y coloco sus muslos de un tirón sobre los míos. En esta postura, tengo la máxima ventaja en cuanto a mirar, y pretendo exprimirla por completo. Le separo más los muslos, e inclino las caderas para encontrar el ángulo correcto. Cuando mi polla empuja contra su entrada, se pone rígida. Siempre le hago algo de daño. Puedo sentirlo por la forma en que se tensa, pero no me dice que pare, y yo no puedo obligarme a hacerlo.

Separo los labios de su coño con solo la punta de mi polla y luego hago una pausa, dándole tiempo para adaptarse. Esos delicados labios rosados son como los pétalos de una flor. Se estiran a mi alrededor, esforzándose por tomarlo todo. Me hundo otro centímetro mientras ella respira con dificultad por la nariz y tira de las cuerdas que le atan los brazos. Abierta de este modo, su clítoris es un precioso tesoro listo para hacerse con él. Presiono con el pulgar la pequeña protuberancia, masajeando ligeramente para hacer más fácil mi entrada en su cuerpo.

Lentamente, voy abriéndome paso en ella, empujando más adentro cuando sus músculos internos ceden, hasta que la he metido del todo. No resulta fácil ser paciente. La urgencia de dejarme llevar y empezar a moverme contra ella con fuerza es una tentación muy poderosa, una dolorosa ansia, pero me centro en el cuerpo de Mina y en lo que puede tolerar hasta que la tensión que envuelve mi polla se relaja ligeramente. Solo entonces comienzo a moverme.

Ella gime cuando lo hago, y el sonido me espolea a seguir. Aprieto los dientes con la tensión de contenerme y el sudor me gotea por la frente. El poder que ella tiene sobre mí es aterrador. Al igual que antes, y que en nuestra noche en Budapest, estoy a punto de perderme en ella, olvidándome de todo durante los breves y gloriosos instantes en que estamos físicamente conectados. No es algo que haya experimentado antes o en lo que me detenga a reflexionar ahora, porque el violento placer se está adueñando de cada célula de mi cuerpo.

Con la velocidad con la que el clímax se está aproximando, voy a entrar en erupción enseguida. Redoblo mis esfuerzos, frotándole el clítoris con el pulgar. El esfuerzo tiene como premio un sonoro gemido. Me inclino y le sello los labios con los míos para amortiguar el ruido, haciendo que mi lengua siga el ritmo marcado por mi polla, poseyéndola de todas las formas que soy capaz.

Mi ritmo es agotador, pero ella no me pide que vaya más despacio. Jadea en mi boca cuando le alcanzo en la entrada a la matriz. Cuando la dejo respirar, un grito se escapa de su garganta. Apenas tengo tiempo de ponerle una mano sobre la boca. Oírla gritar atraería la atención de los guardias, y hay demasiadas grietas en la pared a través de las cuales poder mirar.

El show de Mina es para mí, y para nadie más.

Ella sacude la cabeza, tratando de decirme algo, pero soy incapaz de poder escuchar nada. Lo único que importa es hacernos cruzar a los dos el límite hasta el único lugar en que se aliviará este maldito dolor demente.

Manteniendo una mano sobre su boca, me siento y le froto el clítoris con más fuerza. Sus músculos internos se tensan con su orgasmo, desencadenando mi propia liberación.

La explosión de placer es más que intensa, pero no dejo de moverme. Todavía no. Mis dedos se clavan en la carne suave de su muslo mientras me exprimo hasta quedarme seco. El subidón no me abandona, ni siquiera cuando mi polla empieza a ponerse blanda. Respiro con pesadez y me da vueltas la cabeza.

Esta mujer es jodidamente peligrosa.

Le suelto la boca, manteniendo la conexión entre nuestros cuerpos.

—Yan —dice en un susurro ronco, con los ojos muy abiertos.

No puedo evitar el calor en mi voz, no después de lo que hemos compartido.

—¿Qué?

—No te has puesto condón.

Me quedo helado.

Joder.

Joder, joder, joder.

Esto no me había pasado nunca. Espera, no. Estuvo a punto de pasarme en Budapest. Con ella. También ella me advirtió entonces, y a tiempo. Miro hacia abajo, donde su regazo blanco lechoso está sobre el mío, su coño todavía lleno de mi polla. Salgo. Mi simiente se escapa de su raja, goteando hacia su trasero. Debería sentir muchas cosas al ver eso, pero no la satisfacción pervertida que alimenta una parte animal de mí.

¿Qué he hecho?

Sí, ella es jodidamente peligrosa, y no por lo que hace para ganarse la vida.

Saliendo de debajo de ella, me pongo de pie.

—¿Yan?

Ignoro el temblor en su voz mientras voy por mi ropa.

¿Por qué demonios no me detuvo?

Porque yo tenía una mano apretada contra su boca.

Me sacudo por dentro mientras me pongo los pantalones, los calcetines y los zapatos, sin mirar a Mina a los ojos. Solo lo hago de nuevo cuando uso mi camisa para limpiar el líquido derramado de entre sus piernas. Ella no dice nada. Le bajo la camisa para taparle el cuerpo, y luego aflojo la cuerda atada a la pared lo suficiente como para permitirle sentarse.

Le doy de comer el sándwich con lechuga y tomate para que tenga algo de verdura en el cuerpo, una necesidad que parecía crucial en el momento en que lo hice e insustancial a la luz de la situación actual. Cuando termina, le hago beber el agua, y luego salgo de allí, dando traspiés en la noche.

MINA

*E*s una larga noche. Al aflojarse la cuerda, puedo ponerme de costado en el banco y aliviar los calambres de mis músculos. El dolor que tengo entre mis piernas ya es otra cosa. Ese no hay forma de aplacarlo. Nada puede deshacer lo que Yan ha hecho.

No estoy tomando anticonceptivos. Puede ser difícil para mí concebir, pero no imposible.

¿Por qué lo ha hecho? ¿Por qué se habrá corrido dentro de mí?

Porque da lo mismo. Me va a matar de todos modos. Supongo que algunos hombres no son sentimentales sobre ese tipo de cosas, sobre el hecho de deshacerse de su semilla gestante junto con la mujer que la lleva.

Cuando amanece, Yan regresa con un desayuno de pan y agua. Después, me lleva fuera a orinar antes de atarme a la silla.

No hay comentario alguno sobre lo de anoche.

<small>VUELVE EN ALGÚN MOMENTO A MEDIA MAÑANA.</small>

Desenrosca el tapón de una botella de agua y se pone delante de mí.

—Abre la boca.

Cuando abro a medias los labios, se saca una píldora del bolsillo. Cierro la boca de golpe, mientras el pánico me invade. Las píldoras pueden tener efectos perjudiciales. Letales. De repente veo claro que ese es el método que él usaría. Apuñalarme sería demasiado sucio. Si me ahogara, su elegante ropa se mojaría con el agua. Utilizar una bala sería demasiado rápido, demasiado fácil para una traidora, y cuando estrangulas a alguien, tienes que mirarle a los ojos.

—¿Qué es? —pregunto.

Su expresión es tensa.

—La píldora del día después.

Eso me coge por sorpresa. Supongo que este asesino en particular sí es sensible con respecto a eliminar a sus vástagos, después de todo.

—Ábrela —me dice de nuevo, esta vez con impaciencia.

Cuando abro la boca, me pone la pastilla en la lengua e inclina la botella para que me la trague. Tomo unos sorbos. Él atrapa una gota que se escurre de la comisura de mis labios con su pulgar.

—Doy por sentado que no hay ninguna farmacia

por aquí —digo—. ¿Cómo la has conseguido tan deprisa?

—Te sorprendería la clase de recursos que el dinero puede comprar. —Me sonríe con frialdad—. Aunque tal vez no.

—¿Cuándo vas a hacerlo?

—¿Hacer qué?

—Matarme.

Él me mira fijamente un instante.

—¿He dicho que fuera a matarte?

—No has dicho que no vayas a hacerlo.

—Y las chicas listas saben que lo que no se dice es más importante que lo que sí.

—Algo por el estilo.

Él sonríe con suficiencia.

Me paso la lengua por mi labio partido.

—¿Puedo preguntarte una cosa?

—No estás en posición de preguntar nada.

—¿Lo harás rápido?

Sus ojos echan chispas. Al principio, parece sorprendido, pero luego la ira reemplaza a su sorpresa.

—¿Me estás pidiendo clemencia? —Niega lentamente con la cabeza, mientras chasquea la lengua con desaprobación—. La pregunta que deberías estar haciéndote es si te mereces clemencia.

Y después de eso, se marcha.

CUANDO YAN REGRESA CON EL ALMUERZO, ILYA LE acompaña y por lo que parece, eso no es del agrado de Yan. Esta vez, Yan deja abierta la puerta del cobertizo. El calor y la luz del sol se cuelan por ella y mi cara entra en calor. El olor a sexo sigue flotando en el aire, o tal vez esté pegado a mi cuerpo.

Ilya se apoya contra la pared mientras Yan me da de comer pasta.

—¿Qué tal lo llevas?

Yan le fulmina con la mirada.

—¿Qué? —Ilya levanta los hombros a la altura de sus orejas.

Yan me mete otro tenedor lleno en la boca.

—No hagas preguntas estúpidas.

—Eh —dice Ilya—, solo trato de ser amable.

A pesar de la situación, sonrío. Es adorable.

—Estoy bien.

Ahora soy yo el blanco de la mirada hostil de Yan.

—¿Quieres alguna otra cosa? —Ilya mira la botella de agua que hay en el suelo—. ¿Té? Te gusta el té, ¿verdad?

Yan me da el último bocado y me limpia los labios con una servilleta de papel.

—Esto no es un hotel.

—Si necesitas darte un baño, yo podría... —comienza Ilya, pero Yan lo interrumpe.

—Ella no necesita un maldito baño. —Su voz es cortante—. A ella no le hace falta nada.

—¿Vas a decírselo tú o tengo que hacerlo yo?

Miro a uno y luego al otro.

—¿Decirme qué?

Yan fulmina con la mirada a Ilya antes de volver su atención hacia mí.

—Sokolov necesita un disfraz. Tú vas a hacérselo esta noche.

—¿Por qué?

—Va tras Henderson —responde Ilya.

—Cierra el pico —dice Yan.

—¿Qué diferencia hay en que ella lo sepa?

Mi pecho se encoge.

—¿Vas a ir con él?

—Sí —dice Yan—. Ilya y Anton también. —Con tono burlón, añade—: ¿Por qué? ¿Estás preocupada?

Lo más aterrador es que sí. Henderson es astuto. Para él trabaja gente peligrosa. ¿Y si mis secuestradores no vuelven? ¿Y si *Yan* no vuelve?

—Deja de meterte con ella —dice Ilya—. No te preocupes. No te morirás de hambre atada aquí. Volveremos.

Yan se acerca y le da un manotazo en la cabeza.

—Jodido idiota.

—¡Eh! ¿Por qué has hecho eso?

Yan se vuelve hacia mí.

—Nos vemos esta noche. —Agarra a Ilya por el brazo y lo arrastra fuera del cobertizo.

La puerta se cierra con un portazo, y luego se escucha el tintineo de la cadena.

COMO HABÍAN PROMETIDO, REGRESAN MÁS TARDE CON Peter Sokolov. Yan me desata mientras Ilya abre los maletines con los accesorios y el maquillaje. Hago el disfraz de Sokolov. Cuando le paso el espejo, él asiente satisfecho, aunque todos ellos rezuman tensión. Lo que están haciendo es peligroso. A pesar de la promesa de Ilya, hay muchas probabilidades de que no vuelvan. Los guardias de afuera me liquidarán, pero yo prefiero que lo haga Yan. *Por favor, que regrese.* No me atrevo a examinar demasiado profundamente mis motivaciones. No todas ellas son egoístas.

Sokolov se va primero. Yan me saca a hacer mis necesidades antes de atarme de nuevo en el banco y darme de comer rápidamente una empanada. Ilya recoge el maquillaje. Quiero decirle a Yan que tenga cuidado, pero me trago mis palabras. Serían inoportunas.

—Buenas noches, Mina. —La sonrisa de Ilya es de culpabilidad. Se siente mal por matarme, aun creyendo que le tendí una trampa. De los dos hermanos, él es el que tiene corazón. ¿Por qué no podría haberme sentido atraída por *él?*—. Habremos vuelto antes de que te des cuenta.

Dios, espero que tenga razón.

Los hombres se dirigen a la puerta. En el umbral, Yan se da la vuelta. Me dirige una larga mirada. Quiero decir muchas cosas inútiles, como pedirle que no vaya. Quiero decirle que espero que atrape a Henderson. Incluso yo tengo que admitir que lo que Henderson hizo con la bomba fue un golpe bajo. Quiero decirle que la noche en Budapest fue de verdad. Este cobertizo, lo que hemos hecho aquí, también ha sido real. Pero justo cuando abro la boca, él sale por la puerta y se va.

ME RETUERZO SOBRE EL BANCO, TANTO COMO ME LO permiten mis ataduras. Decir que me estoy volviendo loca de preocupación es quedarse corto. Ni siquiera el control mental me sirve para a alejar mis pensamientos de Yan y de lo que estará sucediendo con Henderson en este momento. Escapar sigue siendo una prioridad en mi mente, pero sencillamente no veo cómo. ¿Tendré alguna oportunidad cuando Yan vuelva, o si vuelve?

Sale el sol. Uno de los guardias vestidos de negro entra para darme de comer pan y un té aguado. Apenas me mira. Soy muy consciente de mi desnudez por debajo de la camisa y me siento aliviada cuando se marcha rápidamente, omitiendo sacarme para ir al servicio.

El sol se mueve hasta estar justo encima del cobertizo. Puedo verlo a través de una de las grietas. Empiezo a tener hambre. Me he acostumbrado a que me den de comer. Tengo la vejiga llena. Un largo rato después, no tengo más remedio que moverme sobre el borde del banco y hacerlo en el suelo.

El mismo guardia regresa con más pan y agua para el almuerzo. Se va en cuanto me mete el último bocado en la boca.

Llevo la cuenta del tiempo en mi cabeza. Los minutos se alargan hasta que vuelve a oscurecer.

Todavía, nadie.

Ni cena.

Mi ansiedad se acrecienta. No sé cómo voy a pasar otra noche. Es un infierno. Puedo moverme un poco, pero no lo suficiente como para mantener la circulación en mis brazos. Ya no puedo sentirlos, lo cual supone un extraño tipo de alivio. Lo peor es el miedo. Me está matando. Solo quiero que todo termine. Practico todas las habilidades mentales que conozco para desconectarme de la realidad, pero ya no son suficientes.

Cuando vuelve a salir el sol, empiezo a desear que Yan me hubiese matado antes de irse. Apenas he dormido en todo el tiempo que me han tenido aquí, y la privación del sueño es cruel para la mente y el cuerpo. He visto a tipos enormes destrozados por ese tipo de tortura. Aunque esa no fuera la intención de mis captores, me está pasando factura. Estoy apoyándome sobre en el banco, tratando de relajar mis músculos, cuando lo oigo.

Un paso.

Me quedo inmóvil, sin atreverme apenas a respirar.

Ahí está. Otro.

Giro la cabeza hacia el sonido. Viene de un lado del cobertizo. Una voz se filtra a través de la pared, hablando bajito en ruso.

—Ella ya no nos sirve para nada.

Sokolov. Me pongo rígida y mi corazón late con fuerza.

Una voz suave y profunda responde:

—Yo me encargaré.

Yan.

Mi primera reacción es de un alivio abrumador. De alegría, incluso. Está vivo. Luego el terror me invade. Como la alegría, es una respuesta natural. Sucede de improviso, antes de que tenga tiempo para poner barreras a mis emociones.

Las palabras se repiten en bucle en mi cabeza. *Yo me encargaré.* Me hielan el cuerpo y congelan mi corazón. Empiezo a tener escalofríos.

Ha llegado la hora. Yan va a matarme.

Me han entrenado para lidiar con la muerte, para contar con que sea el resultado de cada misión, pero nadie me ha entrenado para tener sentimientos hacia mi asesino. Ni siquiera estoy segura de lo que siento por Yan, solo de que sus palabras me llenan de un inmenso dolor. ¿Pero qué me esperaba? Sé quién es, qué somos los dos. Esto no podía haber acabado de ninguna otra manera. Aun así, es como si la daga ya estuviera retorciéndose en mi corazón, causándome un daño mucho más doloroso que si fuera real.

Fuerzo mis oídos, pero las voces se han apagado, y las pisadas se han ido dejando paso a un silencio de mal agüero.

¿Dónde está? ¿Por qué no entra Yan? ¿Por qué no lo hace ya?

Estoy sudando y tiritando. Me castañetean los

dientes. Todo son reacciones biológicas a un conocimiento mental específico. He aceptado mi destino, pero mi cuerpo no lo acata. Mientras siga respirando, mi cuerpo seguirá luchando por sobrevivir.

Pienso en Hanna. Por si sirve de algo, rezo una oración por ella. Pienso en mis padres, en la última vez que vi sus caras. Es un recuerdo doloroso que no suelo rememorar a menudo.

Cuando se oye por fin la cadena de la puerta, estoy preparada. El gran cuerpo de Yan llena el umbral. Lleva una bandeja. Por un segundo, solo nos miramos el uno al otro. Me empapo de él, de lo vivo y lo fuerte que parece.

Me alegro de que sea él. Me alegro de que él sea mi verdugo.

Deja la bandeja en la silla y enciende la luz antes de cerrar la puerta.

Yo no digo nada. Espero a que lo diga él.

Él cruza la habitación y se detiene a mi lado. Su hermoso rostro está bien afeitado y él huele bien. A fresco, con ese discreto toque de sándalo y pimienta. También se ve renovado, como si hubiese dormido diez horas o más. No hay ni rastro de cansancio en sus facciones, solo una determinación oscura y una frialdad calculadora.

—Henderson está muerto —dice.

Lucho por tragar saliva a pesar de la sequedad en mi garganta.

—¿Qué ha ocurrido?

Su sonrisa es burlona.

—¿De verdad quieres saberlo?

Lo que me está preguntando es si me importa. Yo asiento.

—Atacó el complejo.

¿Qué?

—¿Aquí? —Este cobertizo debe de estar lejos del edificio principal para que yo no haya escuchado ningún disparo.

Yan asiente.

—Los guardias se lo han cargado a él y a su equipo.

Me arriesgo a aventurarme.

—¿Los Delta Force?

—Tienen lo que se merecen.

Las palabras son calculadas. Llevan encerrado un mensaje, una promesa, pero es el hielo en sus ojos lo que me hace temblar todavía más fuerte de lo que lo estaba haciendo. Me hace perder la concentración, esa escarcha, no porque él me odie, sino porque su odio me hace daño.

Él afloja la cuerda, dejándola más suelta, y me ayuda a sentarme. Lo miro fijamente. ¿Qué está haciendo? Trae la bandeja y se sienta a mi lado, poniéndola en equilibrio sobre su regazo. Hay un plato cubierto con una tapa plateada y una copa de vino blanco. Es una bella copa, tallada hábilmente y con un largo pie. Unas gotas de condensación corren por el cristal. No lo entiendo. Pero entonces reparo en el cuchillo y el tenedor ornamentados, y lo pillo. Comprendo el significado de los caros cubiertos y el precioso cristal.

Esta es una última comida.

Mi conclusión se confirma cuando él levanta la tapa plateada para revelar un delicioso plato de pollo sobre arroz, con una ramita de perejil como guarnición. El sabroso aroma me llena la nariz. En diferentes circunstancias, se me habría hecho la boca agua, pero mi estómago vacío solo se revuelve.

—*Pollo con chocolate* —anuncia—. Me han dicho que es uno de los mejores platos latinoamericanos.

—¿Quién lo ha cocinado?

—La cocinera de Esguerra. —Él llena un tenedor y me lo acerca a la boca—. Ábrela.

—¿Está envenenado?

Él se ríe entre dientes.

—No.

No tiene ningún motivo para mentir. Puede obligarme a tragármelo fácilmente si me niego a comer. Abro los labios, no porque tenga hambre, sino porque no tengo elección. Si esta es mi última comida, debería tratar de aprovecharla al máximo.

Cuando empuja cuidadosamente el tenedor en mi boca, los sabores estallan en mi lengua. Es un plato cremoso, con una sabrosa salsa con sabor a cacahuete y un toque de cacao que complementa el pollo sorprendentemente bien. Hay un ligero toque de chile que solo se nota después de haber masticado.

—¿Te gusta? —me pregunta después de ver cómo me lo trago.

—Es delicioso —digo honestamente—. ¿Lo has probado?

—Todavía no.

Me ofrece un sorbo de vino. Tiene un sabor potente, ácido y refrescantemente frío. De alguna manera casa con los sabores que permanecen en mi lengua. Con los brazos estirados sobre mi cabeza, me quedo allí sentada e inmóvil mientras él me da de comer. Yo observo sus ojos mientras él observa mis labios. Parece concentrarse en cada bocado, en cada vez que trago. Me da de comer de forma meticulosa, con bocados lo bastante pequeños para que los pueda masticar cómodamente. Cuando el tenedor deja un rastro de salsa en mi labio, lo limpia con una servilleta de lino antes de darme otro bocado. Va alternando de esa forma entre la comida y el vino hasta que la mitad de lo que había en el plato ha desaparecido y yo ya estoy un poco mareada.

Sacudo la cabeza.

—No puedo comer ni un bocado más.

Él frunce el ceño.

—No has comido mucho.

—Era una ración muy grande.

—Por lo menos acábate el vino.

Me siento patéticamente agradecida por su amabilidad, por adormecer mis sentidos con alcohol para lo que me espera. Cuando él inclina el vaso, me bebo lo que queda de un trago. Vuelve a colocar el vaso en la bandeja y lo deja en el suelo. Empiezo a temblar en serio cuando se pone de pie.

Ha llegado el momento.

El temblor empeora cuando él levanta una mano hacia mi cara.

—Shh. —Traza mi labio inferior con el pulgar, arrastrándolo muy suavemente sobre el corte a medio curar.

Su mirada sigue la acción, y toda su concentración se centra en la tarea. Aprieto las muelas con fuerza para detener el temblor involuntario de mi mandíbula que traiciona el severo estado de estrés de mi cuerpo. Él desliza un dedo a lo largo de la línea de mi barbilla temblorosa y gentilmente acuna mi cara. Luego me besa con dulzura, invadiendo mi boca con suaves movimientos de su lengua hasta que me derrito y el incontrolable temblor se detiene. Mis ojos se cierran de golpe. Sabe a menta y a café.

—Eso está mejor —respira él contra mis labios.

Cuando abro los ojos, lo pillo mirándome con un calor abrasador. Mi cara está relajada por su beso, pero mi cuerpo todavía tiembla. Él me pasa las manos por los brazos, frotándolos suavemente, y yo no me resisto cuando me empuja hacia atrás, hasta que mi espalda choca contra el banco. Dejo que me acaricie por todas partes. Dejo que me palpe por debajo de la camisa, que me pase las palmas de las manos sobre los pezones y el vientre. Dejo que me toque entre las piernas, donde mi humedad me delata.

No intercambiamos palabras sin sentido cuando se desabrocha la bragueta y saca su polla. Abro las piernas y dejo que el contacto de sus manos aleje los escalofríos de mi cuerpo y el frío de mi corazón. Él se estira sobre mí, apoyando su peso sobre una mano al lado de mi cabeza. Coge la base de su polla con la otra mano y la alinea con mi entrada. Suspiro cuando se sumerge dentro de mí, y abrazo las emociones que me ofrece. El movimiento rítmico de sus caderas me hace olvidar. Me dejo llevar por el vaivén, y mi miedo capitula. Mis temblores cesan con el roce de mi espalda contra la madera áspera del banco y mis brazos tirando de las cuerdas. Me rindo al suave ritmo de este extraño y suave acoplamiento, sabiendo que todo lo que suceda de aquí en adelante está fuera de mi control.

Él no vuelve a besarme. Me observa mientras me toca el clítoris y me lleva al límite. Está siendo amable después de todo, este asesino despiadado, dándome placer para distraerme. Mi deseo se dispara. Mi espalda se arquea. En esa fracción de segundo antes de qué todo estalle, me invade el pánico de sopetón. La claustrofobia hace que me cueste respirar. Me remuevo en mis ataduras, frenética e impotente. Necesito agarrarme a él.

—Shh. —Besa mis labios—. Te tengo.

Necesito desesperadamente aferrarme a algo, así que me aferro a su mirada. Él me deja hacerlo. No cierra los ojos ni oculta su placer. Me lo entrega con toda franqueza. Me muestra la crudeza que se refleja en mi cuerpo.

Fiel a su palabra, él está allí para mí cuando mi cuerpo se curva y el clímax me hace pedazos. Ardo por dentro. Él me llena con su orgasmo, bombeando como si estuviera empeñado en llenarme hasta la última gota. Me ahogo en su calor, en su olor y la furiosa emoción oculta que siempre está presente entre nosotros, especialmente cuando él se corre. Estoy colocada por las endorfinas, floto en un espacio de euforia. Vagamente, soy consciente de que él saca algo del bolsillo y lo empuja contra mi cuello. Demasiado tarde, siento el agudo pinchazo de una aguja.

Mi visión se vuelve borrosa, y empiezo a desvanecerme. Estirando el cuello, levanto la cabeza y trato desesperadamente de abrirme camino a través de la bruma. Intento aferrarme a esa mirada verde como el hielo con todas mis fuerzas, pero se me escapa.

Sus palabras son suaves, en ruso.

—Déjate ir, Minochka.

El hermoso sonido de su lengua materna acaricia mis sentidos, igual que el nombre cariñoso que usa.

Palabras venenosas.

El veneno parece apropiado.

Me coge la cabeza cuando mi cuello no puede sostener su peso.

Él todavía está dentro de mí cuando inhalo un último y dificultoso aliento. La última palabra que digo cuando exhalo ese aliento es su nombre.

PARTE III

MINA

*L*a pesadilla es horrenda. Vuelvo a estar en el coche con mis padres, segundos antes de tomar la curva de la carretera. Pido una galleta. Mi madre me devuelve la sonrisa. Su cabello suelto enmarca suavemente su rostro. Mi padre la coge de la mano. Ella me dice que tengo que esperar un poquito más. Cenaremos pronto. Mi cuerpo se mueve violentamente hacia adelante cuando mi padre pisa el freno de golpe. El hombre llama a su ventanilla con una pistola, y sus labios se retraen sobre sus encías en una sonrisa.

Yo grito y grito.

—¡Mina!

Temblores. Alguien sacude el coche conmigo todavía adentro. Mi cerebro se derrama dentro de mi cráneo. Me duele la cabeza. *Mami. Papi.* Tienen los ojos abiertos, pero no me responden.

—¡No!

Más temblores.

—Mina. —Una voz dura, hablando en ruso—. Despierta.

Esa voz. El timbre áspero me resulta familiar. Tengo el recuerdo de unas manos fuertes sosteniendo mi cabeza, de una voz suave que me insta a dejarme ir. Quiero prestarle atención, hundirme en la oscuridad donde los sueños no existen, pero el temblor no me deja. Una señal de alarma atraviesa el aturdimiento, y eso tampoco me deja ir.

Yan.

Es como un cuchillo clavado en mi pecho.

Con una exclamación sin palabras, me incorporo a toda velocidad.

—Tranquila. —Las fuertes manos que recordaba me empujan hacia abajo. Mi espalda toca una superficie blanda. Parpadeo, luchando por concentrarme. La luz empeora mi dolor de cabeza.

—Bébete esto.

Una mano me coge por la nuca y me levanta la cabeza. Mi mirada choca con unos ojos de hielo verde. Yan me mira circunspecto.

Me pone una pastilla en la lengua y me lleva una botella de agua a los labios.

—Para el dolor de cabeza.

Estoy viva.

—No me mataste —murmuro, luchando por entender algo.

—Te di un sedante.

—Pero la cena...

Él arquea una ceja, esperando a que termine la frase.

—La vajilla elegante, el vino —continúo con voz ronca—, eso era una última cena.

—Necesitabas coger energías para el largo viaje.

Me paso la lengua por los labios resecos.

—¿Cuánto llevo inconsciente?

Él mira su reloj.

—Veinte horas.

Miro a mi alrededor presa del pánico. La habitación es pequeña pero moderna. Las paredes blancas están adornadas con fotografías enmarcadas. Son paisajes en blanco y negro.

—¿Dónde estoy?

—En Praga.

Intento sentarme de nuevo.

—¿Qué?

Él me lo impide.

—Estás en mi casa. Quédate quieta. El sedante era potente. Necesitas sacarlo de tu organismo.

—Ah. —El voluminoso cuerpo de Ilya aparece en la puerta—. Estás despierta.

Yan se pone tenso.

—Apenas. Dale un momento.

Ilya cambia su gesto por uno de disgusto, pero se va.

Yan pone el agua en la mesita de noche.

—Debes beber tanto como puedas. Tu cuerpo necesita líquidos. Te ayudará con el dolor. Gran parte del dolor de cabeza se debe a la deshidratación.

—No me mataste —digo otra vez, planteando la frase como una pregunta.

Él sonríe, pero sin una pizca de afabilidad.

Un inmenso alivio fluye a través de mí, y luego la ira me invade.

—Me dejaste creer que me ibas a matar.

Él me lanza una mirada extraña.

—Yo jamás te mataría.

—No lo entiendo.

—¿Qué es lo que no entiendes?

—¿Por qué estoy aquí?

—Descansa por ahora —dice él secamente—. Hablaremos de eso más tarde.

—¿Por qué no me lo cuentas ahora?

Me da unos golpecitos en la mano que tengo fuera de las sábanas.

—Recupera tus fuerzas. —Su voz baja una octava—. Te van a hacer falta.

—Espera —digo cuando se gira hacia la puerta, pero él se va y la cierra detrás de él.

Petrificada, fuerzo mis oídos para oír girar la llave. Nada. No me ha encerrado.

Estudio mejor lo que hay a mi alrededor. Estoy acostada en una cama grande. La almohada huele a él, a Yan. A ese aroma deliciosamente ligero y sensual. Las sábanas son finas y la manta suave. Algodón egipcio de alta gama. A juzgar por su peso, el edredón que hay sobre la manta es de plumas de ganso. Le gustan los lujos.

Me siento, levanto las sábanas y echo un vistazo debajo. Sigo llevando la camisa de Yan y nada más. Echo a un lado el pesado edredón y saco las piernas de la cama. El suelo de madera es cálido. Calefacción por suelo radiante Parece un confort excesivo. Solo estamos a finales de verano.

Me acerco descalza hasta la ventana y abro la cortina. Estamos en un tercer piso. Las rejas ornamentadas que hay en la ventana evitan que pueda salir trepando. La calle de abajo es tranquila, y el edificio en el lado opuesto se parece a este. Es un bloque blanco con ventanas cuadradas. Todas tienen cortinas de diferentes colores.

Apartamentos. Es una zona residencial.

Vuelvo a inspeccionar la habitación. Hay una cómoda y un armario. Pruebo los cajones. Están cerrados. Una puerta a un lado da acceso a un baño. Al igual que la habitación, es pequeño, pero los sanitarios son elegantes. La ducha está equipada con un cabezal de alta tecnología. Cierro la puerta, giro la llave y abro el grifo. Mientras empieza a salir el agua caliente, me quito la camisa. Huele fatal. Arrugo la nariz y la echo al cesto de la ropa sucia.

Meterme debajo del chorro de agua es como estar en el cielo. Me lavo rápidamente usando el gel de ducha y el champú con aromas del bosque. Cojo una toalla del toallero y me envuelvo en ella. El tejido está calentito. El toallero debe de estar calefactado. No necesito un cepillo para peinarme, con mi corte de pelo. Me las apaño bien con los dedos.

Observo mi rostro en el espejo. Hay unos ligeros hematomas con tonos amarillentos. Se habrán desvanecido en un par de días. Mi labio se está curando bien, también.

Hay un cepillo de dientes nuevo sobre el lavabo, todavía en su envoltorio de plástico. Me lavo los dientes con él y busco algo que ponerme, pero no hay nada.

La pastilla debe de estar haciéndome efecto. El dolor de cabeza casi ya ha desaparecido por completo, y me siento más como un ser humano de lo que me he sentido en los últimos cuatro días. Eso me hace albergar esperanzas. Estoy viva. Tengo otra oportunidad para salir de esta.

Voy de puntillas hasta la puerta cerrada y apoyo en ella mi oreja. Al otro lado se escuchan unas voces masculinas que hablan en ruso.

—Tenemos que atraer a Dimitrov fuera de su fortaleza y alejarlo de sus guardias —dice Yan—. La orden fue clara. No debe haber ninguna otra baja.

La voz más fuerte de Ilya retumba en el aire.

—¿Por qué no podemos simplemente reventarlo en público?

—Hay demasiados riesgos —dice otra voz que no reconozco—. Siempre está rodeado de sus guardaespaldas.

Ilya otra vez.

—¿Y cuando está en los casinos?

—Lo mismo —Yan responde—. Nunca conseguiremos un tiro limpio.

—Yo digo que usemos el hecho de que es un

coleccionista de arte —dice la voz desconocida—. Podemos fingir una invitación a algún evento.

—Es demasiado listo —dice Yan—. Sus compradores personales verificarán la autenticidad de cualquier evento. Además, sus transacciones artísticas son cuando menos turbias. La mayoría tienen lugar en secreto, a puerta cerrada.

Si están hablando de quién creo que hablan, se refieren a Casmir Dimitrov, un poderoso líder criminal de los Balcanes que dirige una cadena de casinos como tapadera para el contrabando de drogas. También colecciona arte robado. Esos delincuentes abren negocios en la República Checa para obtener la residencia, y luego usan la infraestructura vial y aérea bien desarrollada para transportar sus drogas. Si Yan y sus amigos están planeando un golpe contra Casmir, tienen un trabajo diabólicamente complicado entre manos. Ese hombre es el criminal mejor protegido de Praga.

—¿No debería estar ya levantada tu camarera? —pregunta el desconocido.

Me aparto de la puerta al tiempo que una silla chirría contra el suelo.

Antes de que uno de ellos pueda venir a buscarme y descubrir que estoy escuchando a escondidas, cojo el picaporte y abro. Irrumpir donde ellos están parece menos sospechoso.

Ilya y un hombre que me suena vagamente se sientan en una mesa en la esquina de un salón-cocina de planta abierta. Yan está de pie. Los hombres enmudecen al verme entrar y tres pares de ojos me recorren.

—Bueno, hola, camarerita —dice el desconocido—. Justo a tiempo. —No hay nada de amable en sus ojos oscuros. En todo caso, son maliciosos. Su espesa barba negra está bien recortada, y lleva el cabello largo hasta los hombros y atado en una cola de caballo. Viste de negro de pies a cabeza, y luce una Glock y algunos cuchillos impresionantes en sus fundas a la cintura y el hombro.

Otro hombre peligroso. Guapo, a su manera salvaje, pero también muy peligroso.

Yan aprieta la mandíbula.

—Vuelve a la habitación, Mina.

—No tengo nada que ponerme —digo en ruso.

Yan entorna los ojos.

—¿Qué parte de ir a la habitación no has entendido? ¿Necesitas que lo diga en húngaro?

El extraño se ríe por lo bajo.

Yan se vuelve hacia él.

—¿Algo te ha parecido gracioso, Anton?

—No. —Anton levanta las manos—. Nada.

La voz de Yan es gélida.

—Estupendo.

Por supuesto. Ya sé de qué me sonaba. Anton Rezov es parte de su equipo. Uno de los Delta Force estaba disfrazado para parecerse a él.

—¿Tienes hambre? —me pregunta Ilya.

—Entra ahí. —Yan señala la puerta detrás de mí—. Ahora. Nos ocuparemos de la comida cuando te hayas vestido. —Su tono se vuelve desafiante—. ¿O tengo que llevarte yo? Anton silba entre dientes.

—¿Estamos un pelín territoriales?

Antes de que mi entrada pueda provocar ninguna pelea, regreso a la habitación y cierro la puerta. Con la toalla sujeta contra el pecho, me siento en la cama. Yan no tarda mucho en venir a buscarme.

La puerta se cierra de golpe contra el marco.

—No vuelvas a caminar desnuda delante de los hombres nunca más. ¿Lo has entendido?

Su estallido me perturba. Asiento con nerviosismo.

Me agarra de la muñeca y me levanta.

—Ven.

La toalla cae sobre la cama. Intento estirarme a por ella, pero ya estamos en la puerta.

—Espera.

Me mira y su expresión se calienta mientras pasa la vista sobre mi cuerpo desnudo.

—Esto te va a gustar.

—¿Qué? Pensé que habías dicho...

—Los demás están fuera.

—¿Fuera?

—Comprando provisiones.

Abre la puerta y me saca a tirones. Soy demasiado consciente de mi cuerpo desnudo, algo nuevo para mí. ¿Por qué tiene él este efecto sobre mí?

Me empuja para que me siente a la mesa, en una de las sillas, y me ordena:

—No te muevas.

Yo no me muevo. En vez de eso, observo con el

corazón palpitante cómo saca un recipiente de la nevera y lo mete con brusquedad en el microondas. Luego llena un vaso de leche y me lo pone delante. Cuando suena el microondas, sirve la comida en un plato y me la entrega junto con un tenedor.

—Come. —Se queda ahí plantado, observando.

—No tengo hambre.

—Es el efecto secundario de la droga. Tienes que comer. ¿O tendré que dártelo yo?

Al oír eso, me llevo el tenedor a los labios. Es pastel de cordero, de esos de compra.

Me hace acabarme todo el plato y beberme toda la leche antes de preguntar:

—¿Qué tal va tu cabeza?

—Mejor.

—Estupendo. —Pone los platos sucios en el fregadero y toma mi mano—. Ven. Es hora de que hablemos de por qué estás aquí.

Se me seca la garganta.

Me lleva a la habitación donde saca una llave del bolsillo y abre la cómoda. Saca una camiseta de un cajón, y me la lanza. La atrapo en el aire. Es grande. Debe de ser suya. Me la pongo rápidamente.

Él se acerca hasta quedarse de pie junto a mí, con su cuerpo mucho más alto intimidándome, mientras sus ojos verdes me miran brillando con frialdad.

—Tenías razón. *Se suponía* que debía matarte.

Esa noticia es tan vieja como el café frío, como le gusta decir a Hanna, pero aun así me sacude.

—Pero no lo hiciste.

—No. —Su sonrisa perezosa está llena de una conocida escarcha—. No lo hice. ¿Qué significa eso?

Que mi vida le pertenece. Así es como funciona en nuestro mundo.

—¿Que vas a hacer conmigo?

—Todo lo que me apetezca.

—Sólo seré una carga, una boca que alimentar, una prisionera a la que constantemente tendrás que vigilar para que no escape.

Su mirada se carga de tensión.

—¿Tienes ganas de morir?

—Solo expongo los hechos.

Su sonrisa fría regresa.

—No serás una carga. Nada más lejos. Se me ocurren muchas formas de hacer que seas útil. Y no te escaparás.

La última de esas frases encierra mucho más. Con el estómago apretado, espero a que continúe.

—Mientras estabas inconsciente —dice—, te he puesto un localizador.

La fuerza abandona mis piernas. Me dejo caer en el borde de la cama. Levanto los brazos y los inspecciono buscando cortes.

—Lo tienes en la nuca —dice, estudiándome con sus ojos gélidos.

Levanto los dedos hasta allí. Es cierto, demonios. Hay una pequeña costra. El bultito bajo mi piel apenas tiene el tamaño de un grano de arroz. No me duele. Por eso no lo he notado al ducharme.

—Si alguna vez eres tan estúpida como para fugarte,

no llegarás lejos —dice él—, pero te recomiendo que no me pongas a prueba.

—¿Todo esto es por incriminarte? —pregunto, sin aliento por la incredulidad.

Una parte de mí sabe que es por otra cosa. Ya estaba planeando hacerlo desde Budapest, todo ese tiempo atrás, antes de saber quién era yo. El hecho de que sea capaz de coger a una persona y retenerla sin otro motivo que porque le da la gana dice mucho sobre este hombre al que apenas conozco.

—¿Y qué pasa con Sokolov? —pregunto cuando no me responde—. ¿Y si descubre que no me mataste?

—¿Cómo sabes que te quería muerta?

—Os oí hablar fuera del cobertizo.

—Mientras te mantengas fuera del camino de Sokolov, no será un problema. Ya tiene bastante con recomponer los pedazos de su vida.

No le pregunto sobre eso. Cuanto menos sepa, mejor.

La puerta principal se abre con un dúo de risas. Ilya y Anton atraviesan el umbral, cargados con bolsas de compras. Se callan de golpe cuando nos ven dentro de la habitación. Anton me mira fijamente mientras tira las bolsas en la barra de la cocina y comienza a sacar los alimentos.

Ilya entra al dormitorio con una bolsa de una tienda de ropa. Sonriente, me la ofrece.

—Espero que sean de tu talla. Creo que te quedarán bien.

—Gracias —digo agradecida. Andar por ahí con la

camiseta de Yan me hace sentir vulnerable, especialmente cerca de Anton.

Cuando Ilya sale, Anton todavía me está mirando.

La orden de Yan es brusca.

—Vístete.

Entro deprisa al baño y saco la ropa. La ropa interior es de encaje rosa. Los vaqueros y la camiseta de marca son un poco demasiado grandes, pero los calcetines y las zapatillas de deporte me van bien.

Salgo para encontrar la puerta del dormitorio todavía abierta. Anton está sentado en el sofá, viendo la televisión y comiendo cacahuetes. Ilya está jugando solitarios sobre la mesa, y Yan está trabajando en su portátil. Sin saber qué hacer, titubeo en el umbral. ¿Cómo se supone que va esto? ¿Qué se supone que tengo que hacer? ¿Esconderme en el dormitorio?

Anton lanza un cacahuete al aire y lo coge en la boca.

—¿Por qué no nos traes una cerveza a todos en lugar de quedarte allí parada?

Yan levanta una mirada glacial desde su portátil.

—Cógela tú mismo. Ella no es tu criada.

—¿No se supone que es camarera? —pregunta Anton con la boca llena.

La acusación es silenciosa. Lo pillo. A sus ojos, los traicioné.

Voy hasta la nevera, la abro y saco una cerveza. Cuando paso por la mesa camino al sofá, Yan me agarra por la muñeca. Me aprieta tanto que duele. No dice nada, pero me coge la cerveza de la mano, abre la lata, bebe un sorbo y la deja a su lado. Luego vuelve al trabajo.

Anton se ríe por lo bajo.

—También podría prepararnos la cena. ¿Qué otra cosa puede hacer?

—Basta ya. —El tono de Yan es neutral.

—Tiene razón, ¿sabes? —Me cruzo de brazos—. ¿Qué *voy* a hacer?

Esta vez, Yan no me detiene cuando reviso los armarios y saco los ingredientes del refrigerador. Prefiero mantenerme ocupada que sentarme y volverme loca sin hacer nada. Corto cebollas y zanahorias para hacer un gulasch, pelo las patatas y frío la carne. Me resulta fácil. Hanna es de la vieja escuela. Ella cree que el camino para llegar al corazón de un hombre es a través de su estómago, e insistió en enseñarme a cocinar. Todavía espera que encuentre un hombre y siente cabeza.

Mientras se cocina el estofado, limpio el lío que he montado en la cocina.

Cuando la comida está lista, es todavía demasiado pronto para cenar, pero los hombres no dejan de olisquear el aire con miradas hambrientas. Yan guarda su portátil e Ilya pone platos en la encimera, mientras Anton corta el pan. Se sirven unas grandes raciones. Cuando están sentados a la mesa, me pongo mi plato y cojo un tenedor. Prefiero comer en la barra de la cocina. No quiero tensar los ánimos con mi presencia en la mesa. Yan me mira, pero no dice nada.

Los hombres están enseguida tan absortos en su

comida que casi se olvidan de que yo estoy allí. El sustancioso guiso les vuelve joviales. Se ríen y conversan en ruso, dejándome ver un lado muy privado de ellos.

No tardan mucho en repetir, rascando hasta el fondo de la cazuela, y la conversación gira hacia Casmir Dimitrov. Yan debe de haber hablado en serio sobre lo de no dejarme escapar jamás, o no hablarían tan abiertamente. Están sopesando los pros y los contras, decidiendo la mejor forma de separarlo de sus guardias. Anton sugiere secuestrar a su esposa. Ilya dice que es mejor llevarse a su perro. Aparentemente, pagó una fortuna por su samoyedo, y dicen las malas lenguas que quiere mucho más a ese animal que a su esposa trofeo.

—Si le quitas algo —le digo—, provocarás una guerra. Es mejor ofrecerle algo que él no tenga.

Los hombres dejan de hablar y se vuelven desde sus sillas para mirarme.

Anton me observa como si estuviera valorando si vale la pena responderme o no. Después de un segundo, dice:

—Ese hombre lo tiene todo.

—No el Salvator mundi —digo, cuando se me ocurre una idea. Una idea peligrosa, pero si funcionara...

—¿Qué es el Salvator Mundi? —pregunta Ilya.

—Un cuadro de Leonardo da Vinci —responde Yan —. Salió en todas las noticias cuando se vendió por cuatrocientos cincuenta millones de dólares a un príncipe saudí en 2017. Dos semanas antes de su presentación en el Louvre de Abu Dabi, la pintura desapareció misteriosamente. Hasta la fecha, nadie sabe dónde está.

—Nadie va a ofrecerle el Salvator mundi —dice Anton.

Yo le sonrío.

—Natasha Petrova lo hará.

—¿Quién es Natasha Petrova? —pregunta Ilya.

Yan se recuesta en su silla.

—La más famosa traficante de arte robado que hay.

—No va a tragarse eso. —Anton aparta su plato—. Querrá hablar con ella en persona.

—Exactamente —digo—. Yo podría disfrazarme para parecerme a ella.

Anton sonríe con desprecio.

—¿Por qué ibas tú a ayudarnos?

Me encojo de hombros.

—Para pagar mi deuda. —Y más cosas. Tengo mis razones, pero mantengo el rostro cuidadosamente inexpresivo.

Anton resopla.

—Mira —le digo—, o lo tomas o lo dejas. Estoy intentando ser amable, pero no te debo nada. El trabajo con Henderson no fue algo personal.

Al oír mencionar el nombre de Henderson, la cara de Anton se nubla por la ira.

—Mina —dice Yan con una advertencia implícita en su tono—, si queremos tu opinión, te la pediremos.

—No —dice Ilya—, ella tiene razón. Al fin y al cabo, no es que tengamos ninguna idea mejor.

Yan se vuelve hacia su hermano con una mirada cortante.

—Dimitrov se dará cuenta al instante. Ni siquiera tiene la misma constitución o altura que Natasha Petrova.

Ilya frunce el ceño.

—¿Cómo sabes que pinta tiene Petrova?

—Ha salido bastante en las noticias. —Yan se levanta y saca una botella de vodka del congelador—. Sorprendentemente, nunca ha habido pruebas suficientes para justificar su arresto, lo que significa que tiene lazos en lugares altos, como el gobierno.

—Algunos dicen que es la amante del presidente —agrega Anton.

Ilya se inclina hacia delante. Eso ha despertado su curiosidad.

—¿De qué presidente?

Yan llena sus vasos con un trago de vodka.

—Algunos dicen que del ruso, algunos que del estadounidense y otros dicen que de los dos.

Ilya silba.

—Si esa tía es tan famosa, será difícil imitarla. A menos que la reunión tenga lugar por videoconferencia.

Yan bebe un sorbo de su vodka.

—¿Y entonces qué, sabelotodo?

—Le ofrezco un trato —le digo—. Una visita privada. Solo nosotros dos. Sus guardias se quedan en la puerta. No es una petición poco razonable, teniendo en cuenta lo frágil que es el cuadro. Incluso el dióxido de carbono que exhalamos tiene un efecto dañino sobre algo tan antiguo. Entretanto, vosotros estaréis en posición.

—Él no es ningún estúpido —dice Yan—. Hará que entres tú delante. La ubicación estará vigilada.

—Puedo llevar prótesis y tacones. Para cuando se dé cuenta de que yo no soy Natasha, ya será demasiado tarde.

Yan juguetea con su vaso.

—¿Y qué pasa con el cuadro? Querrá verlo antes de aceptar una reunión.

—Tengo una amiga. —Cambio de postura—. Hace unas réplicas excelentes. Parecerá lo bastante auténtica en una foto o un vídeo. Podemos falsificar el certificado de autenticidad.

—Podría funcionar —musita Anton.

—No —dice Yan con rudeza—. Es demasiado peligroso.

—¿Para quién? —El tono de Anton se vuelve sarcástico—. ¿Para tu camarera?

Sí, existe un riesgo, pero solo si Casmir se huele algo.

—Soy capaz de sacarlo adelante.

—Sacó adelante el trabajo de Henderson —les recuerda Ilya.

Anton se acaba el vodka de un trago y golpea con el vaso vacío sobre la mesa.

—Me apunto.

—Yo también —dice Ilya.

—Parece que has perdido la votación —le dice Anton a Yan.

Yan hace un gurruño con su servilleta.

—Esto no es una puta democracia. Yo soy el líder. —Se clava con fuerza el pulgar en el pecho—. Yo decido.

—¿Sí? —Los labios de Antón adquieren un gesto extraño—. ¿Haciendo lo mejor para el interés de quién? ¿El suyo o el nuestro? —Me lanza una mirada malévola.

Yan me contempla por debajo de sus pestañas, con la mandíbula apretada. Después de un momento, dice:

—Bien, pero yo me encargo del control de riesgos.

—Puedo vivir con eso —dice Anton.

Ilya me sonríe.

—Estás dentro, Mina.

Sin apartar los ojos de mí, Yan dice en un tono neutro:

—No pienses ni por un segundo que esto te convierte en parte del equipo.

—Jamás me atrevería a creer tal cosa.

Él lo deja pasar, pero siento cómo su mirada me quema la nuca cuando me vuelvo a fregar la cazuela.

Después de la cena, Ilya y Anton juegan unas partidas a las cartas mientras yo enjuago los platos y Yan carga el lavavajillas. La mente me va a mil. Esto va a ser, de hecho, peligroso, pero es mucho mejor que no ser más que el juguete nuevo de Yan. Más importante aún, esto podría darme la oportunidad de hacerle saber a Hanna que estoy bien. Odio hacer que se preocupe.

También tengo que advertir a Gergo. Los Delta Force están muertos, pero el peligro está lejos de haber pasado. Si Yan profundiza un poco más, descubrirá mi secreto. Y si se entera de que Gergo me entrenó, me hará preguntas. Si quiero enviarles un mensaje a Hanna y a Gergo, necesito un poco de libertad... una libertad que el trabajo de Casmir va a proporcionarme. Además, siempre podría usar el dinero para pagar por los cuidados de Hanna.

Mientras me seco las manos en el trapo de cocina, me vuelvo hacia Yan.

—¿Para cuándo quieres que movamos ficha? Con Casmir, quiero decir.

Me mira con recelo.

—Pronto.

—Mi amiga necesitará tiempo para hacer una réplica de alta calidad. Un mes al menos.

—Tiene tres semanas.

—Imposible.

Me lanza una mirada sombría.

—Tres semanas.

—Sé dónde conseguir los materiales más adecuados para el disfraz. Si queremos que funcione, necesitamos lo mejor.

—Dime dónde es y yo iré a buscarlos.

—Mi proveedor no confiará en ti. Está justo aquí en Praga. No voy a tardar mucho. Puedo reunirme con él mañana mismo.

Doy un respingo cuando él me quita el trapo de la mano y me agarra por la muñeca. Ilya y Anton nos observan en silencio mientras él me arrastra hacia el dormitorio. Apenas se ha cerrado la puerta de golpe cuando me empuja contra la pared, con mi muñeca todavía agarrada con su puño de hierro.

Se apoya en la pared junto a mi cara, y se inclina hacia mí.

—Puede que sea muchas cosas, pero no soy ningún imbécil. —Su voz es brutalmente suave, su mirada peligrosa—. Jamás cometas ese error.

Un escalofrío me atraviesa por dentro.

—Puedes mentirle a Anton, pero no a mí. A mí, jamás. ¿Entendido? —Enfatiza su demanda con un fuerte apretón de mi muñeca—. Ahora, cuéntamelo otra vez. ¿Por qué estás dispuesta a ayudarnos?

Lo miro directamente a los ojos y le ofrezco una pequeña parte de la verdad.

—Necesito dinero.

—¿Quieres que te pague?

—¿Dejarás que vuelva a mi puesto de camarera?

Él se echa a reír.

—En tus sueños.

Mi mirada se dirige a la cama.

—¿Preferirías que me lo ganara de otra forma?

Con su mano libre, él me coge por el cuello.

—Si quisiera una puta, iría a buscarme una.

—Explícame que diferencia tiene eso con esto.

La mirada de sus ojos se vuelve cruel.

—Las putas se merecen más respeto que tú. Al menos son honestas sobre por qué te joden.

Esa puñalada se hunde hasta el fondo, llevándome

de regreso al pasado donde una cantinela de *puta, puta, puta*, se burla de mí mientras el círculo de hombres a mi alrededor me clava las botas en el vientre. Aparto a un lado a la fuerza la imagen mental y me obligo a volver a un presente que de algún modo, a un nivel más profundo, me causa más dolor que ese recuerdo en el que mi cerebro ha pintado una señal grande y con letras rojas de "prohibido el paso".

Quiero pegarle a Yan, hacerle daño. Con el cuello y un brazo clavados contra la pared, lo mejor que puedo hacer es darle un puñetazo con el otro en el costado. Él ni siquiera gruñe. Me provoca con sus ojos, burlándose de mi cuerpo más pequeño y débil mientras lo contiene. Intento darle una patada, pero él me sujeta el muslo con una pierna. En silencio, se ríe de mí, desafiándome a hacerlo lo mejor que sepa, solo para que él pueda demostrar su superior fuerza masculina.

Le odio.

Odio que pueda sujetarme con sus manos y herirme con sus palabras.

Odio que a pesar de todo, mi cuerpo se caliente allí donde crece su erección contra mi estómago.

Estoy sin defensas. Él las ha destruido todas. No me queda nada excepto el insulto más feo de todos. Cojo aire y le escupo en la cara.

Él se estremece. Los dos nos quedamos inmóviles. Hay un instante de sorpresa en sus modales inalterables, pero se esfuma tan rápido como apareció, y su mirada vuelve a convertirse en hielo puro.

Joder. Me arrepentí en el mismo instante en que lo hice, pero ya es demasiado tarde para echarme atrás.

Él suelta mi cuello, y se limpia lentamente el rostro con el dorso de la mano. La promesa de venganza en su expresión es inconfundible. Lanzo un chillido cuando me agarra la cara con su gran mano, hundiendo sus dedos en mis mejillas. Antes de que pueda hacer otro sonido, aterriza con su boca en la mía. El beso es duro y castigador. No tiene compasión, ni siquiera cuando noto el sabor a sangre en mi lengua. Se traga mi aliento y me besa con tanta fuerza que me duele la mandíbula.

Algo dentro de mí cede, y mi impotente ira se transforma en lujuria. Canalizo todo el dolor emocional y lo transformo en deseo. Su rudeza enciende un fuego que sube ardiendo por mis piernas y se acumula en lo más profundo de mí. Debería tener miedo. Debería darme asco. En cambio, gimo aceptándolo cuando él levanta mis brazos y me quita la camiseta por la cabeza. Alcanzo los botones de su camisa, pero él aleja mis manos, levantándolas sobre mi cabeza. Abre el botón de mis vaqueros, me baja la cremallera y los desliza sobre mis caderas. Agarrando mi cintura, nos cambia de postura. Mis pies se elevan del suelo cuando él me lanza por el aire. Aterrizo con un ruido sordo en medio de la cama. Se desnuda mientras avanza: camisa, zapatos, pantalones, calzoncillos y calcetines. Su erección es grande, orgullosa, furiosa.

—No te muevas —gruñe cuando instintivamente empiezo a retroceder.

Me detengo. Me agarra por los tobillos y me arrastra hasta el borde de la cama. Luego me quita las zapatillas y los calcetines. Casi me rompe las bragas al quitármelas a la vez que los vaqueros. Doblando mis rodillas, coloca su polla y dirige la punta a través de mis pliegues. Jadeo ante la repentina invasión. Estoy mojada, pero él es demasiado grande.

Él está impaciente. Me posee con unos cuantos empujones poco profundos, hasta que mis músculos internos se relajan. Me incorporo sobre mis codos para mirar. Cuando mis músculos internos se vuelven más suaves a su alrededor, él la mete hasta el fondo con un fuerte empentón. Mis brazos se doblan. Tragándome un grito, me desplomo de espaldas.

Él se inclina sobre mí y me susurra contra los labios hinchados.

—¿Lo deseas?

Siempre la misma pregunta. Siempre la misma respuesta.

Me excita con un ritmo constante, haciendo que me sienta tan bien que casi pierdo la razón.

Agarro sus antebrazos, clavando mis uñas en su piel.

—Espera.

Se detiene.

—Condón —digo sin aliento. No quiero repetir nuestro error.

—Te he puesto una inyección anticonceptiva.

—¿Que has hecho qué?

No se extiende, no se explica. Toma mi cuerpo

como toma mi vida, sin darme excusas. Poseerme físicamente va más allá de follar. Es una declaración, una prueba de que su poder sobre mí se extiende más allá de derrotarme con la fuerza o las palabras.

Cuando estoy cerca de llegar, él se sube a la cama y me coloca encima de él. Agarrándome por el trasero, marca el ritmo, manteniendo la liberación justo a punto pero sin llegar. De manera sádica, él observa la agonía de mi rostro mientras acuna mis senos con el sujetador de encaje y me niega el alivio. Es una lección, una demostración de quién manda.

El sudor cubre mi cuerpo. Mi piel está resbaladiza. Estoy dolorida por dentro.

—Yan.

Me da una palmada en el culo y me agarra uno de los cachetes.

—¿De quién es tu vida?

No quiero decirlo, no quiero admitirlo. Obstinadamente, me muerdo la mejilla.

Sus dedos se aprietan en mis muslos mientras aumenta su velocidad, acercándome tanto al límite que tengo ganas de llorar de frustración. Solo necesito un poco más. Cuando intento tocarme el clítoris, me coge por los brazos y me los dobla por detrás.

—Solo tienes que decirlo. —Ralentiza sus movimientos, e inicia un ritmo circular con sus caderas.

Aprieto los dientes para no suplicarle.

—Una palabra, Mina.

No lo aguanto más. Cedo.

—Tú.

Me suelta los brazos para agarrarme por las caderas. Me sostiene, y me da lo que quiero, lo que me he ganado con una palabra.

Se detiene de golpe y me ordena:

—Tócate.

Hago círculos con el dedo alrededor de mi clítoris. Él me observa concentrado, aprendiendo lo que me gusta. Cuando llega el orgasmo, no me quedan fuerzas para mantenerme derecha. Caigo sobre su pecho a la vez que él recupera el ritmo para conseguir su propia liberación. Se corre poco después, con su semilla bañando mi cuerpo con más pruebas de en qué me he convertido.

Agotada, yazco tendida sobre él.

Vencida.

En su cama perdí la guerra que empecé contra la pared.

15

YAN

*L*a mujer que yace sobre mi pecho no llora, aunque tenga ganas de hacerlo. Sé el aspecto que tiene la derrota. La rodeo con mis brazos, la acerco a mí y le doy lo que puedo darle, lo que soy capaz de darle. La odio por lo que hizo, pero me pertenece. Eso me hace tener una responsabilidad hacia ella.

Mi ira se ha esfumado. Ardió en las llamas del sexo salvaje, se desvaneció cuando mi polla se quedó blanda y salió de su cuerpo junto con mi semilla. Lo único que queda tras nuestro incendio es una mancha húmeda sobre las sábanas y las frías cenizas de la razón. Y con ellas viene un atisbo de arrepentimiento. Ilya tenía razón. Mina me jodió por sus propios y justificados motivos. Yo no tenía derecho a interpretar ninguna otra cosa en eso.

En todo caso, ahora ella está aquí, y ha venido para quedarse.

Le froto la espalda y le pregunto:

—¿Para qué necesitas el dinero?

Porque le he dicho ciertas cosas y me siento culpable. Un sentimiento poco frecuente en mí.

Le cuesta un momento responder.

—Las chicas tenemos que ganarnos la vida.

—Cuidar de ti es ahora mi trabajo.

—¿No se me permite tener algo de orgullo?

Eso me causa admiración. Me mosquea encontrarlo entrañable. Innecesario, pero tierno. Aun así, mi voz es más cortante de lo que pretendía cuando le pregunto:

—¿Y exactamente cuánto esperabas ganar?

Ella entrelaza sus dedos sobre mi pecho y apoya la barbilla en sus manos.

—¿Cuánto os pagan por el golpe?

Yo le sonrío. Buen intento.

Ella se encoge de hombros cuando yo no pico, y suelta:

—Un millón.

Una de mis cejas se levanta.

Ella resopla.

—¿Quinientos mil?

Se la ve tan esperanzada, con esos ojos grandes y azules de muñeca, que no puedo evitar pasarle los dedos por el pelo. Bien. ¿Qué me supone dejarle conservar algo de orgullo cuando le he quitado la libertad?

—Dime qué vas a hacer con el dinero.

Ella dobla las piernas y cruza los tobillos.

—Zapatos, bolsos, joyas...

¿Por qué la idea de que ella derroche en el tipo de cosas que les gustan a las mujeres envía una sacudida de calor directamente a mi pecho? Nunca he querido jugar a las casitas, pero imaginármela llevando cosas bonitas, vestidos para estar guapa solo para mí, posee un atractivo inesperado. Ella está hablando medio en broma. Eso es lo que me dice su leve sonrisa, pero de repente eso es lo que yo quiero: los zapatos, los bolsos y las joyas. El espejismo.

Enredo los dedos en su cabello.

—Sabes qué sucederá si dejas que se te escape algo de información, ¿verdad, princesa? —A pesar de toda la dulzura que me hace sentir, no puedo mostrarme blando.

—Sí. —No hace una mueca ni parpadea. Lo entiende. Entiende cómo funciona porque forma parte de mi mundo.

—Estupendo.

Ella tira del pelo de mi pecho.

—¿Eso quiere decir que sí? ¿Quinientos mil?

Le cojo la mano.

—Ya veremos.

Ella apoya su mejilla contra mi pecho, pero no antes de que yo pueda ver su sonrisa.

—¿Quién ha encargado el golpe?

Me guste o no, ella está dentro de todo esto. Ella está dentro de mi vida, porque jamás volveré a dejar que se aparte de mi vista.

—El gobierno.

—¿El checo?

—Sí. Dimitrov es una espina que tienen clavada.

—Y no pueden arrestarlo sin empezar una guerra contra las mafias.

—Exacto.

—Necesito mi teléfono y mi portátil.

—No los necesitas.

—La gente comenzará a hacerse preguntas si no respondo a mis mensajes.

—¿Qué gente? Tú no tienes amigos. —Lo comprobé, especialmente para asegurarme de que no hubiera ningún novio.

—Tengo clientes. Trabajos en los bares.

—Ya me he encargado de eso.

Ella levanta la cabeza.

—¿Qué?

—Mi hacker configuró una respuesta automática.

Sus bonitas facciones se tensan.

—¿Con qué excusa? —Está igual que una gatita furiosa.

—Te has ido de viaje por Europa.

—No puedo estar de vacaciones indefinidamente.

—Necesitabas un descanso. Trabajarás para pagarte los gastos a medida que avanzas, como una mochilera. Ese perfil te va, ¿no?

—¿Y qué pasa con mi apartamento? Tengo que pagar el alquiler.

—Te has mudado.

—¿Qué? —grita ella, empujando contra mi pecho—. ¿Y mi ropa y mis muebles?

Empujo su espalda hacia abajo para evitar que se levante. Me gusta que se quede dónde está.

—No te alteres. Lo he puesto todo en un guardamuebles.

—¡No puedes hacer eso!

La fulmino con una mirada.

—Puedo hacer lo que me venga en gana. —Mis palabras no son cálidas, y el mensaje aún menos. Acerco su rostro a la curva de mi cuello—. Descansa un poco. Mañana contactaremos con tus amigos.

Su suspiro es exagerado, rebelde. Sonrío.

Debería ducharme y cambiar las sábanas, pero no puedo obligarme a salir de la cama. No cuando la estoy abrazando así. Me da una sensación de calidez, de algo que nunca había tenido. Ella debe de estar cansada, porque segundos después, el sonido de su respiración suave y regular llena la habitación.

Su agitación en algún momento en medio de la noche me despierta. Ella tiene el sueño inquieto. Lo sé desde nuestra primera noche juntos. Nos pongo de lado y arrastro su cuerpo contra el mío. Eso la tranquilizó aquella noche en Budapest, pero no hoy. Sus músculos se tensan. Ella murmura algo, luego lo repite.

—No.

La sacudo suavemente.

—Mina.

—¡No!

—Mina, despierta. Estas soñando.

Sus pestañas se abren. Miro su rostro a la luz de la luna. Sus ojos están llenos de terror.

—¿Una pesadilla? —Lo sé todo sobre eso.

Ella se vuelve sobre su espalda y se pasa un brazo por la frente.

—Lamento haberte despertado.

—¿Era la misma que la de esta mañana?

Ella deja caer el brazo a su lado y se pone a mirar al techo.

—¿Qué más da?

—Cuéntamelo.

Su mirada se encuentra con la mía.

—No es nada.

—No puede ser nada.

Ella trata de alejarse, pero la agarro por la cintura.

—Cuéntamelo.

—¿Por qué? ¿Qué te importa a ti?

—Ayuda.

Ella suelta un bufido.

—¿Te ayuda a ti?

No le doy una respuesta que ella ya sabe.

—Tal vez hablar mejore la cosa para ti.

Ella sonríe con tristeza. Por un momento, sus ojos se suavizan mientras me acaricia la mejilla, pero luego se aleja.

No voy a dejarlo pasar. Una vez, sí. ¿Pero tener la misma pesadilla dos veces? Quiero saber de qué se trata. Mina no es ningún angelito. A ella no le son ajenas las visiones y los actos que harían que algunos hombres adultos vaciaran las tripas. Sea lo que sea de lo que va el sueño, es algo malo.

—No me obligues a sacártelo —le digo.

Ella suspira.

—El secuestro de un coche. Ahí está. ¿Ya estás contento?

Me levanto sobre un codo.

—¿Cuándo ocurrió?

—Hace mucho tiempo.

—¿Cuántos años tenías?

—Seis.

¿Y todavía la obsesiona?

—¿Quién conducía?

—Mi padre. —Ella traga saliva—. Mis padres estaban los dos en el coche.

—¿Qué ocurrió?

—Dos hombres armados nos obligaron a salir.

Le froto el brazo. No pensé que quedara ninguna compasión en mi interior, pero mi corazón se atenaza porque lo sé, incluso antes de preguntar:

—¿Resultaste herida?

—Yo no. Dispararon a mis padres.

Joder. De repente, ella se cierra, y su rostro se vuelve inexpresivo. La cojo por el hombro.

—Lo siento.

—Como he dicho, hace mucho tiempo de eso. —Se vuelve sobre un costado y mete las manos debajo de la almohada.

La abrazo haciendo la cucharita desde atrás y le

paso un brazo por la cintura, sosteniéndola cerca de mí hasta que vuelve a quedarse dormida. En cuanto a mí, lucho por que mi mente procese la información que acaba de compartir. Intento imaginarme a una Mina de seis años con un diminuto cuerpecito y grandes ojos azules de pie junto a los cadáveres de sus padres.

Aparte de Ilya, no tengo familia, a menos que cuentes al tío maltratador que nos crio hasta que cumplimos quince años. Lo único que llegué a sentir por ese cerdo alcohólico era odio. Mi madre era una joven del pueblo que murió en el parto. No se sabía quién fue mi padre. Es difícil para mí imaginarme cómo debe de ser perder a tus padres. Solo sé que si algo le pasara a Ilya, estaría destrozado, por imbécil que sea él a veces. Físicamente hablando, mi hermano es un poco más grande y fuerte, pero yo fui quien se responsabilizó de ambos. Lo cuidé como si fuera mi hermano menor, no mi gemelo. Quería ahorrarle los horrores de los que yo no me podía librar.

Mientras observo la forma durmiente de la mujercita que encaja perfectamente en la curva de mi cuerpo, tomo una nota mental de descubrir más cosas de su pasado. No, no más cosas. Todo. Quiero saberlo todo.

Con esa resolución en mente, me quedo dormido por fin.

◠

ME DESPIERTO TEMPRANO. INTENTO NO MOLESTAR A Mina, pero sus ojos se abren cuando me muevo. Ella se estira y se estremece.

Mi cuerpo se calienta al recordar por qué le duelen los músculos. Quiero hacerle eso otra vez. Y otra más. Pero me controlo. Al menos puedo darle hasta esta noche para recuperarse. Además, tengo un golpe en el que concentrarme. No debería pasarme horas en la cama, comportándome como un adicto al sexo.

Me incorporo.

—¿Puedo traerte algo? ¿Un analgésico?

—Solo necesito una ducha.

Ella aparta las mantas y se sienta al borde de la cama, con las piernas colgando. Me recuesto contra el cabecero, con la intención de disfrutar del espectáculo, pero cuando ella se levanta y me obsequia con la fugaz imagen de su culo, me paralizo, y el calor de mis venas se torna frío.

Su piel hermosa y pálida está cubierta de moretones. En los costados, el trasero, los muslos... En cada puto sitio donde la toqué. Mi pecho se enciende con ira dirigida a mí mismo. Odio que tenga esas marcas. Odio estropear su piel perfecta. Odio saber que le he hecho todo ese daño.

Ella me mira por encima del hombro.

—¿Qué?

Su mirada sigue la mía, deslizándose hacia su trasero y piernas. Su rostro se vuelve blanco como el papel y su delicada piel aún más translúcida de lo normal.

—Mina —mascullo entre dientes—. No me di cuenta de que era tan bruto.

Ella compone una sonrisa.

—No es nada.

Salto de la cama y me acerco a ella dando grandes zancadas.

—Sí que lo es. —La agarro por los hombros y le doy la vuelta para que me mire—. Si te hago daño, quiero que me lo digas.

—No me has hecho daño.

—Tendré más cuidado.

Ella se aparta.

—Desaparecerán.

Cuando trata de escapar al baño, voy tras ella. No sé quién está más disgustado, si ella o yo. Ella tiene mayor motivo, eso seguro.

No puedo dejar de patearme el culo mentalmente cuando entro en la ducha con ella y le quito el champú de la mano. Lavo su diminuta cabeza, tan pequeña que podría romperla como una cáscara de nuez. Ella es tan frágil... y yo la he estropeado.

Intento compensarla siendo extra cuidadoso durante el lavado. Suavizar mi error besándola dulcemente mientras le masajeo los hombros bajo el chorro del agua. Nunca antes me había hecho responsable de una mujer, y ya la estoy jodiendo.

Ella se viste mientras yo me afeito. Después, la llevo a la cocina a desayunar.

Anton está tomando café junto a la barra. Ilya está

sentado a la mesa con una pila de tostadas delante de él.

Al vernos, mi hermano se levanta de un salto y saca una silla.

—Siéntate aquí, Mina.

No me gustó que anoche comiese en la cocina, como una sirvienta, así que paso por alto el afán de Ilya por hacerla sentir cómoda.

—¿Quieres una tostada? —pregunta—. Dame. Te la untaré de mantequilla.

Cojo una rebanada de su plato y le doy un mordisco de camino a la cocina.

—Está fría. Voy a hacer otras nuevas.

Mina sonríe a Ilya.

—Eres un encanto.

—¿Un encanto? —Él intenta poner cara de malo, pero el estúpido está sonriendo como un gato de dibujos animados.

—Igual que un osito de peluche —dice ella.

Antón resopla lleno de hilaridad.

—Me gustan los ositos de peluche —dice Ilya a Anton por encima del hombro.

Meto pan en la tostadora y lleno dos tazas de café.

—Tenemos una ubicación para el encuentro con Dimitrov en mente —dice Anton.

Dejo caer un terrón de azúcar en cada taza.

—¿Dónde?

—Hotel París —responde él—. Es uno de los lugares favoritos de Natasha Petrova. A menudo cena en el restaurante Sarah Bernhardt. —Sonríe—. ¿Y qué es más apropiado que organizar una reunión para vender una obra maestra robada en la suite Gustav Klimt?

Me froto la barbilla con la mano.

—La seguridad será de primer nivel.

Anton asiente.

—Ilya y yo queremos ir a comprobarlo esta mañana.

—Si el gobierno presiona al gerente del hotel para que nos siga el juego, la seguridad no debería ser un problema —dice Ilya. Solo tendremos que preocuparnos por los guardias de Dimitrov.

—Es mejor estar seguros de que podemos confiar en el gerente. —Muchos profesionales de alto nivel aquí están conchabados con grupos criminales—. Pondré a nuestros hackers a ello, para ver qué información de sus antecedentes pueden encontrar. Quedamos en el bar antes del almuerzo. Me gustaría hacerme una idea del lugar.

—Gracias —dice Mina cuando le paso una tostada caliente y una taza de café.

Cuando Mina y yo terminamos de comer, Anton e Ilya están a punto de salir.

—¿Necesitas algo de la ciudad, Mina? —pregunta Ilya—. No te traje demasiada ropa. No estaba seguro de la talla.

—No, gracias —digo yo en tono tajante—. Compraremos algo por el camino.

Ilya coge su chaqueta de la silla y sale con ruidosos pasos detrás de Antón. Cuando se cierra la puerta, Mina se levanta y empieza a recoger la mesa. La estudio cuidadosamente. Ha estado callada. Las marcas de su cuerpo la afectan. Ella afirma lo contrario, pero el ceño fruncido en su bonita frente no se ha suavizado desde que vio los moretones.

—Ven aquí —le digo.

Ella se acerca a mi silla como una niña obediente.

Le devuelvo el teléfono que los tíos que nos la trajeron le habían quitado. Me he asegurado de que esté cargado y no esté intervenido.

—Llama a tus amigos. —Cuando desbloquea la pantalla, le agarro la mano—. Con el altavoz.

Ella llama y explica qué necesita. Negociamos un precio, y todo queda preparado. El tío de los disfraces, un hombre llamado Simon, acuerda quedar con nosotros en su tienda antes del mediodía.

Guardo su teléfono en mi bolsillo y le tiendo una mano.

—Vamos a hacer un tour por el apartamento. —O mejor dicho, por la pequeña parte que ella aún no ha visto. Ella va a vivir aquí ahora, al fin y al cabo.

Le enseño la habitación y el baño privado que Ilya y Anton están compartiendo. No es muy grande en sí mismo, pero sí lo es para los estándares de Praga.

—Estoy segura de que tienes suficiente dinero como para permitirte una mansión —dice ella al terminar la rápida visita.

—Y yo estoy seguro de que tú también.

Ella esquiva mi mirada.

—¿Y para qué? No estoy, o estaba, mucho por casa.

—Tampoco yo.

Me oculta algo. Mi bien desarrollado sexto sentido nunca falla.

Cuando bajamos por las escaleras, escribo un mensaje a nuestros hackers y les pido que busquen información sobre Mina Belan, alias Mink.

Subimos al coche que Anton ha alquilado para las semanas que vamos a estar en Praga y la llevo a una boutique que vende el tipo de ropa que a Mina le gusta, al menos por lo que vi en el bar. Efectivamente, se va derecha hacia los vaqueros rotos y las camisetas de chica mala. Mientras se prueba un par de botas militares, yo echo un vistazo a un colgador de vestidos. Saco uno de ganchillo. Es de color rosa nude. Muy mono.

Se lo echo al regazo.

—Pruébate esto.

Ella se detiene en seco con una bota a medio quitar y mira el montoncito de hilo sobre sus piernas antes de volverse hacia mí boquiabierta.

—¿Estás bromeando?

¿Es que alguna vez lo estoy? Cruzo los brazos y espero.

Las chispas estallan en sus ojos. A mi pequeña asesina no le gusta que le digan qué hacer, ni para el caso, qué ponerse. Le sonrío, lo que solo hace que la ira en sus bonitos ojos arda con más furia.

Coge el vestido y mira la etiqueta.

—Me valdrá.

—Si tú lo dices.

La dependienta se nos acerca.

—¿Puedo ayudarles en algo?

Le indico el vestido en la mano de Mina.

—Necesitamos zapatos a juego con eso.

—Por supuesto —dice la señora—. ¿De qué número?

—Del treinta y seis —dice Mina, con sus ojos ardientes como volcanes todavía clavados en mí.

—¿Y qué tal un bolso para completar el modelo? —pregunta la mujer.

—Claro —le digo.

Cuando la mujer se aleja, Mina dice en tono mordaz:

—Ese no es el estilo de Petrova.

Me inclino hacia ella y le pongo las manos a los costados, encerrándola en su puf. Le acerco los labios a la oreja, a esa delicada concha cargada de piercings que son a la vez rebeldes y sexys, extrañamente femeninos.

—Esto no va del disfraz. —Le rozo la piel con los labios—. Nada más lejos.

Ella se aparta tanto para escapar de mi contacto que sus músculos abdominales deben de estar al límite.

—¿No? ¿Y para qué es?

Le sonrío lentamente.

—Para mí.

Una mujer se aclara la garganta. Me enderezo. La dependienta está allí de pie con un par de zapatos de tacón rosas y un bolso a juego.

—¿Qué le parecen estos zapatos, señora? ¿Le gustaría probárselos?

—No —dice Mina como una niña rebelde.

—Son de su número —comento secamente, cogiendo los artículos de la mano de la dependienta para ir a pagar.

Cargados con cinco bolsas, nos subimos al coche de alquiler y nos dirigimos a la dirección que Mina me indica. Simon trabaja desde una tienda de antigüedades del casco antiguo. Parece de fiar. Lo hice investigar.

Cuando llegamos, él pone un cartel de cerrado en la puerta y nos guía a la trastienda. Abre otra puerta y nos mete en un cuarto abovedado. Yo mantengo una mano en la pistola que llevo en la parte de atrás de la cintura, oculta por la chaqueta. Este tipo debe tener unos ochenta años, pero nunca se sabe. Mina me odia lo suficiente como para tenderme una trampa. Los seres enjaulados nunca dejan de luchar por su libertad. Nunca puedo bajar la guardia con ella.

El viejo me señala un sofá. Mientras él y Mina revisan un arsenal de disfraces, sacando artículos de los estantes, miro mi correo electrónico a ver si hay algún mensaje de nuestros piratas informáticos y vigilo a Mina y Simon mientras compruebo la información.

Mina nació en la República Checa. Poco después, sus padres se mudaron a Budapest, Hungría, de donde es originaria su abuela. La abuela, Hanna, la crio después del asesinato de sus padres. Hasta de pequeña, Mina tenía una resistencia física excepcional, era una excelente deportista y tenía facilidad para los idiomas, además de una inteligencia por encima de la media. Los informes psicológicos indican falta de empatía. Se especula sobre si la razón de eso sea el trauma de lo que les pasó a sus padres. Su tratamiento se interrumpió después de varios años de esfuerzos infructuosos. Nunca se completó el diagnóstico. Las fuerzas especiales húngaras la reclutaron en su último año de instituto.

Bajo el teléfono para mirarla, a esta hermosa, extraña y talentosa chica con un historial tan complejo. Claro que las fuerzas especiales se hicieron con ella. Es el soldado perfecto. Y con esa cara y ese cuerpo, una espía todavía mejor. ¿Quién no se enamoraría de ella con que solo le guiñara un ojo? Sabía lo peligrosa que era, pero no había apreciado cuantísimo hasta ahora. Sin embargo, también hay algo vulnerable en ella, algo que despierta mi lado protector. No sabría decir qué. Solo sé que me dan ganas de encerrarla en una jaula de vidrio, en una torre muy alta, fuera del alcance de todos menos del mío.

Mi estómago se tensa cuando pienso en cómo ha podido haber usado sus habilidades en el cumplimiento del deber. No las habilidades de combate, sino la pequeña y bonita flor de entre sus piernas y sus senos perfectamente redondeados.

Pero no. Desde que la capturamos, no ha usado su cuerpo para manipularme. Cuando follamos, es algo limpio. Puro. Ese tipo de honestidad no puede fingirse.

Los celos irracionales disminuyen un tanto y vuelvo a centrar mi atención en el informe. Permaneció con las Fuerzas Especiales durante seis años y cuando lo dejó, a los veinticuatro, aceptó un empleo de camarera. Durante los últimos cinco años, ha estado trabajando de vez en cuando en varios bares de Budapest. Los trabajos temporales en los bares obviamente le proporcionaban flexibilidad, al mismo tiempo que una forma de mantenerse legal. Durante ese tiempo, hizo frecuentes viajes al extranjero, alegando las vacaciones en sus visados como el motivo de sus visitas. No hay nada que vincule a Mina con Mink. Ha sido cuidadosa.

Con respecto a Mink, nuestros hackers no pudieron sacar mucho. Su nombre aparece aquí y allá, principalmente en asesinatos subcontratados por el gobierno, pero no hay nada concreto. Sus trabajos deben haber sido confidenciales.

—Estoy lista —dice mi pequeña asesina.

Levanto la vista, estudiándola con renovada admiración. Lo que ella ha conseguido no es fácil. Nadie entiende lo que cuesta mejor que yo. No por primera vez, desearía que las cosas pudieran haber sido diferentes entre nosotros. La parte lógica de mí sabe que la lealtad no existe entre los de nuestra clase, que estamos regidos por el dinero, pero a la parte irracional de mí eso le da igual. Solo le importa haber significado tan poco para ella como para que me tendiese una trampa.

A veces, las cosas simplemente son lo que son.

Me pongo de pie.

—Vámonos.

Le quito el pesado maletín, lo guardo en el maletero y conduzco hasta el Hotel París. Por fuera, el edificio parece un castillo de Bohemia pero solo data de 1904.

Entramos como si fuéramos los amos del lugar.

Como dicen, "cuando vayas a Roma" y todo eso. Así es como atraes la mínima atención. El vestíbulo muestra la cantidad adecuada de opulencia. Cuento las cámaras del techo y la cantidad de personal de seguridad de esa planta. Luego reviso la salida de emergencia y la entrada de servicio mientras Mina saca lo que parecerán fotos turísticas con mi teléfono.

Al acercarme al conserje, pregunto por la disponibilidad de la suite Gustav Klimt sin preguntarle el precio, y le doy una propina. No tan escandalosa como para que lo recuerde. Lo suficiente como para sumergirse en los mares de lo habitual de su memoria. Luego nos dirigimos al bar.

Nos sentamos en una mesa en la parte de atrás y pido dos cervezas mientras esperamos a Ilya y Anton. Aprovecho el tiempo para enviar más instrucciones a nuestros piratas informáticos, preguntando por el paradero de Natasha Petrova, así como por su agenda futura. Tiene una vida social muy activa y pública. Debería de ser bastante fácil tenerla localizada en cualquier momento.

Mina se sienta en silencio a mi lado. No ha tocado su cerveza. Es un día cálido, fuera hace buen tiempo. Sin embargo, a pesar del sol, se la ve pálida.

Arrastro mi cerveza más cerca.

—¿No tienes sed? —Bebo un sorbo y la estudio cuidadosamente por encima del borde de mi vaso.

Ella vuelve la vista hacia mí rápidamente, como si se hubiera olvidado de mi presencia. No, ella nunca debería olvidar por qué está aquí o con quién está. Se había perdido en otro lugar, muy dentro de su mente.

Ella se obliga a sonreír.

—Solo cansada.

La tensión de mi pecho cede un poco ante esa explicación razonable.

—Son las drogas. —Tendría que haberlas eliminado de su cuerpo ya, pero es diminuta. El efecto le estará durando más.

Pido una bandeja de aperitivos variados al estilo sueco y se lo acerco a ella cuando nos lo traen. Ante mi insistencia, mordisquea sin entusiasmo un pequeño sándwich de salmón ahumado.

Justo antes de la una, llegan Anton e Ilya. Se unen a nosotros en nuestra mesa y piden unas cervezas. Para cuando han terminado de informarme sobre sus impresiones, han dejado limpio el plato que había pedido, así que pido el menú del bar. Mina tiene que comer.

Una morena entra y se sienta en la barra del bar. Una belleza clásica. Ropa cara. Se inclina y le dice algo al barista. Mientras tamborilea con sus uñas rojas sobre la barra, se da la vuelta en su asiento para escanear la sala. Presto atención, porque es mi trabajo. Prestar atención supone la diferencia entre la vida y la muerte. Esto no es la muerte. Conozco a las de su clase. Su mirada se posa sobre mí. Ella hace contacto visual directo y me sonríe.

Pongo un brazo sobre el respaldo de la silla de Mina y levanto un dedo para acariciarle la oreja. Trazo cada aro plateado que atraviesa su cartílago antes de dejar caer mi mano sobre su cuello para acariciar el contorno del tatuaje del colibrí.

Ante mi rechazo, la mujer dirige su atención a Ilya. A él no le cuesta mucho darse cuenta.

—Perdonadme. —Aparta la silla y se acerca tranquilamente a la barra. Mientras a ella le traen su bebida, inician una conversación.

Para cuando su vaso está vacío, tiene el brazo de Ilya alrededor de su hombro. Es una pose que conozco bien. Hemos jugado a ese juego juntos suficientes veces. Piden una ronda de chupitos. Y otra. Mi hermano me mira, y la morena sigue la dirección de su mirada. Él dice algo y ella se levanta.

Anton deja de hablar cuando ella se acerca a nuestra mesa y se sienta en la silla de Ilya.

Colocando una mano sobre mi pierna, me sonríe de oreja a oreja.

—Hola, guapo. He oído que puede que consiga diversión doble.

Le aparto la mano.

—Has escuchado mal.

Ella hace pucheros.

—Y yo que estaba aquí, toda emocionada. Tu hermano está ahí, pagando la habitación. Así que igual tú podrías... —su voz baja una octava—... aprovecharte de todo eso.

A mi lado, Mina se pone rígida.

—¿Que sucede? —se burla Anton—. No puedes echar por tierra la fantasía de esta dama. Ve si quieres.

Mantendré entretenida a nuestra invitada. —Al decir *invitada*, mira a Mina.

Jodido Ilya. Le voy a matar. Y luego también a Anton.

En un par de pasos, estoy en la barra, y cara a cara con mi hermano.

—¿Qué cojones estás haciendo?

—Lo que hacemos siempre. ¿Por qué te sorprendes?

—Estás actuando como un capullo.

—No estoy haciendo nada que no sea lo normal. Tú sí.

Los chupitos deben de habérsele subido a su dura cabeza.

—Eso... —señalo a la morena que sigue sentada a nuestra mesa—... ha sido injustificado.

Sus ojos se achinan.

—¿Estás follando en exclusiva ahora?

—Cómo follo yo no es asunto tuyo.

—¿Estás tratando de alejarme de ti? ¿Es eso?

—¿Qué? —Lo miro con incredulidad—. Esto no tiene nada que ver contigo.

—No. —Su tono es amargo—. No lo tiene. Esa es la cuestión.

—¿Qué cojones? —¿Se ha fumado algo mi hermano? —. ¿De qué estás hablando?

—¿Sabes qué? Que te den. Voy a llevármela arriba y a tirármela. Únete a nosotros si quieres, o no lo hagas. A mí me da igual. Por lo menos yo estaba dispuesto a compartir.

—¿Esto qué es? ¿Me das algo para que yo tenga que

devolverte algo a ti? —Le agarro por el brazo—. Nada de lo que hagas me convencerá jamás de que comparta a Mina, así que sácatelo de tu estúpida cabezota de una vez por todas.

Él se suelta de mi brazo.

—Que te jodan. ¿Qué pasó con toda esa charla sobre hermanos cuidándonos el uno al otro?

—Ilya —le advierto—, no dejes que esto se interponga entre nosotros.

Él suelta un bufido.

—Demasiado tarde.

—Yan —dice Anton con tono urgente pero sin gritar, mientras se acerca. Señala con la cabeza en dirección a la puerta.

Me vuelvo justo a tiempo para ver desaparecer a Mina por el umbral.

16

MINA

*T*apándome la nariz, corro por el vestíbulo hacia el baño, abro la puerta de un golpe y me lanzo hacia el tocador. Cuando la suelto, la sangre salpica el mármol blanco del lavabo.

No.

Joder.

Agarro una toalla de papel del dispensador y, inclinando la cabeza hacia atrás, la aprieto por debajo de la nariz hasta que se detiene el goteo.

Me apoyo con las manos en la encimera y examino mi rostro en el espejo.

Esto no.

Por fuera, soy como una estatua de granito. Por dentro, estoy temblando.

Los moretones me han asustado esta mañana, pero albergaba alguna esperanza. Esperaba que fueran el resultado del sexo duro. La conmoción y la decepción llenan mi pecho hasta que mi corazón se ahoga en un mar de desesperación. Lo único que quiero hacer es gritar, pero en vez de eso, doy un puñetazo sobre la encimera del lavabo. El golpe duele y el dolor agudo me hace volver a mis cabales mientras la vergüenza me invade.

No seas patética, Mina. Cálmate.

No sé nada seguro. Todavía no.

Inspiro por la nariz, y miro el desastre en que se ha convertido mi cara. Esto no va a funcionar. No funcionará en absoluto. Enderezo la espalda, humedezco una toalla de papel y me limpio la sangre. Apenas acabo de tirar el papel manchado de sangre a la papelera cuando llaman a la puerta ruidosamente.

—¡Mina!

Yan.

—Estoy aquí —grito—. Saldré en un minuto.

La puerta se abre dando un golpe contra la pared. Mi guardián la cruza furioso y sus ojos verdes parecen hiedra salvaje y venenosa.

—¿Qué estás haciendo? —Mira por el baño vacío como si esperara ver a alguien más… o como si pensara que iba a pillarme trepando por una ventana.

No lo puedo culpar. Lo hice una vez, y volvería a hacerlo si no me hubiese puesto un chip igual que a un perro.

—Por Dios. —Me doy la vuelta y me apoyo en el tocador, con gesto de burla y despreocupación—. ¿Es que una chica no puede mear en paz?

Me mira fijamente, comprobando si miento.

—Tú no eres una chica cualquiera.

No, no lo soy. Suelto una risa irónica.

—¿Y qué? ¿Tengo que pedir permiso para usar el baño?

Su respuesta es cortante.

—Sí.

—Joder, Yan. —Mi agitación se desborda convertida en ira—. Creo que ya hemos establecido que no tengo ni una puta oportunidad de escapar. Podrías dejarme algo de aire.

Sus hermosos ojos se endurecen.

—Vigila tu boca.

—¿O qué?

—¿Quieres perder todavía más de tu libertad? No tengo ningún problema en tenerte encerrada en mi piso.

Cierro la boca. El único motivo de ayudarlo con este trabajo es ganar algo de libertad. Lo necesito ahora más que nunca.

Él sonríe fríamente.

—Me alegra que lo entiendas.

Mi cuerpo se relaja, las ganas de pelear desaparecen de golpe. Ahora solo me siento cansada, y eso me da un miedo mortal.

Yan acorta las distancias y me pone las manos en los hombros.

—No fue lo que me pareció allá dentro.

La inoportuna imagen de él en la cama con Ilya y la morena se cuela en mi mente. Como antes en el bar, esa idea me oprime el pecho. No sé por qué me molesta tanto, pero así es. Duele como el pinchazo martilleante de una aguja de tatuar.

Lo miro directamente a la cara, recorriendo las líneas duras de sus hermosos rasgos. Él no me pertenece, eso ya lo sé. O tendría que saberlo.

—Lo que tú hagas no es de mi incumbencia.

—No voy tirarme a otra a la vez que te estoy follando a pelo.

Mi resoplido es tan crudo como sus palabras.

—Eso es muy considerado. Gracias por no transmitirme ninguna venérea.

Me agarra la cabeza entre sus grandes manos.

—Déjate de sarcasmo. No es por las enfermedades. Si uso un condón con otra, ese riesgo se elimina fácilmente.

El *otra* me atraviesa el corazón.

—Entonces, ¿por qué te molestas en privarte? Adelante. Tíratela.

Su mano se cierra en un puño atrapándome el pelo.

—Tú no me dices a mí qué tengo que hacer. En caso de que te cueste entenderlo, es justo al revés.

—Oh, ya lo había entendido.

Su mandíbula se tensa.

—¿Entonces cuál es tu problema?

—No lo pillo —digo con franqueza—. No te entiendo.

—¿Qué es lo que no entiendes?

—Si no se trata de enfermedades, ¿de qué se trata?

—De principios.

Me echo a reír.

—¿Me estás diciendo que tienes algo de eso de verdad?

Su mirada se agudiza, y el verde de sus pupilas se hace aún más frío.

—Cuidado, princesa. Estás pisando terreno inestable.

Tiene razón. Me estoy arriesgando a despertar su furia, ¿y para qué? ¿Una retorcida sensación de celos? Me quedo inmóvil. Joder. Puedo *no* estar celosa. Yo no he pedido esto. No he elegido esta situación, esta situación tan equivocada. Sin embargo, una vocecilla dentro de mí sigue respondiéndole "sí" cada vez que me pregunta si quiero sexo.

—Y ya que hablamos del tema... —me suelta el pelo y arrastra sus dedos sobre mi cuero cabelludo, como si eso aliviara el dolor agudo que ha causado—... eso va por los dos. Tú tampoco vas a acostarte con nadie más. Ni siquiera mirarás a otro hombre.

Yo le examino, parpadeando.

—¿Como a quién?

—Ilya.

Ah, rivalidad entre gemelos. ¿De eso va todo esto?

—Antes te parecía bien compartir.

Sus ojos se oscurecen.

—Esto es distinto.

—¿Cómo?

—Nadie me había pertenecido nunca.

No es un cumplido, ni una dulce declaración de sus sentimientos. Es una advertencia, un recordatorio de quiénes somos, de lo que soy para él. Un objeto. Un juguete. Un polvo práctico para mantener su cama caliente. Una enemiga a quien encerrar mientras él vive su vida en libertad.

Alguien a quien matar cuando haya terminado conmigo.

Aparto todo lo que sé, porque no soy capaz de examinarlo demasiado de cerca. Me hace demasiado daño.

Él inclina mi cabeza hacia atrás, obligándome a mirarle a los ojos.

—¿Lo has entendido?

—No soy estúpida —digo con voz baja.

Su mirada me roza los labios.

—Por lo último que te tomaría es por estúpida.

—Entonces no tenías que irrumpir aquí persiguiéndome. Sabes que no escaparé.

—Solo me aseguraba de que sabías cómo iba esto. —Sus palabras están llenas de una oscura promesa.

—Me ha quedado claro como el cristal.

Él asiente. Es una pequeña oferta de paz.

—Salgamos de aquí antes de que alguien necesite el baño.

Anton está esperando afuera cuando salimos. Nos informa que Ilya y la mujer se han ido arriba.

—No te preocupes —le dice a Yan—. Ilya se ha registrado con un nombre falso.

—Genial —dice Yan—. En ese caso, puedes quedarte aquí para asegurarte de que Ilya no haga alguna tontería si se emborracha, como pagar con la tarjeta de crédito. —Y haciendo caso omiso de la larga ristra de

palabrotas que salen de la boca de Anton, me saca
fuera.

EN EL PISO DE YAN, DESEMPAQUETO MI ROPA NUEVA. ME
deja espacio en su armario, y cuelgo el vestido junto a
las bolsas de la lavandería con sus camisas y pantalones
planchados. Parece no estar donde debe, estar fuera de
lugar, pero tengo preocupaciones mayores en que
pensar.

Después de extender los materiales para el disfraz
sobre la cama, envuelvo cada artículo en el papel de
seda en el que venía y lo guardo en bolsas cerradas. Me
aseguro de que nada quede arrugado o aplastado al
guardarlo de nuevo en la caja y lo almaceno en el
estante superior del armario, donde se mantendrá
fresco y seco. Hasta esa tarea tan sencilla me deja
exhausta.

Necesito energía. Necesito comer, pero la mera idea
de la comida me produce nauseas.

Desalentada, me quito la ropa que he llevado desde
ayer, me pongo una camiseta y un pantalón de chándal
nuevos y salgo en busca de Yan. Me lo encuentro en el
sofá, trabajando en su portátil.

Levanta la vista y me ve apoyada con el marco de la
puerta. Me recorre con la mirada en una evaluación
lenta que termina con un ceño fruncido.

—¿Por qué no te echas una siesta?

Es observador. Y por peligroso y cruel que pueda

ser, no siempre es desagradable. A veces, como ahora, parece casi considerado.

Me acerco y me siento a su lado sobre una de mis piernas, que doblo bajo mi cuerpo.

—¿Cómo te metiste en este negocio? —Al ver sus cejas arqueadas, le aclaro—: en lo de matar gente.

Él sonríe.

—¿Y tú?

—Te lo conté en Colombia.

—Cuéntame más.

No me va a dar nada a menos que yo le dé algo primero.

—Cuando dejé el ejército, necesitaba dinero. Un antiguo camarada me habló de un trabajo que implicaba cargarse a un traficante de drogas. No apreté el gatillo, pero formé parte de la operación. Eso echó la cosa a rodar, en cierto modo. —Me tiemblan los labios un instante.

—Así que lo echó a rodar, ¿eh? ¿Así de sencillo?

—Algo por el estilo.

—¿Quién fue al primero al que mataste?

Se lo digo honestamente.

—Los hombres que asesinaron a mis padres. Nunca les condenaron. Falta de pruebas. Poco después de unirme al ejército, los busqué y los despaché.

Me mira con curiosidad.

—¿Y cómo te sentiste?

—Fantásticamente. —Cuando él no dice nada, se me erizan los pelos de la nuca—. ¿Me tienes en peor concepto ahora? —*Horrible. Malvada. Sociópata.* De eso me calificaría la sociedad. *Emocionalmente disfuncional* sería un término más adecuado. No es que lo que él piense importe.

Sus labios se curvan en una sonrisa peculiarmente cálida.

—No, en absoluto, princesa. —Su mirada dirige a mi costado—. ¿Son esos, Adéla y Johan? ¿Tus padres?

Mi caja torácica se tensa, estrujando mis pulmones. Es un alivio ser honesta con alguien por una vez, pero mis padres son tema tabú. Ni siquiera puedo hablar de ellos con Hanna.

—*In aeternum vivi* —dice cuando no respondo—. Eternamente vivos.

Pestañeo, saliendo con un sobresalto del bajón que me han traído mis recuerdos.

—¿Sabes latín?

—Algunas frases.

No parece dispuesto a darme detalles, así que decido cambiar de tema.

—Ya te he hablado de mi primera vez. Es justo que tú hagas lo mismo.

Me mira y luego dice en tono neutro:

—El hombre que mató a mi tío.

Se me corta el aliento, y una oscura curiosidad me corroe.

—¿Cómo lo hiciste?

—Un cuchillo. Tenía dieciséis años. No tenía suficiente dinero para un arma... y no es que hubiera desperdiciado una bala en esa escoria.

Por supuesto. La admiración, oscura y perversa, crece dentro de mí. Sé que la gente normal consideraría incorrecto, completamente aberrante, alentar a un muchacho de dieciséis años en su sangrienta búsqueda de venganza, pero yo no soy normal, ni lo he sido desde que tenía seis años. Estoy orgullosa de Yan por haberlo hecho, incluso cuando algo dentro de mí se retuerce al pensar en el dolor que debió de haber sentido por la pérdida de su familia... dolor con el que estoy demasiado íntimamente familiarizada.

—¿Tenías una relación estrecha con tu tío?

Para mi sorpresa, se echa a reír.

—Ni por lo más remoto. Era un hijo de puta borracho y maltratador.

—Entonces, ¿por qué vengarlo?

—Era familia. —Lo dice como si eso tuviera todo el sentido, y lo tiene.

Hasta la sangre mala es más espesa que el agua.

Quiero saber más, quiero escuchar todos los horripilantes detalles de ese primer golpe suyo, pero eso puede esperar. Hay otras cosas por las que siento más curiosidad.

Él ha vuelto a concentrar su atención en el portátil, así que le doy un empujoncito con la rodilla.

—Tu turno.

Levanta la vista.

—¿Por qué?

—De contarme cómo te metiste en el negocio.

Él duda, luego cierra el portátil.

—Nos alistamos en el ejército, luego nos reclutaron en los Spetsnaz, el cuerpo de élite ruso.

—¿Tú e Ilya?

—Sí.

—¿Cuántos años teníais cuando os alistasteis?

—Diecisiete. Mentimos sobre nuestra edad.

Así que un año después del asesinato de su tío. Lo miro fijamente, estudiando su espeso cabello oscuro y las líneas duras y simétricas de su rostro.

—¿Cuántos años tienes ahora?

Él sonríe con suficiencia.

—¿Importa eso?

—Solo tengo curiosidad.

—Demasiada para tu propio bien.

—Yo diría... —se me escapa una sonrisa—. ¿Unos cuarenta y cinco? ¿Cincuenta?

Él me lanza un dardo con los ojos entrecerrados.

—Treinta y tres.

—Ah. ¿Quién lo hubiese dicho? —Finjo sorprenderme, pero él no sonríe con mi broma—. ¿Cómo acabasteis trabajando para Sokolov?

—Él dirigía la unidad antiterrorista de los Spetsnaz, en la que entramos más tarde. Cuando se fue por libre después de que asesinaran a su mujer y a su hijo con una bomba, lo seguimos.

—Estoy asumiendo que ya no sois parte de su equipo. —No después de que Yan desobedeciera las órdenes de Peter de matarme.

—Yo soy el líder ahora. —Su voz se endurece un poco—. Peter está fuera.

—¿Y está él molesto por eso?

—Dejó el equipo por voluntad propia, así que supongo que no. Pero incluso si quisiera volver, sería demasiado tarde. Es mi equipo ahora. *Mi* negocio.

Inclino la cabeza y le observo.

—Parece como si no os llevaseis bien.

—Teníamos nuestras diferencias filosóficas, pero eso no tenía nada que ver con *no llevarnos bien*. Nunca se me ha dado bien recibir órdenes.

—Entonces, ¿por qué lo seguiste en primer lugar?

Me lanza una mirada neutra.

—¿Tú qué crees?

—Por dinero.

Sí, por supuesto. Todo el mundo necesita dinero. Algunos lo aman. Algunos lo aman más que otros, derrochando en coches llamativos o casas de diseñadores. Yan tiene calefacción radiante, que utiliza hasta en verano, para que sus pies no cojan frío para ir desde la cama al baño, y algodón egipcio. No usa su dinero para presumir con un Porsche o una casa llamativa, sino para asegurarse el lujo de la comodidad. Como adultos, tendemos a compensar lo que no hemos tenido de niños.

—¿Y el resto de tu familia? —pregunto.

—¿Qué pasa con ellos?

No puedo evitar lanzarle una puya.

—¿No voy a conocerlos? —En circunstancias normales, si me hubiera ido a vivir con él, a estas alturas ya me habría presentado a su madre.

—Ya los has conocido.

—¿A Ilya? ¿No tienes a nadie más?

—No.

Breve y conciso. No le gusta hablar de ello.

—¿Por qué mentiste sobre tu edad para unirte a las Spetsnaz?

Sus rasgos se endurecen.

—Estábamos viviendo en la calle.

Mi corazón da un bandazo. He estado en Rusia varias veces. He visto sus inviernos, he caminado por algunas de sus calles. E imaginarme a un Yan de dieciséis años y a su hermano allí, congelados, hambrientos y solos...

—Lo siento. No tendría que haber fisgoneado.

—No tengo nada de qué avergonzarme —dice con dureza.

—Por supuesto que no. —Miro mis manos.

—¿Qué le pasó a tu abuela?

Levanto la cabeza rápidamente, y mi pulso se acelera de golpe.

—¿Cómo sabes tú nada de mi abuela?

—¿De verdad tienes que preguntármelo?

Joder. Tiene sentido que haya hecho una verificación de antecedentes sobre mí, pero yo he mantenido la comunicación con mi abuela en privado. Nunca hablo de ella con nadie. Tener a alguien a quien cuidar supone un riesgo en nuestro negocio.

Su mirada verde se hace más aguda.

—Te he hecho una pregunta, Mina.

Lo descubrirá pronto. Es mejor contárselo que hacerle creer que estoy ocultándole algo... porque *estoy* ocultándole algo, y no puedo permitirme qué él vaya husmeando por ahí.

—Está en una clínica privada. Tiene Parkinson.

Él me estudia con más atención.

—¿Una clínica privada dónde?

—En Budapest.

—Las clínicas privadas son caras.

—¿Y?

Su voz se suaviza.

—¿Por eso necesitas el dinero?

Me encojo de hombros, como si no tuviese importancia.

—Ella me cuidó. Ahora es mi turno. Es una buena mujer.

Su mirada se hace una fracción de grado más cálida.

—No lo dudo. —Hace una pausa, luego dice con una peculiar premeditación—: tendrás que presentarnos.

Le miro sorprendida.

—Estas de broma, ¿verdad?

—¿Por qué iba a bromear al respecto?

Joder. Esto es lo último que necesito.

—En lo que respecta a Hanna, soy camarera, nada más. —No es que yo pueda hacer nada si él le cuenta mi secreto a mi abuela.

Sus ojos brillan más.

—Mis labios están sellados. ¿Quién soy yo para desilusionar a una anciana?

Maldita sea. Él realmente está decidido a esto.

—¿Cómo le explico quién eres?

215

—No te preocupes, mi pequeña camarera. —Su sonrisa es calculadora—. Estoy seguro de que se me ocurrirá algo.

Hanna tampoco es un tema del que quiera hablar. Ya es bastante malo que él conozca su existencia. Señalo su portátil.

—Quiero los quinientos mil por adelantado.

La comisura de su boca se eleva.

—¿Ah, sí?

—Un trato es un trato.

—Cincuenta por ciento por adelantado. El resto cuando Dimitrov esté muerto.

—No te fías de mí.

—¿Debería?

Probablemente no.

—Te daré el número de cuenta.

Su sonrisa es perezosa. Mi franqueza le divierte. Me mira como un dueño puede mirar a su mascota. Su expresión permisiva me hace saber que solo me permite que me salga con la mía porque quiere, porque puede. De alguna forma retorcida, incluso esto, complacerme, es una demostración de su poder.

Después de iniciar sesión, escribe el número de la cuenta bancaria en un paraíso fiscal que le recito. Cuando está hecha la transferencia, gira la pantalla hacia mí.

—Gracias —le digo.

—Será mejor que te lo ganes.

Le miro, toda actitud y descaro, pero es puro teatro.

—Haré lo que pueda.

Me coge por la barbilla y me pasa el pulgar por los labios.

—No somos tan diferentes, tú y yo.

La caricia me deja fuera de juego. Es a la vez suave y amenazante. Quiero inclinarme sobre su palma y al mismo tiempo, alejarme.

—Quieres decir que los dos matamos por dinero.

—No dejas que nadie se acerque a ti. —Su voz es suave, llena de una comprensión que no quiero que posea—. No te acercas a nadie.

Necesito toda mi fuerza de voluntad y más para quedarme inmóvil en vez de apartarme.

—Tú estás cerca de Ilya.

—Y tú estás cerca de tu abuela. Eso es familia. Estoy hablando de amantes. Amigos.

Hay una persona, el único amigo que tengo, y Yan nunca puede saber de él. Rompiendo el desconcertante contacto, me levanto.

—Al final voy a echarme esa siesta.

Sus ojos inteligentes ven a través de mí. Sabe que estoy escapando. Escondiéndome.

—Adelante. He puesto sábanas limpias en la cama.

No dejo que me lo diga dos veces.

Corro a esconderme.

17

MINA

Cuando me despierto bañada en el sudor frío de mi pesadilla, ha oscurecido. He dormido unas cuantas horas, pero no me siento descansada. Me subo el edredón hasta la barbilla y me quedo acurrucada bajo las cálidas sábanas. No me levanto para cenar. No me ducho. El colchón se hunde a mi lado cuando Yan se mete en la cama, pero ni siquiera tengo fuerzas para fingir que estoy durmiendo.

Él me acerca.

—Mina. —Cuando no respondo, me ordena con dureza—: mírame.

Me vuelvo a mirarle, cansada.

—Te saltaste la cena —dice—. Puedo hacerte algo de picar.

—No tengo hambre.

—Apenas has tocado tu almuerzo. Tienes que comer.

—Más tarde, ¿vale?

Él suspira.

—Descansa. Mañana estarás mejor.

—Sí. —Mi respuesta es tímida, porque no le creo.

Sé lo que está sucediendo, lo que me espera.

Él recorre con el dedo las líneas de mi tatuaje del costado, con las preguntas que no me hace pendiendo en el aire entre nosotros, pero no habla. Me deja descansar. Aunque su erección está presionando contra mi trasero, ni me lo pide, ni lo toma.

Aun estando tan agotada, mi cerebro se niega a apagarse. Me quedo acostada entre sus brazos en la oscuridad, maquinando.

Tengo que ver a Hanna, y pronto.

AL AMANECER, EL LADO DE LA CAMA DE YAN ESTÁ VACÍO. Para mi sorpresa, me encuentro un poco mejor. He recobrado parte de mis fuerzas.

Después de ducharme, me pongo unos pantalones de chándal anchos con un emblema punk vintage y una camiseta negra con capucha y voy al salón. Un Ilya con cara de culpable está sentado a la mesa, bebiendo café. Tiene los ojos inyectados en sangre y la piel de un tono ceniciento.

—Hola, hola. —No digo *buenos* días. No parece apropiado—. ¿Dónde está Yan?

—Él y Antón se han marchado.

—¿A dónde han ido?

—A reunirse con nuestro enlace con el gobierno en

Ostrava, para pedirles que presionen al gerente del Hotel París.

—¿Ostrava? ¿Cuándo van a volver?

—Mañana. Se supone que debo cuidar de ti. —Como si de repente recordara una tarea importante, pregunta—: ¿Puedo prepararte el desayuno? ¿Unos huevos? Ayer no comiste mucho.

Le brindo una sonrisa agradecida.

—Gracias, pero puedo cuidarme sola. —Cojo una taza de café y me siento a su lado—. ¿Una noche dura?

Apenas me mira a los ojos.

—Escucha, te debo una disculpa.

—¿Por qué?

—Ayer no pretendía herir tus sentimientos. No sabía que lo de Yan y tú fuese, ejem, en exclusiva.

Ni yo. No tiene sentido, pero respiro más tranquila sabiendo que Yan no se tirará a nadie más mientras esté follando conmigo. El dolor al ver la mano de la morena en su pierna se me pasó después de su declaración en el baño.

Sin querer examinar la razón detrás de esa maraña de emociones, aparto la idea de mi mente.

—No me debes nada. Lo que hagas con tu vida no es para nada asunto mío.

El gemelo de Yan se pasa la mano por su cabeza afeitada.

—Lo que pasa es, verás, es que ahora tú *eres* asunto nuestro.

Mi risa es incómoda.

—Puedo ver que eres un tipo decente, Ilya.

Seguramente, no estés de acuerdo con lo que está haciendo Yan. —Conmigo, quiero decir. Nadie de por aquí tiene ningún problema con el asunto de matar gente, incluida yo.

El gesto de Ilya se torna uno de disculpa.

—Puede que no esté de acuerdo, pero no puedo dejarte marchar.

Vale. Por eso Ilya no se fue con Yan y Anton. Se quedó a hacerme de niñera. Sabiendo lo celoso que Yan está de él, eso solo puede significar que Yan no dejó a Anton conmigo porque no puede fiarse de que su compañero barbudo no me haga daño.

Supongo que tendría que estar agradecida por eso.

Finjo despreocupación.

—No voy a irme a ninguna parte. Por esto. —Señalo mi nuca.

Ilya se sonroja.

—El localizador es por tu seguridad.

—Claro.

Se remueve en la silla.

—Esto no tiene porqué ser malo para ti. Vamos a cuidarte bien.

—¿Hasta que Yan se canse de mí? —No me ha traído aquí para que envejezcamos juntos.

Los ojos de Ilya, tan verdes como los de su hermano, echan chispas.

—Él no te hará ningún daño.

—¿Así que cuando ya no le sirva para nada, me dejará ir?

La convicción endurece su rostro.

—No dejaré que te mate.

—Eso es muy bonito. —Pero una promesa vacía. Dudo que Ilya sea capaz de desviar de ningún curso de acción a Yan cuando él haya decidido seguirlo.

El ruso ladea la cabeza y me mira con una expresión peculiar.

—¿Qué sientes por mi hermano?

Lo miro fijamente, pillada por sorpresa.

—¿Qué quieres decir?

—Aquella noche en Budapest, ¿de verdad lo elegiste a él? Por voluntad propia, quiero decir.

Mis mejillas se calientan.

—No puedo negar que hubo una atracción.

—¿Hubo?

El calor se desborda hasta el cuello.

—Hay. —No puedo mentir sobre esto, no importa lo que esta retorcida atracción diga de mí.

—¿Y qué hay de mí? —pregunta Ilya, esperanzado.

Niego con la cabeza, con una sonrisa de disculpa.

Le cambia la cara.

—Ah.

—No deseo hacerte daño. No puedo evitar que las cosas sean así.

Él se queda mirando su café.

—Estoy bien. Lo pillo.

—¿Siempre compartes a las mujeres con Yan? —pregunto vacilante, tratando de entender a este hombre grandote y de aspecto aterrador con un corazón fácil de herir.

Ilya se encoge de hombros.

—Hay, o más bien han habido, excepciones. Casi siempre nos sentimos atraídos hacia el mismo tipo de mujeres, y no nos importa compartirlas. En alguna ocasión, eso se convierte en un trío.

Me aclaro la garganta.

—¿No se os hace un poco raro? Perdona si te parece que estoy metiéndome donde no me llaman, pero me está costando imaginaros a los dos juntos en la cama.

Él sonríe.

—Te sorprendería saber cuántas mujeres tienen una fantasía con gemelos.

—Oh. —No es lo mío, pero puedo imaginarme como los dos juntos podrían excitar a una mujer. Apoyo la mano en la barbilla y lo estudio. Es guapo, aun cuando no se parece tanto a su gemelo. Yan es atractivo de una manera elegante y peligrosa, mientras que Ilya posee otro tipo de atractivo, más del tipo rudo, al estilo motero. Y también tiene una parte tranquilizadora, una cierta humanidad que le falta a Yan. Me aclaro la garganta otra vez—. ¿Puedo preguntarte algo?

—Dispara.

—¿Por qué lo haces? ¿Es solo para complacer a las mujeres, o a ti también te pone? —Su rostro se tensa por un instante, y agrego apresuradamente—: si la pregunta es demasiado personal, no tienes que responderla.

Respira hondo y lo suelta lentamente.

—No lo sé. Supongo que... me hace sentirme más cerca de Yan.

Se me atenaza el corazón. Tras su honestidad, hay una necesidad tácita de aceptación, de aprobación. Ambas son necesidades humanas básicas, los pilares de una autoestima saludable. Obtenemos esos pilares fundamentales de nuestros padres. Si nuestros padres no satisfacen esas necesidades, las buscamos en otro lugar. Ilya está buscándolas en su gemelo. En el sexo.

—No sé si lo habrás notado, pero Yan no es muy bueno en cuanto a las emociones —continúa Ilya, con voz ronca—. Mi hermano, él... bueno, por lo general solo demuestra afecto durante el sexo. No quiero decir que me toque, no lo hace, pero está menos blindado. Más libre, si eso tiene algún sentido.

Lo miro fijamente, y el dolor en mi pecho se intensifica. Puedo sentir el dolor detrás de sus palabras, el anhelo que él no puede ocultar. Al igual que Yan, nunca ha tenido una familia normal, y mientras que Yan ha sido capaz de manejar sus emociones, sobre todo negándolas, Ilya se ha aferrado a su hermano como la única constante en su vida, canalizando en él todo el amor que habría debido compartir con sus padres.

Un amor que Yan no puede corresponder salvo durante el sexo.

Mi estómago se encuentra extrañamente atenazado ante esa idea, así que la aparto y la sumerjo en lo más hondo, donde no pueda hacerme daño. Me doy la vuelta en la silla y rodeo el corpachón de Ilya con los brazos. Tampoco soy buena con las emociones, pero puedo darle esto, tratar de hacer que se sienta mejor, al menos por este breve instante.

Su gran cuerpo está tenso al principio, pero luego se relaja, y el aire se escapa de sus pulmones con un suspiro mientras apoya su cabeza en mi hombro. Torpemente, le doy palmaditas en la espalda y luego me aparto y lo suelto.

—Eres un buen tipo, Ilya —digo suavemente cuando su mirada verde se encuentra con la mía—. Me gustas. De verdad que sí.

—¿Pero no de ese modo?

—No, no de ese modo.

Suspira y se frota el tatuaje sobre su oreja derecha.

—Si eso cambia, avísame.

Le doy un puñetazo en plan juguetón.

—No esperes conteniendo la respiración.

—Oye. —Frunce el ceño en plan de broma—. Agradezco tu franqueza, pero podrías ser un poco menos bruta. El rechazo duele.

A pesar de sus palabras, su tono es poco serio, así que le sonrío.

—Eres un todo un hombre. Podrás soportarlo.

Él me devuelve la sonrisa.

—Tal vez, pero no entiendo por qué Yan es tan egoísta cuando se trata de ti. Nunca se había comportado así con una mujer.

Mi sonrisa se desvanece. Hablar sobre Yan me pone nerviosa, al igual que pensar en las razones de su comportamiento posesivo.

Como acaba de decir Ilya, Yan no entrega su afecto

fácilmente, así que lo que sea que haya entre nosotros no puede ser nada más que puro sexo ardiente.

Afortunadamente, Ilya parece ajeno a mi cambio de humor.

—¿Estás segura de que no puedo prepararte algo para desayunar? —pregunta, todavía sonriente—. No es molestia, te lo prometo.

Pienso deprisa. Esta es una oportunidad que no puedo desperdiciar. Puede que no tenga otra. Obligándome a sonreírle, digo:

—Si no te importa, prefiero desayunar fuera. Me está entrando claustrofobia.

Sus ojos chispean de comprensión.

—¿Por eso has estado tan pachucha? —Se pone en pie y coge su chaqueta del respaldo de la silla—. Hay un sitio aquí cerca que hace unas pastas tremendas.

Le pongo una mano en el brazo y le digo en tono tranquilo:

—Sola.

Se queda parado en el sitio, mirándome desconcertado.

—Necesito estar algún tiempo sola. Todo lo que ha pasado es difícil de procesar.

Él frunce el ceño.

—Mira, sé que tienes muchas cosas encima, pero...

—¿Dónde quieres que vaya con un localizador incrustado en el cuello?

La manipulación funciona. La culpa salpica sus facciones, con fuerza y cargada de remordimientos. Me siento mal por engañarlo pero, ¿qué otra opción tengo?

Lentamente, baja la chaqueta.

—A Yan no le gustará.

—No tiene por qué saberlo.

La culpa se transforma en duda.

—No lo sé.

—Por favor, Ilya. —Me pongo de pie y agarro su mano, mirándolo con toda la cara de súplica que puedo reunir—. No voy a largarme. —Al menos, no por demasiado tiempo.

Después de dudarlo un instante, baja los hombros de golpe.

—Bien, pero vuelve aquí. No me hagas llamar a Yan en medio de su reunión.

—Volveré. —Es un hecho, una parte de mi vida sobre la que ya no tengo control. Torpemente, agrego —: Necesitaré algo de dinero.

—Oh. Por supuesto. —Coge la cartera en el bolsillo de atrás y saca unos cuantos billetes, suficientes para diez generosos desayunos—. Aquí tienes.

Me pongo de puntillas, y le beso en la mejilla.

—Gracias.

Su sonrisa está cargada de duda.

Antes de que pueda cambiar de opinión, me pongo un suéter y salgo corriendo. Me obligo a caminar con normalidad por si acaso él está mirando por la ventana.

En cuanto doblo la esquina, me echo a correr.

18

YAN

*N*o nos cuesta demasiado tiempo convencer al agente del gobierno para que coopere. No está a favor de involucrar a un civil importante, pero sabe que conseguir que el gerente del Hotel París nos ayude es nuestra mejor opción.

Repasamos nuestro plan con él. Mina, disfrazada de Natasha Petrova, llegará con el falso Da Vinci en una caja por si Dimitrov vigila el hotel, lo que espero que haga. Sería un tonto si no lo hiciera, y el capo del crimen no conquistó la cima del negocio de las drogas siendo gilipollas. Anton acompañará a Mina, ya que Dimitrov esperará que tenga guardaespaldas. El gerente del hotel permitirá que Petrova y su séquito, que nos incluirá a Anton, Ilya y a mí, usen una entrada privada para pasar desapercibidos, algo más que Dimitrov esperará. Una famosa de la prensa del corazón como Petrova exigiría privacidad, y el hotel la complacería sin pestañear. Es una clienta habitual, después de todo. El secretismo asegurará a Dimitrov que la venta de la obra de arte se llevará a cabo discretamente.

Ilya y yo iremos disfrazados de transportistas. Nuestro trabajo será llevar la caja y abrirla en la suite Klimt. Podríamos haber conseguido transportistas reales, pero quiero asegurarme de que Mina entre de forma segura y que nada esté fuera de lugar. Una vez hecho esto, Ilya y yo nos iremos, asegurándonos de que nuestra salida sea captada por la cámara. El tiempo es de suma importancia. Entraremos en un ascensor en el que no habrá cámara de seguridad. Dos guardias del hotel disfrazados igual que nosotros ya estarán ahí dentro. Intercambiaremos nuestra ropa, nuestros monos de trabajo por sus trajes, y les entregaremos las llaves de la furgoneta de reparto.

Ellos saldrán en la planta baja y se irán en la furgoneta en la que llegamos. Dimitrov tendrá hombres afuera observando. Le informarán de la partida de los transportistas, e Ilya y yo saldremos a la azotea, donde tendremos guardados una cuerda y unos rifles de francotirador desmontables. Montaremos los rifles y usaremos la cuerda para bajar escalando hasta el balcón de la suite Klimt. Será un descenso complicado, pero hemos hecho acrobacias más peligrosas. Luego nos pondremos en posición y esperaremos.

Mientras tanto, Dimitrov y su equipo llegarán. Los

guardias de Dimitrov estarán fuertemente armados. Barrerán la suite antes de permitir que Dimitrov entre para asegurarse de que no haya nadie aparte de Mina, alias Natasha, y su guardaespaldas, ni tampoco armas ni micrófonos ocultos, y por supuesto, de que el cuadro esté allí. Cachearán a Mina y Anton buscando armas y micrófonos. El trato es que Mina, Dimitrov y su experto en arte se reúnan solos, según habrá pedido Mina. Antón y los guardias de Dimitrov saldrán, dejando que Dimitrov y su experto entren en la habitación con Mina después de que Anton los haya cacheado. No habrá armas en la habitación. Solo el Smartphone de Dimitrov para hacer la transferencia después de confirmar que la pintura es auténtica. Mina le ofrecerá champán Dimitrov mientras el experto estudia el cuadro. Fingiendo ir a buscar el champán, se escapará al baño y se encerrará allí.

Un par de camareras atractivas del hotel servirán bocadillos y vodka para distraer a los guardias que esperan en el pasillo. Mientras comen y beben, Anton se excusará para ir al servicio y desaparecerá. En cuanto Mina desaparezca de su vista, Ilya le disparará un dardo al experto, y yo le pegaré un tiro a Dimitrov. La idea es sedar al experto para inmovilizarlo y evitar que llame a los guardias. Con el silenciador, los guardias de afuera no sabrán lo que está pasando hasta que sea demasiado tarde. Mina saldrá al balcón. Ilya trepará y la subiremos con la cuerda hasta el tejado. Luego me uniré a ellos, y los tres saldremos fuera, donde Anton estará esperando con nuestro coche de huida.

Es un buen plan. Es tan bueno como infalible. Pero algo siempre puede salir mal. No me gusta que Mina esté involucrada. Arriesgar su vida tiene un efecto extraño sobre mí. Hace que la idea de encerrarla en esa torre imaginaria sea aún más atractiva. Es cierto que ella es una parte crucial del plan. Sin Natasha Petrova, no hay plan.

Esta mañana, antes de que Anton y yo nos fuéramos, le hablé a Ilya sobre mis reservas.

—No me gusta —dije—, arriesgar la vida de Mina.

Ilya trató de tranquilizarme.

—No es una mujer cualquiera. Ella es una de nosotros. Ella puede apañárselas sola.

Cierto. No es una mujer cualquiera. Fue lo mismo que dije yo en el baño, cuando la arrinconé. Sin embargo, quería decir otra cosa entonces. Ella significa algo para mí, algo que no puedo nombrar. No es el sentimiento que tengo hacia Ilya. Es algo más que responsabilidad y amor fraternal. Es un sentido de pertenencia, de haber encontrado la versión femenina de mi alma.

Sí, un alma gemela. Esa habría sido una descripción adecuada si no la hubiera capturado como un pájaro en una jaula. Puede que Mina no sea un yang dispuesto a ser mi yin, pero es mía. La reclamé aquella noche en el callejón cuando la apreté contra la pared, y voy a quedármela.

Sin importar lo que cueste.

—¿Entonces estamos de acuerdo? —pregunta Anton, apartándome de mis pensamientos.

—Esa chica —dice el agente—. Será mejor que se le dé tan bien disfrazarse como tú dices, o el plan os explotará en la cara. Si Dimitrov sospecha por un segundo...

—Es buena. —Le doy el último trago a mi expreso —. Te doy mi palabra.

Mina tendrá que disfrazar a los dos miembros del personal del hotel para que se hagan pasar por nosotros, así como a ella misma. Tendremos que hacerlo en una ubicación diferente. Tal vez un apartamento cerca. Ilya ya está en ello.

—¿Cuál es la línea temporal? —pregunta el agente.

Me levanto y me arreglo la chaqueta.

—Tres semanas.

Él se pone en pie y me da la mano.

—Mándame un mensaje de texto con la fecha y la hora. Todo estará listo.

Anton le acompaña hasta afuera. Cuando regresa al salón de la suite del hotel que hemos alquilado para la reunión, estoy leyendo el correo electrónico de nuestros piratas informáticos sobre el paradero de Petrova. Tiene un baile benéfico programado en Austria para dentro de dos semanas. Luego la apertura de una nueva galería de arte en Viena. Después de eso, está planeando unas vacaciones en España para mejorar su bronceado. Parece que Natasha Petrova va a hacer algún cambio en sus planes de viaje.

Decididamente puede montarse una visita secreta a Praga antes de aterrizar en Puerto Banús.

Para cuando los paparazis la pillen con sus cámaras en el lujoso yate de Antonio Banderas y Nicole Kimpel, bebiendo champán en el glamoroso puerto, Dimitrov ya estará muerto.

19

MINA

*C*ada segundo cuenta. Le doy a Ilya aproximadamente una hora antes de que se percate de que no voy a volver. Eso significa que tengo una ventaja de una hora. Ostrava está a más de tres horas en coche. Eso me da cuatro horas antes de que Yan regrese a Praga. Para entonces, ya estaré de camino. Mientras siga en movimiento, mantendré una ventaja de cuatro horas.

Cuando condujimos al casco antiguo, presté atención a nuestro entorno, así que ahora voy directamente a la tienda de electrónica y compro un teléfono barato de prepago. En un portal tranquilo, marco un número seguro.

Gergo lo coge de inmediato.

—¿Mink? —Solo usa mi nombre profesional por si se diera el improbable caso de que la línea segura, un número que solo nosotros dos usamos, se viese comprometida.

—Mi abuela quiere invitarte a tomar el té —le digo.

—Hace mucho tiempo que tengo pendiente una visita. ¿Cuándo es buen momento?

—¿Puedes venir a las cinco y media?

—¿Traigo algo de Earl Grey? —Esa es la palabra clave para las armas—. He estado hace poco en Rusia. Compré un montón. Sé que a tu abuela no le gusta el té inglés.

—Es muy considerado por tu parte, pero no es necesario. Nos vemos allí.

Corto la llamada y tiro el teléfono en una papelera antes de hacerle gestos a un taxi.

—A la estación de tren, por favor —le digo al conductor.

En menos de treinta minutos, estoy en el tren y de camino a Budapest. Me he gastado lo que me quedaba del dinero de Ilya en el billete.

Con los nervios de punta, me quito de la cabeza lo que Yan me hará cuando me encuentre, y me centro en mi plan.

Llegar a Budapest. Encargarme del futuro de mi abuela. Advertir a Gergo.

Hubiese sido pan comido entrar en un restaurante, robar un cuchillo de carne y sacarme el localizador en el baño, pero necesito el dinero que Yan me prometió por el trabajo. Necesito mantener a Hanna, asegurarme de que sus necesidades estén cubiertas cuando yo ya no esté.

Al menos eso es lo que me digo a mí misma. No es

que sea reacia a dejar a Yan. No puedo serlo. Eso no tendría ningún sentido.

En cada estación, mi estómago se tensa un poco más. En cada parada, espero que Yan se suba al tren y me saque a rastras, aunque sea algo poco probable a menos que coja un helicóptero. Pero poco más de siete horas después, el tren llega a Budapest sin incidencias.

Estoy sin dinero, así que me dirijo a la sucursal más cercana de mi banco y le digo al cajero que me han robado el bolso en el tren, que me han quitado todas mis tarjetas y mi pasaporte, y que estoy de camino a presentar la denuncia a la comisaría de policía. Después de que verifiquen mi identidad con un escáner de huellas digitales, saco un poco de dinero. En la farmacia de al lado, compro maquillaje y lápiz de labios, y me aplico una capa gruesa de cada uno para ocultar los pequeños moretones y el corte casi curado de mi labio.

Un taxi me deja en la clínica privada del distrito 11.

La recepcionista me conoce bien. Me sonríe al verme entrar.

—Señorita Belan. Cuánto tiempo.

—He estado viajando. ¿Cómo está ella?

Su mirada es comprensiva.

—Tiene sus días. —Su rostro se ilumina—. Verla a usted definitivamente la animará.

—¿Puedo pasar?

—Por supuesto. —Ella descuelga el teléfono—. Le diré a la enfermera que va para allá.

Atravieso el largo pasillo con mis zapatillas

chirriando sobre el suelo reluciente. La luz natural se filtra a través de los tragaluces y unas obras de arte moderno iluminan el blanco puro de las paredes, mientras que las ventanas de suelo a techo enmarcan el espacioso salón y ofrecen unas magníficas vistas de la ciudad. Una escalera me lleva hasta el primer piso. Al final del pasillo, hago una pausa para calmarme. Recompongo con cuidado mi expresión, llamo y entro.

Inmediatamente, mi garganta se obstruye por las abrumadoras emociones, y tengo que esforzarme al máximo para reprimir las lágrimas que me nublan los ojos. Mi abuela es la única persona que puede hacerme sentir así, que puede atravesar las paredes heladas que han encerrado mi corazón después de la muerte de mis padres. Con ella, soy otra vez aquella niña que corría por el bosque, y por mucho que odie ese sentimiento, jamás podría renunciar a él.

Jamás podría renunciar a ella.

Ella, Hanna, está sentada en su silla de ruedas en la terraza, con la luz de la tarde haciendo que su cabello suave y blanco forme un halo alrededor de su cara arrugada. Una enfermera le está dando el té.

Me acerco y le cojo la taza a la enfermera.

—Yo lo haré.

La mujer asiente y se despide.

Una sonrisa se extiende por el rostro de Hanna.

—Mina, cariño. ¡Cuánto tiempo!

Me siento y le acerco la taza a los labios. Me rompe el corazón ver lo difícil que le resulta la simple tarea de cerrar sus labios alrededor del borde.

—He estado ocupada con el trabajo. Me ha sido difícil escaparme.

Hanna me reprende con la mirada.

—No tendrías que malgastar tu tiempo libre con una vieja. Deberías cogerte vacaciones, ir de viaje. —Sus ojos se agudizan—. Conocer gente.

Conocer a algún hombre, quiere decir. Si ella supiera… Aparto ese pensamiento. Tengo poco tiempo para estar con ella, y no voy a estropearlo arrastrando hasta aquí la realidad de mi retorcida relación con Yan.

—No hay nadie con quien me apetezca más pasar el rato que contigo —le digo, acercándole la taza a los labios de nuevo.

Entre sorbo y sorbo, me examina con una mirada aguda.

—Estás pálida.

Utilizo la servilleta para limpiar una gota de té que le resbala por la barbilla.

—No salgo mucho.

—Odio cómo tu trabajo hace que parezcas una vampira.

Eso me hace reír.

—No soy ninguna vampira.

—Duermes de día y trabajas toda la noche. Mira lo blanca que estás. Si sigues así, vas a hacerte alérgica al sol.

—Estoy sentada al sol ahora mismo, y no me estoy convirtiendo en cenizas —bromeo.

Frunciendo el ceño, ella me mira con detenimiento.

—¿Eso de debajo de tu ojo es un morado?

—Solo son ojeras por la falta de sueño.

Ella suspira y menea la cabeza.

—Por lo delgada que estás, tampoco estás comiendo.

—No te preocupes, abuela. No estoy bebiendo sangre.

—Ay, solo faltaría... ¿Cocinas?

—Sí.

—¿El qué? —me reta.

—Gulasch.

Ella se relaja un poco.

—Bien. La comida grasienta que sirven en ese bar donde trabajas te causará enfermedades cardíacas, sin mencionar las espinillas.

Ojalá. Mataría por un poco de acné y de colesterol alto ahora mismo. Cojo una galleta del plato y la sostengo para que le dé un mordisco. No se me escapa lo mucho que sus manos tiemblan sobre su regazo, y mi corazón se rompe otra vez.

—¿Te están cuidando bien?

Le lleva su tiempo masticar.

—Oh, sí. Las enfermeras son muy amables. —Señala con la cabeza hacia el plato—. Coge una. Son sanas. De avena y miel. Para contentarla, cojo una galleta.

—¿Qué tal es la comida? ¿Sigue siendo buena?

—Todo es estupendo. Como siempre. ¿Por qué estás tan preocupada por todo eso hoy?

—Solo me aseguro de que seas feliz.

—¿Y qué hay de ti? ¿Eres feliz, Mina?

Me cuesta mirarla a los ojos.

—Mucho. ¿Estás cansada? ¿Te gustaría echarte una siesta antes de la cena?

—¿Vas a quedarte?

—Sí.

Ella sonríe.

—Entonces me gustaría echarme una siestecita.

La empujo hacia la habitación y la cojo del brazo para ayudarla a ponerse en pie. Su frágil cuerpo tiembla tanto que nos cuesta un minuto entero atravesar la corta distancia hasta la cama.

Después de ponerla cómoda, la beso en la mejilla.

—Voy a ver a Lena. Volveré después de tu siesta.

Ella me coge la mano y me da un tembloroso apretón.

—Me alegra mucho que estés aquí.

—A mí también. —Las emociones me comprimen el pecho—. Siento que haya pasado tanto tiempo.

—No seas tonta. Eres joven. Tienes una vida que vivir. —Me da otro apretón y me suelta—. Ve a ver a Lena. Ella también se alegrará de verte.

Encuentro a la doctora y directora de la clínica en su despacho. Es dulce y voluptuosa, y lleva el pelo oscuro salpicado de gris y enrollado en un moño francés. Era la mejor amiga de mi madre, y es ferozmente leal a Hanna. Gracias a ella, Hanna pudo ingresar en esta clínica a pesar de tener una lista de espera de cinco años. No somos íntimas, guardo demasiados secretos para ser amiga íntima de nadie, pero en esto, puedo confiar en ella.

Ella levanta la vista y sonríe cuando entro.

—¡Mina! —Se pone de pie, sale de detrás de su escritorio y me besa ambas mejillas—. Ha pasado demasiado tiempo.

—Sí, así es. —Cierro la puerta—. ¿Tienes un minuto?

Su mirada va de la puerta cerrada a mi cara, y su sonrisa se esfuma.

—Por supuesto. ¿Qué ocurre?

—La estancia de Hanna aquí, ¿hasta cuándo está cubierta?

—Está pagada durante unos cuantos meses más. ¿Por qué?

—Me gustaría hacer un pago grande, lo bastante para cubrir su estancia de por vida. ¿Se puede hacer?

Ella me mira sorprendida.

—Sí, por supuesto, pero ¿por qué quieres hacer algo así?

—Quiero asegurarme de que esté bien cuidada, pase lo que pase.

—Una donación lo bastante grande asegurará los gastos de tu abuela y sus tratamientos médicos de por vida.

—¿Cuánto?

—Dos millones.

—Puedo pagar la mayor parte de eso ahora. —Tengo el dinero del trabajo de Henderson en mi cuenta del extranjero, aparte del depósito del cincuenta por ciento por adelantado que me ha hecho Yan—. Debería tener el resto en unas cuantas semanas.

—¿Qué está pasando, Mina? —Ella me mira a los ojos, con gesto inquisitivo—. ¿Hay alguna cosa que yo debería saber?

—Necesito que me hagas unas pruebas.

—Mierda. —Ella me agarra por el hombro—. ¿Cuáles son tus síntomas?

Me encojo de hombros como si la respuesta no tuviera importancia, como si las señales no significaran nada.

—Moretones. Una hemorragia nasal. Los moretones podrían ser solo por el sexo duro. La hemorragia nasal puede ser pura coincidencia.

—Mierda —dice otra vez—. Apenas te has recuperado. ¿Hace cuánto fue?

—Dieciséis meses.

—¿Por qué no vas a tu médico habitual? ¿Estás metida en algún tipo de lío?

—Sí, y no puedes preguntarme de qué se trata.

Ella asiente. No es consciente del alcance completo de mi trabajo, pero sabe que he estado involucrada en operaciones secretas del gobierno, y sospecha que hago algo aparte de ser camarera para cubrir las facturas de aquí.

—De acuerdo —dice—. Ven conmigo.

Me lleva al laboratorio y me saca una muestra de sangre. Mientras lo entrega para su análisis con instrucciones de ponerlo al principio de la lista y enviarle los resultados por correo electrónico de inmediato, un beneficio de administrar una de las clínicas más prestigiosas del país, utilizo una cabina con un ordenador privado que hay en la sala de visitas para transferir el dinero que me queda a la clínica.

Cuando termino, me quedan cinco minutos de sobra antes de encontrarme con Gergo. Voy al baño y me pellizco las mejillas para que parezcan menos pálidas antes de salir a los jardines. Se daría cuenta, y no quiero que Gergo conozca mi situación. Se le podría meter en la cabeza intentar salvarme. Y eso sería un problema. No solo no vale la pena salvar mi vida, sino que no quiero que le pase nada a Yan. No sé exactamente por qué, pero mi pecho se atenaza inexplicablemente ante la mera idea de que él resulte herido.

Gergo está sentado en el banco habitual, en un rincón apartado oculto a la vista. Reunirse donde mi abuela se ha convertido en nuestra forma discreta de contactar. Él se disfraza de miembro de la familia de algún paciente y firma en la puerta con un nombre falso.

Hoy lleva una peluca negra y gafas de montura gruesa. Tiene más patas de gallo alrededor de los ojos, como si tuviera cincuenta años en lugar de treinta y cinco. Hay un gran lunar en su mejilla izquierda, completo con un largo pelo negro creciendo de él. Un gran disfraz. La alumna que hay en mí no puede evitar admirar al profesor.

Su saludo es una exclamación suave.

—¡Mink! Menos mal, joder. —Da una palmadita al

espacio a su lado y me pasa el brazo por encima de los hombros cuando me siento en él—. Me estaba volviendo loco de preocupación cuando vi el tiroteo entre Sokolov y los federales en las noticias. Ese cabrón de Henderson tenía que saber que los rusos irían a por ti.

Jugueteo con la piel de alrededor de mis uñas.

—No podría haber sabido que Sokolov se iba a escapar.

—De haber conocido sus planes, jamás le habría dado tu nombre.

—No fue culpa tuya. Tendría que haberle hecho caso a mi instinto.

Él me aprieta contra sí, y pone algo de distancia entre nosotros cuando yo me pongo tensa.

—No tenía ni idea cuando hice los disfraces de que estuviera planeando tenderles una trampa a los rusos.

—Por eso necesitaba verte. —Lo miro a los ojos—. Sokolov estaba buscando a la persona que había hecho los disfraces.

Su mirada se carga de tensión.

—¿Cómo lo sabes?

—Los rusos enviaron un equipo. Me pillaron aquí en Budapest.

Su rostro se retuerce en una expresión de odio mezclado con compasión.

—¿A dónde te llevaron?

—A una finca en Colombia propiedad de cierto Julián Esguerra.

—Esos hijos de puta... —Sus dedos se aprietan en mi hombro—. ¿Cómo te escapaste?

—Eso da igual. Lo que importa es que Sokolov te andaba buscando.

—¿Por qué?

—Esperaba poder rastrear a Henderson a través de ti.

Gergo se relaja visiblemente.

—Ah. Bueno, Henderson está muerto. Ha salido en todas las noticias.

—Puede que Sokolov todavía vaya a por ti. Le tendiste una trampa a su equipo, después de todo.

Él se queda quieto, y su rostro se endurece.

—¿Te torturaron y hablaste? ¿Les diste mi nombre? ¿Es eso lo que has venido a decirme?

—No tuvieron que torturarme. Les di los nombres de los Delta Force de buen grado. Como has dicho, junto con Henderson, me jodieron. Pero no les di tu nombre.

—¿Qué les dijiste?

—Les dije que había sido yo.

Él me mira fijamente.

—¿Tú?

—Les dije que yo había hecho los disfraces.

—¿Y te creyeron?

—Solo después de haberles demostrado mis habilidades.

—Mink. —Me aprieta el hombro, y su expresión se dulcifica—. ¿Por qué hiciste una cosa así? No deberías de haber cargado con mi culpa.

—Te debo la vida. Te debo... —me interrumpo, incapaz de decirlo.

—Oye. —Me abraza fuerte—. No me debes nada, querida.

Me alejo, incómoda por su amistoso abrazo.

—Mira, Henderson está muerto, pero si los rusos empiezan a hacer preguntas, es posible que descubran nuestra conexión. Tienes que andar con cuidado.

—Has venido para advertirme —dice, incrédulo.

—Eres mi amigo. —Quizás el único que tenga jamás.

Él niega con la cabeza.

—Eres increíble, ¿lo sabes?

—No hice nada que no hayas hecho tú por mí primero.

—No es lo mismo.

Le cojo por la muñeca para ver la hora en su reloj.

—Tengo que volver adentro. Hanna se levantará pronto para cenar.

—Espera. ¿Qué planes tienes ahora?

—Perfil bajo. —De contarle lo de Yan, este sería la ocasión, pero no puedo obligarme a hacerlo.

—Dime a dónde vas. No hagas que me preocupe.

—Es mejor así. —Me levanto—. Voy a estar fuera del radar durante un tiempo. Y lo mismo deberías de hacer tú.

—Déjame ayudarte. Yo te metí en esto.

—Estaré bien. Solo cuídate.

Se pone de pie.

—¿Por qué me suena esto como un adiós?

Intento aligerar el tema.

—¿Porque lo es?

Su expresión sigue siendo seria.

—Sabes lo que quiero decir. Cuéntamelo. ¿Qué está pasando?

—Nada. Si no estoy de vuelta en cinco minutos, Hanna va a organizar una partida de búsqueda con las enfermeras.

Me vuelvo, pero él me agarra por el codo.

—Te acompañaré hasta allí.

Miro hacia las cámaras de seguridad colocadas alrededor del edificio.

—Es demasiado peligroso.

—Nadie va a reconocerme.

Tiene razón. Le dejo hacer, absorbiendo mis últimos momentos con la persona que me enseñó todo lo que sé sobre disfraces, armas y cómo usar las habilidades que había adquirido en el ejército de maneras altamente rentables. Caminamos juntos en silencio, uno al lado del otro.

En la entrada, me gira para que lo mire de frente.

—¿Y qué pasará después?

—¿Después de qué?

—Después de pasar un tiempo con perfil bajo.

—Ya veremos. —Normalmente, él no se contentaría con mi vaga respuesta, pero estas no son circunstancias normales.

Si nuestro secreto sale a la luz, su vida corre peligro.

Le rodeo con los brazos y le doy un rápido abrazo.

Aparte de Hanna, él es lo más parecido que tengo a la familia.

—Ten cuidado —dice cuando me alejo.

Subo corriendo las escaleras y no miro atrás. Voy hacia adelante, como siempre hago.

Voy a recoger a Hanna y la llevo al comedor. Cenamos con las vistas de fondo. Le doy de comer, y me duele el corazón cuando recuerdo a la mujer fuerte y orgullosa que había cocinado para mí en su cocina. Extraño aquellos tiempos, pero este es el presente, y en esto nos hemos convertido. Me grabo cada detalle en la mente. Inhalo su perfume. *Anaïs Anaïs.* Creo un nuevo recuerdo mientras me siento a su lado, la cojo de la mano y charlamos sobre los viejos tiempos.

Cuando es la hora de la medicación de Hanna, la enfermera me dice que a Lena le gustaría despedirse de mí antes que me vaya. Mi corazón se rompe un poco más con cada paso que me aleja de la pequeña mujer llena de arrugas que me crio, pero mantengo la espalda erguida. Al girarme en el umbral, le lanzo a Hanna un alegre saludo con la mano, y le muestro mi expresión más sonriente. Luego doblo la esquina y ella ya no está, está fuera de mi vista. La pérdida es tan profunda que tengo que apoyarme con una mano en la pared. Una enfermera pasa a mi lado.

—¿Va todo bien, señora?

—Sí. —Me enderezo—. Perfectamente.

Me trago mis lágrimas y voy a la oficina de Lena.

Su rostro es sombrío.

—Siéntate, Mina.

Mi pecho se encoge cuando me dejo caer en la silla delante de su escritorio.

—¿Es malo?

—Me temo que sí. —Se inclina y me coge la mano que tengo sobre su mesa—. Lo siento. La leucemia ha vuelto.

Aunque me lo esperaba, la noticia me llega como un mazazo.

—Hay un nuevo tratamiento —dice Lena—. Todavía es experimental, pero...

—No. —El tratamiento anterior fue un infierno—. No más tratamientos.

Ella me lanza una mirada comprensiva.

¿Estás segura?

—Sí. —Me pongo en pie—. Gracias por hacerme las pruebas.

—De nada.

—¿Cuidarás de Hanna?

—Puedes contar conmigo.

—Transferiré el resto del dinero pronto.

—Cuídate y llámame si cambias de opinión sobre el tratamiento.

Con la seguridad de que todas las necesidades de Hanna serán atendidas, cojo un taxi hasta la estación de tren donde compro un billete para Praga. Mientras espero, pido una taza de té en la cafetería. La infusión es fuerte y amarga.

Sabe a despedidas y arrepentimiento.

20

YAN

*P*asa algo. Si no, Ilya no me llamaría. Se me erizan los pelos de la nuca cuando levanto la mano para hacer callar a Anton en medio de una frase y coger la llamada.

—¿Que sucede?

Ilya carraspea.

—Es Mina.

Me pongo de pie.

—¿Qué has hecho? —Mataré a ese hijo de puta si la ha tocado.

—Puede que no sea nada. —Él vacila—. No quería arriesgarme.

Agarro mi chaqueta, y le indico con un gesto a Anton que me siga.

—Estás perdiendo el tiempo. Escúpelo.

—Salió a desayunar y...

—¿Que ella qué?

—Dijo que necesitaba tiempo a solas para lidiar con

toda la mierda que estaba ocurriendo en su vida.

Será hijo de puta. Corro hacia la puerta y bajo las escaleras de dos en dos.

—¿Hace cuánto?

—Un poco más de una hora.

—¿La dejaste salir sola, joder?

—Dijo que volvería.

—¿Y tú le creíste?

—Me dio pena, ¿vale? Lo que estás haciendo, Yan, no está bien.

¿De verdad cree que este es el momento de una charla sobre moralidad?

—¿A dónde fue?

—No me lo dijo.

—Dime que no le diste dinero.

—Claro que se lo di.

Mi hermano es un maldito imbécil, un puto calzonazos cuando se trata de esa pequeña mujer lanzallamas. Me ocuparé de él más tarde. La prioridad es encontrar a Mina.

—¿Dónde estás ahora?

—En el apartamento. ¿Debería ir a buscarla?

—No, joder, quédate ahí y llámame si aparece.

Cuelgo y activo la aplicación del localizador. Corremos las dos manzanas hasta llegar a dónde está aparcado el coche de alquiler.

Le lanzo las llaves a Anton y le ordeno: "Conduce".

Como siempre, se muestra rápido y eficiente. Frío y sereno. Abre las puertas y se pone al volante.

—¿Qué es lo que ocurre?

Me meto en el despacho del pasajero y casi me ahogo de alivio cuando el localizador aparece en la aplicación.

—Mina se ha largado.

—Joder.

Mina no se ha quitado el localizador. Los microscópicos electrodos están leyendo su pulso. Las elevadas lecturas muestran que está estresada. Aparte de eso, sus signos vitales son normales. Podría haberse arrancado el localizador con facilidad, lo cual es algo que no descartaría en su caso, pero el puntito rojo parpadea tranquilizador en la pantalla.

Saco las coordenadas mientras Anton entra con el coche en el denso tráfico. Juzgando por la velocidad que lleva, creo que se ha subido a un tren. Nos lleva unas cuatro horas de delantera. Busco un horario de trenes, y estudio las líneas. Si mi suposición es correcta, se dirige a Hungría.

—¿Adónde? —Anton pregunta con voz tensa cuando nos acercamos a la primera salida.

—Budapest.

Él no hace preguntas. Programa el GPS y hace lo que le he dicho. A diferencia de Ilya. Cuando le ponga las manos encima a mi hermano, me las va a pagar por no seguir la única y sencilla puta orden que le di.

Según el GPS, nos costará once horas llegar hasta allí con el tráfico actual. Eso si Budapest es el destino de Mina. ¿Qué diablos está haciendo? Si cree que puede huir de mí, tristemente se va a decepcionar. Voy a cogerla.

Una y otra vez.

Anton me lanza una mirada de reojo.

—¿Y por qué no coger un vuelo?

—Es mejor seguirla por tierra. Más fácil cambiar de dirección si hace falta. —Están reparando nuestro avión, y si nos quedamos atrapados en un vuelo comercial, puede llevarnos aún más tiempo. Hay muchos overbookings y retrasos, ya que estamos a finales de las vacaciones de verano y la República Checa está inundada de turistas.

El tiempo pasa lentamente. No paramos. Ni a comer, ni a estirar las piernas, ni siquiera a mear. Solo paramos cinco minutos a repostar. No trabajo. No reviso mis mensajes. No hago otra cosa que vigilar el punto rojo que representa a Mina. Cuanto más avanzamos, más convencido estoy de que tengo razón sobre su destino.

Seis horas y media después, deja de moverse. Miro la ubicación. Es una clínica privada en Budapest. Solo puedo imaginarme por qué iría ella allí. Pulso en el número que aparece y llamo a la clínica. Una voz femenina aparece en la línea, preguntando si puede ayudarme.

—Me gustaría hablar con la Sra. Hanna Belan, por favor.

—Claro, señor. ¿Quién le digo que llama?

—Le oigo mal. Volveré a llamar cuando tenga mejor conexión.

Cuelgo. Tal como sospechaba.

—¿Un familiar de Mina? —pregunta Anton.

No es asunto suyo. Nada de lo relacionado con Mina es asunto de nadie aparte de mí.

—Sal en la siguiente estación de servicio.

Cambiamos de asiento. Él se echa un sueñecito y yo conduzco, con un ojo puesto en la aplicación del localizador. Por ahora, Mina está parada. Solo cuando llego a Budapest, comienza a moverse de nuevo.

Cambio de dirección, conduzco hasta la estación y aparco en la zona de descarga de pasajeros.

—Date unas vueltas hasta que te avise —le digo a Anton.

La estación está abarrotada. Me meto una Glock en la cintura y pongo la chaqueta por encima para taparla. Me mantengo alerta mientras avanzo, siguiendo al localizador hasta la cafetería. No me cuesta demasiado distinguir el pelo de punta rubio platino de Mina.

Está sentada sola en una mesa, bebiendo algo. Hay una tetera sobre la mesa. No hay comida. Capto los detalles con mi ojo bien entrenado. Todas las mesas que la rodean están ocupadas. Un hombre solo con gafas de montura negra, cabello oscuro y un lunar en la mejilla se sienta en un rincón. Es atractivo, de unos cincuenta, diría yo. Él es la única otra persona sola en una mesa, por eso me llama la atención. Está leyendo un periódico y comiendo un pastel. Tal vez solo espera su tren. Aun así, no doy nada por sentado. Escaneo las madres con niños y las personas mayores con perros. Reviso las salidas y las escaleras mecánicas. Luego miro la pantalla de salidas. El próximo tren para Praga sale en cuarenta minutos.

Cuando he guardado cada detalle en mi mente y evaluado cada opción de escape y los posibles peligros, me permito por fin sentir. Las emociones golpean mi pecho como flechas. Preocupación, angustia y una furia candente. Cuanto más reconozco mi preocupación, más oscura se vuelve mi ira. Sensaciones que no sabía que existían me aplastan como una apisonadora, y la más potente, el miedo a la pérdida. Nunca he tenido un temor así. Ni siquiera por mi gemelo. Me hace vulnerable, hace que me tiemblen las manos.

Me convierte en algo que yo nunca he sido.

Jodidamente débil.

Lo acepto. Lo internalizo. Lo que más fuerte me golpea es el puñetazo de los celos en mi estómago cuando me encamino a la entrada y tengo una vista frontal del rostro de Mina. Tiene los labios color carmesí, oscuros como la sangre. Es tan jodidamente hermosa, tan estúpidamente valiente... y lo único en lo que puedo pensar es en que nunca se había maquillado así para mí. ¿Para quién se ha puesto ese color en sus hermosos labios?

De pie aquí, observando a mi cautiva, la odio tanto como la deseo. Quiero hacerle daño, hacerle pagar por lo que hizo, pero en realidad no puedo culparla. ¿Quién no escaparía si estuviera en la piel de Mina? Todo esto es culpa de Ilya.

Mi mente es una maraña de pensamientos confusos a medida que me voy acercando despacio.

Está tan absorta en sí misma que no me ve hasta que estoy a tres pasos de distancia. Cuando finalmente siente el peligro y levanta la mirada, sus pálidas mejillas se vuelven aún más blancas y sus ojos azules se iluminan por un segundo antes de que la aceptación se establezca.

Sabía que yo iría tras ella. Sabía que la encontraría.

Saco una silla y me siento frente a ella.

—Hola, Mina.

Traga saliva.

—No estaba huyendo.

Miro la bebida que aún queda en su taza. El pintalabios ha dejado una perfecta huella roja de sus labios en el borde.

—Bébete tu té.

—Yan, yo...

—He dicho que te termines tu té.

Mientras sostiene mi mirada, ella lleva la taza a sus labios y se bebe lo que queda antes de volver a dejar la taza en el platillo. Tintinea suavemente, un sonido de dulce finalidad, pero no hay nada de dulce en lo que siento.

Extiendo mi mano.

—El billete.

Ella pesca un billete de tren de su bolsillo y me lo entrega. Echo un vistazo al destino. Praga.

—Estaba de vuelta —dice.

—No hables a menos que te lo diga. No pronuncies ni un solo sonido. —Estoy demasiado irascible, demasiado a punto de perder los estribos. Me levanto y le tiendo una mano—. Levanta.

Ella obedece sin discutir, poniendo su pequeña

mano en la mía. La atraigo hacia mí. Con una mano en su espalda, la aprieto contra mi costado. Está tan tensa que su cuerpo es como una fina barra de acero, pero no se resiste.

Por encima de su hombro, miro de reojo a los ojos del hombre, el del lunar. Él aparta la vista, avergonzado de que lo haya pillado mirando. Hay algo en él, en su sonrisa, que no me cuadra. Pero entonces dobla su periódico, se levanta y se va.

Con Mina pegada a mi lado, nos guío a ambos hasta afuera. Soy un pozo negro de emociones en conflicto. Estoy hirviendo de ira, pero mi alivio es tan grande que me causa temblores como efecto a posteriori de mi miedo, de once largas horas de la peor tortura de mi vida.

Mis zancadas están a la par con furia. Mina lucha por seguirme el paso con sus piernas más cortas. Prácticamente está corriendo a mi lado, pero no me detengo. Aprieto los dedos en su cadera, saco mi teléfono del bolsillo y llamo a Anton para avisarle de que puede volver conduciendo hasta Praga.

—¿Y vosotros? —pregunta.

—Tomaremos el siguiente vuelo.

Entro en el hotel más cercano, un sitio destartalado de dos estrellas, y pago una habitación en efectivo. Las escaleras de madera crujen bajo mis zapatos mientras arrastro a Mina los dos tramos de distancia a una habitación con una cama, una silla y una cómoda. Nada más. El papel de la pared está desconchado y es de color naranja. Las paredes deben de ser finas como el papel, pero me da igual. Tiro de ella hacia la cama, me siento y la tumbo boca abajo sobre mi regazo.

Ella estira el cuello para volverse a mirarme.

—¿Qué estás haciendo?

—¿No te he dicho que no hablases?

—Yan.

Agarro el elástico de sus pantalones de chándal y se los bajo junto con las bragas por los muslos, dejando a la vista su culo prieto. Perfectamente redondeado. La piel es perlada, suave. Le paso la palma de la mano por sus curvas, porque necesito sentirla. Necesito la confirmación de que ella está aquí.

—Te has escapado de mí, Mina.

—Yo no...

—Calla. No te he dicho que hablaras.

Mi tono le hace callarse en seco.

Acaricio suavemente sus nalgas, pellizcando la tersa carne.

—¿Qué es lo que yo te había dicho?

Ahora se queda callada. Ahora que le he hecho una pregunta.

—Te lo recordaré. —Le bajo la mano por el muslo y entre las piernas—. Te dije que no me pusieras a prueba.

Mordiéndose el labio, ella solo me mira.

Dibujo sus pliegues con un dedo. Ella está seca.

—No me estás dando elección. Tengo que cumplir mi palabra.

Cuando la primera palmada golpea la parte inferior de su trasero, ella comienza a revolverse. Le pongo una mano en la nuca, sintiendo el bultito que marca donde el localizador está insertado bajo su piel, sabiendo que jamás será suficiente. Nada puede ser jamás suficiente.

¡*Plas!*

Ella grita.

No puedo volver a perderla. Odio ese puto sentimiento.

¡*Plas!*

Su espalda se arquea.

¡*Plas!*

Otro grito sofocado.

No le pego tan fuerte como para hacerle cardenales, solo para dejar la huella roja de mi mano. Cubro cada centímetro de esa piel blanca como la nieve hasta que todo su trasero ha adquirido el color de una rosa. Ella no llora, y no es que yo esperara que lo hiciera. Es una asesina. Un soldado. Ella ha pasado por cosas mucho peores. Pero sé que le duele. El calor se filtra de su piel enrojecida hacia mi palma mientras froto sus nalgas lentamente. Ella se retuerce. La caricia es dolorosa en su sensible culo. Aun así, no basta para hacerle pagar por el infierno por el que me ha hecho pasar.

Le doy la vuelta y me pongo en pie con ella en brazos. No soy nada dulce cuando la tiro sobre la cama. No la miro a la cara mientras le quito a tirones el suéter y la camiseta por la cabeza y le arranco el sujetador. No la miro a los ojos porque no quiero hacerlo. No así. Pero no me ha dejado elección.

Termino de desnudarla. Mi orden es cortante, humillante, algo dirigido a una mascota, no a una igual.

—Quieta.

Ella da un respingo.

Revisando la habitación, no encuentro nada que pueda hacer las veces de atadura. Las toallas desgastadas tendrán que servir. Enrosco la más grande hasta darle forma de cuerda, le levanto los brazos sobre la cabeza y le ato las muñecas al cabecero. Ella me mira mientras lo hago. Está callada, pero sus ojos brillan con su propia ira.

Pruebo el nudo y luego le abro las piernas.

—Quieta.

Ella continúa observándome en silencio mientras me desvisto y me pongo entre sus piernas.

—¿Así es como lo quieres? —Pongo mi polla contra su entrada—. ¿Igual que en Colombia?

Su respuesta es en voz baja.

—No.

—Si huyes, me estás diciendo lo contrario.

No la preparo. No es eso de lo que va todo esto. Aprieto la punta de mi polla contra la carne rosada de entre sus piernas y separo esos delicados pétalos. Soy demasiado grande para ella, estoy demasiado furioso. Sin embargo, su pulso se acelera y sus senos se agitan con sus pequeñas respiraciones rápidas.

—¿Lo deseas? —A pesar de lo furioso que estoy, pararé si ella me lo dice. La violación es una línea que no pienso cruzar.

Asiente de modo críptico.

La agarro del pelo.

—Dilo.

—Sí.

—¿Por qué? —Necesito saberlo. No sé qué espero que diga, solo que ardo por saber por qué quiere esto.

—¿Importa eso?

Joder, sí. Puede que no para ella. Para mí, jamás nada ha sido tan importante.

—Dime por qué.

Su mirada adquiere el tono azul acero de un cielo invernal.

—Solo hazlo.

Así sea. Lo hago. Me sumerjo en ella con avidez, con egoísmo. Con violencia. Tal como ella ha pedido. Como si estuviera demostrando que no hay nada de encantador en todo esto. Es salvaje. Es incuestionable. Es una verdad, la verdad más cruda que he conocido. Ella está demasiado apretada, su carne no cede cuando retrocedo y vuelvo a entrar, yendo tan profundo como puedo.

Las lágrimas inundan sus ojos, ahogando el gris, suavizando el acero. Agarro la toalla que le rodea las muñecas. No me atrevo a hundir los dedos en sus caderas. No pienso volver a dejarle marcas. Entonces me muevo. Salvajemente. De verdad. La poseo una y otra vez, entrando y saliendo de su cuerpo como si estuviera persiguiendo sueños inalcanzables.

Nuestras caderas chocan con un ritmo áspero y castigador. No me preocupo por su placer; me corro. Cruda y brutalmente. Me vacío en su cuerpo, llenándola. Dejo mi marca dentro de ella, y cuando he terminado, la beso. Es un beso duro, que le extiende el pintalabios por toda la cara. Le muerdo el labio y acaricio las marcas de mis dientes con la lengua. Luego salgo y la dejo.

Mi semen se escapa, manchando la fea colcha naranja. Cuando me levanto, ella cierra las piernas. Tiene las mejillas rojas y no es capaz de mirarme. Me vuelve la cara.

Humedezco el resto de la toalla y la lavo antes de echarme a su lado y taparnos a los dos con la sábana sin desatarla.

Le rodeo el vientre con un brazo y presiono mis labios en la concha de su oreja. —Podrías haberlo disfrutado como en Praga. Solo recuerda, esto es lo que elegiste.

Ella no dice nada. Acepta el veredicto y yo me sumerjo en un sueño insatisfecho e inquieto.

ME DESPIERTO TEMPRANO. EL SOL TODAVÍA NO HA salido, pero Mina ya tiene los ojos abiertos. Tal vez no haya dormido. Mi ira se ha consumido y el arrepentimiento sabe a cenizas frías y rancias. Podría haber sido distinto. Quiero que sea distinto.

—¿Incómoda? —pregunto.

Ella asiente.

Aparto la sábana de una patada y me deslizo hacia abajo por el colchón. Ella no me pregunta qué estoy haciendo cuando entierro mi cabeza entre la carne suave de sus muslos. Lamo su coño y noto su sabor en mi lengua. ¿Qué no le daría, con que solo me lo pidiera?

—¿Qué hacías en Budapest?

Ella tiembla cuando trazo su clítoris con la lengua.

—Ya lo sabes.

—Cuéntamelo.

—Fui a ver a mi abuela.

Chupo un poco más fuerte. Cuando ella jadea, me detengo.

—¿Por qué?

—No quería que se preocupara.

—Si me lo hubieras pedido, te habría llevado.

—¿De verdad?

Ella lo dice como si no me creyera, pero lo hace. La verdad está ahí en sus ojos, en la forma rápida en que parpadea antes de recomponer sus facciones. Es buena enmascarando sus emociones, pero yo soy mejor. Soy mejor leyéndolas.

Ella miente. Me oculta algo.

—Sí —le digo—. Me habría gustado conocerla.

Sus mejillas se incendian con un rosado furioso. Como melocotones con nata. Maravilloso. Hermosa.

—No te acercarás a ella.

Muerdo suavemente, con una sutil advertencia. No quiero volver a perder la calma.

—Creí que entendías quién da las órdenes.

Ella respira hondo.

—Por favor, Yan. No quiero asustarla. Es frágil.

Eso me lo creo. Abro su coño entre mis pulgares y

le echo un buen vistazo. Nunca será suficiente. No puedo cansarme de esto, de ella.

Levanto los ojos para encontrar su mirada, y arrastro un pulgar sobre su clítoris.

—Te dije que no tenía por qué ser así, pero no me has dejado elección.

Su voz es temblorosa.

—¿Así cómo?

Cierro los labios alrededor de su clítoris y dibujo círculos con mi lengua.

Delicioso. Ella es mi pastel de cerezas.

Levanta las caderas y gime, pero la cautela de sus ojos no desaparece.

—¿Como qué, Yan? ¿Vas a hacerme daño?

—Dije que no lo haría.

—¿Entonces qué? ¿Me tendrás atada? ¿Encerrada?

La necesito para el trabajo de Dimitrov según su propio e inteligente plan. Encerrarla ya no es una opción. Ya hemos echado el plan a rodar con nuestra reunión de Ostrava.

No, mantenerla atada no es cómo la castigaré.

—¿Me pegarás en el trasero? —pregunta mordazmente.

Mi sonrisa está al nivel de su tono.

—No, princesa. La próxima vez que te escapes, le cortaré el cuello a Hanna.

Ella palidece. Sin embargo, su sorpresa es fugaz, ahogada por la ira.

—Hijo de puta.

Intenta darme patadas, pero la agarro sin dificultad

por los tobillos. Se retuerce atada por la toalla, intentando mover las caderas de lado a lado para librarse de mí, pero sus esfuerzos solo me espolean. Empujo sus tobillos hacia su cuerpo, doblando sus rodillas, y bajo su mirada de odio, regreso a mi festín. Trazo los labios de su coño con mi lengua, separándolos para saborear su clítoris. Ella lucha, pero yo no me detengo. Ella no está luchando contra el placer.

Ella está luchando contra la amenaza a la vida de su abuela.

Ella está luchando contra la rendición.

No la dejo ganar. Hago que su deseo aumente despacio. Me tomo mi tiempo para disfrutar de su sabor a mujer y sentir su suave carne bajo mis dientes, y le arranco un orgasmo que la hace temblar. Ella se estremece con las réplicas, tiembla derrotada cuando le doy lo que retuve anoche.

Cuando su cuerpo entero se afloja, sus ojos están nublados por las lágrimas y su batalla perdida, desato la toalla y le bajo los brazos. Los froto para favorecer la circulación y luego la llevo a la ducha. La bajo al suelo de baldosas astilladas y estudio su cuerpo para asegurarme de que no he dejado nuevas marcas.

El escenario es incorrecto. Mi florecilla linda, y también mortal, nada menos, no tendría que estar en un cubículo descascarillado con una mohosa cortina de ducha. Abro el agua y espero a que salga caliente antes de ponerla debajo del chorro. Lavo su cuerpo y sus cabellos con la pastilla blanca de jabón del hotel. Lo hago con suavidad, dándole consuelo después de asestarle un duro golpe. Ella preferiría morir antes que permitir que su abuela sufriese. Lo sé, porque somos iguales. Gran parte de lo que hacemos es por lo único que tenemos.

La familia.

Y ahora, para mí, también está ella. Ilya ya no es todo lo que tengo.

Cierro el agua, la seco con una toalla y le digo que se prepare.

Mientras se viste, me pongo mi ropa, hago una reserva de vuelo a través de mi teléfono y le envío los detalles a Anton. Después, desayunamos en la terraza de un café, pero ella apenas toca su taza ni su croissant. Aprovecho el tiempo que tenemos que esperar en el aeropuerto para enviar un mensaje encriptado a nuestro contacto gubernamental, informándole de que necesito las imágenes de la cámara de vigilancia de la Clínica Újbuda. No le doy ninguna razón. Él no me hará preguntas.

Durante todo ese rato, Mina se sienta en silencio. La vigilo mientras me pongo al día con mis mensajes, y las imágenes que solicité llegan a mi bandeja de entrada cuando estamos embarcando en el avión. Siento a Mina junto a la ventanilla y le abrocho el cinturón de seguridad antes de ponerme el mío. Ella gira la cabeza para mirar por la ventanilla, y yo toco el enlace y empiezo a desplazarme por la grabación. Voy rápido, sin esperar ver gran cosa. Lo revisaré todo en Praga, o mejor aún, haré que Ilya lo revise, fotograma a puto fotograma.

Hacia la mitad, me quedo paralizado con el pulgar en la pantalla. El latido de mi corazón se acelera. Allí, en blanco y negro, está mi princesita, y está abrazando a otro hombre.

Los celos se desbordan como un volcán, ardiente y feroz. En mi mente, veo sus labios rojos y la forma en que le corrí el pintalabios sobre el rostro anoche.

Agrando el fotograma y hago zoom en el hombre.

Lleva gafas de montura oscura y tiene un lunar en la mejilla.

21

MINA

*M*e siento magullada por dentro.

No es ni por el cáncer ni por la idea de no volver a ver a Hanna. Es por lo de anoche. La amenaza contra la vida de Hanna dañó algo frágil que había comenzado a crecer entre Yan y yo. Ni siquiera me di cuenta de que una semilla de emoción que iba de la mano con una profunda necesidad de su aprobación había germinado hasta que la aplasté.

Sé de lo que Yan es capaz. Esperaba que me azotara o me torturara. Sin embargo, su castigo fue más cruel. No podría haberme hecho más daño de ninguna otra forma que a través de Hanna. Es un hombre que cumple sus promesas. No dudará en cortarle el cuello a una inocente anciana.

Debería odiarlo. Parte de mí lo hace. Aun así, una parte innegable de mí está de luto por lo que hemos perdido. No puedo ponerle una etiqueta a esa pérdida. El concepto es vago, indefinible, pero eso no disminuye el perverso sentimiento de devastación que me atormenta. La idea es demasiado retorcida para examinarla del todo, así que me concentro en tratar de dormir un poco en el avión y en comerme la comida de la aerolínea para coger fuerzas. Las necesito. El trabajo de Dimitrov es importante. Es vital para el bienestar de Hanna. En eso es en lo que tengo que concentrarme ahora.

Anton nos espera en el aeropuerto cuando aterrizamos. Ilya no.

Nos metemos en la parte trasera del coche y Anton conduce. Yan está tenso. No habla pero mantiene nuestros dedos entrelazados, y sujeta mi mano contra su pierna. No me engaño tomándome ese gesto como una muestra de afecto. Es solo otra forma de control. Es menos brutal que una toalla de hotel barata, pero no menos impactante.

Deja claro el mensaje.

Yo le pertenezco.

Ahora eso ya no importa, sin embargo. No durará mucho. La leucemia va rápido. Si tengo suerte, me quedarán unos meses de vida.

Cuando llegamos al departamento, hago el gesto de coger la manija de la puerta, pero Yan me detiene. Su orden hacia a Anton es brusca.

—Llévate a Mina a tomar un café.

Yo me quedo helada.

—Yan. —Le agarro por el brazo—. No fue culpa de Ilya.

Se libera de mí con una sacudida, y sale con un portazo.

—¡Yan! —Pulso el botón que abre la ventanilla, pero el coche ya se está alejando.

Anton me mira fijamente por el espejo retrovisor.

Me cruzo de brazos y trato de disipar el frío que ha invadido mi cuerpo.

—¿Qué estás mirando?

—Espero que estés contenta.

Se refiere a lo que va a pasar entre Yan e Ilya. No estoy contenta. Nada más lejos. La culpabilidad me corroe, pero no me molesto en decirle cómo me siento.

No le importa, y de todos modos no me creería.

Vamos a una cafetería. Anton pide un café para mí que no me tomo. Después de una hora, se levanta y chasquea los dedos hacia mí. Lo sigo, sintiéndome como un perro. Cuando llegamos a casa de Yan, tengo los nervios destrozados.

Anton abre la puerta y casi me mete dentro de un empujón. Ansiosamente, escaneo el salón. Yan está en la cocina, con un vaso medio lleno de un líquido transparente en la mano. Sobre la encimera hay una botella de vodka, y su cabello oscuro, normalmente muy bien peinado, está revuelto. Los tres primeros botones de su camisa están desabrochados y las mangas enrolladas hasta sus antebrazos. Lo poco de su pecho que está expuesto está cincelado, y sus brazos son musculosos y veteados. Su cuerpo grita poder, fuerza. Lo último que deseo es que él desate ese poder y la ira que ruge bajo la superficie sobre su hermano.

¿Pero qué me esperaba? ¿Que Yan dejaría pasar una debilidad?

Se oye tirar de la cadena, y alguien tose. La puerta del baño se abre e Ilya sale.

Hostia puta.

Tiene un ojo hinchado, un corte en el labio, y la nariz torcida.

Doy unos pasos titubeantes hacia él, y levanto la mano hacia su rostro.

—Dios mío. Déjame ver.

—No lo toques. —La voz de Yan es áspera.

Dejo caer mi mano.

—Hace falta ponerle hielo. —Cambio de dirección hacia la cocina, pero el tono hostil de Yan me detiene de nuevo.

—Déjalo, Mina.

Retrocedo, lanzándole a Ilya una mirada de disculpa.

—Lo siento.

Ignorándome, Ilya se deja caer en el sofá y enciende la televisión.

Anton sonríe al pasar junto a mí.

Me quedo allí torpemente, sin saber qué hacer.

Yan le da un gran trago a su bebida, sin apartar sus ojos de los míos. Señala con la cabeza hacia el dormitorio.

—Vete a trabajar en el disfraz de Petrova.

Con una última mirada a Ilya, escapo a la habitación y me siento en la cama, con la cabeza dándome vueltas.

A excepción de Hanna y de Gergo, casi no siento

nada por otras personas. Ha sido difícil para mí encariñarme con nadie después de la muerte de mis padres. A Gergo le costó mucho tiempo intimar conmigo, y no creo que hubiera sucedido si él no me hubiese salvado de ser violada por mis propios compañeros de equipo. Pero ahora tengo sentimientos, y es algo horrible.

Me siento fatal por lo que Yan le ha hecho a Ilya por mi culpa.

El hecho de que estoy experimentando emociones tan fuertes en lo que respecta a los gemelos me asombra. Soy capaz de desconectar la parte humana de mí cuando estoy en un trabajo. Al apretar el gatillo, no siento remordimientos. Me digo a mí misma que es porque la mayoría de mis objetivos son escoria criminal, como los secuestradores que asesinaron a mis padres, pero en el fondo, sé que es porque una parte de mi alma murió allí en la nieve junto con ellos. Desde ese día, he estado viviendo una vida medio congelada, solo parcialmente viva.

Hasta que llegó Ilya, ese amable y grandote oso de peluche.

Hasta Yan.

Cierro los ojos con fuerza, y corto el psicoanálisis. ¿Para qué? Lo que importa es el trabajo, el último que haré. Pienso en Hanna cuando saco el maletín del armario y me pongo de pie frente al espejo del baño para comenzar mi transformación. Para cuando estoy satisfecha con el resultado, tengo un hambre que hace que me ruja el estómago.

Cuando salgo de la habitación los gemelos están sentados en el sofá, con Anton encajado entre ellos. Deben de haber estado hablando, porque la televisión está apagada. Anton silba apreciando los resultados. Ilya no me mira, y la expresión de Yan es inexpresiva, casi de aburrimiento.

—Quedará mejor con la ropa adecuada —digo.

Yan se levanta y va hacia el portátil que hay sobre la mesa.

—Ven aquí.

Me acerco a su lado mientras él reactiva la pantalla y enciende la cámara para probar el fondo. Lo gira para que mire hacia la pared y no se vea nada más.

Saca una silla para que me siente.

—Ya sabes qué decir.

—Necesito escucharla y observarla unas cuantas veces. —Aprendo deprisa. Puedo copiar acentos y entonaciones igual que un loro.

Él abre un archivo de vídeo de Natasha Petrova, noticias y fragmentos de redes sociales que debe de haber recopilado, y le da al *play*. Presto atención a sus muletillas, a cómo mueve su pelo y dice "querido" un montón, y especialmente a cómo intenta camuflar su lengua materna haciendo que las r sean menos marcadas al hablar en inglés.

¿En qué idioma se dirigiría a Casmir Dimitrov? ¿Le hablaría en húngaro o en inglés?

No, ella usaría su propio idioma como señal de respeto. Elegiría el albanés.

—¿Preparada? —pregunta Yan cuando se acaban los vídeos—. Vamos a hacer una de prueba.

Coge un pañuelo de Hermès que hay en la mesa y la coloca sobre mis hombros, casi con suavidad. Coloca la seda justo antes de activar una videollamada a sí mismo.

Me meto en el papel, hasta en la forma en que la tratante de arte flirtea moviendo las pestañas y levantándose los pechos. Me convierto en Natasha Petrova, en cuerpo y alma.

Cuando he terminado, miro a Yan para ver su reacción. Su rostro es inescrutable, pero la intensidad con la que me mira es inquietante.

—Joder —dice Anton—. Lo ha clavado. Lo ha clavado hasta la última coma.

Hasta Ilya levanta reticentemente su mirada hacia mí.

—Creo que está lista —dice Anton.

—Yo no lo creo. —Yan se sienta en la esquina de la mesa—. Lo sé.

—Es demasiado pronto —dice Ilya con voz nasal.

—Tenemos tres semanas —dice Yan—. Dimitrov es un hombre ocupado. Petrova no le daría menos tiempo para organizar una reunión y que pudiera hacerle hueco en su agenda.

—¿Puedes hacerlo otra vez? —me pregunta Anton—. ¿Exactamente igual?

—Sí. —Estoy segura.

Anton se frota las palmas de las manos sobre los muslos.

—Yo digo que aprovechemos el momento.

Yan abre una lista de contactos y hace clic en el nombre de Dimitrov.

—Vas a tener que sortear a un portero, una secretaria o un guardia. Si les dices de qué se trata la llamada, Dimitrov la cogerá.

La llamada se conecta. Respiro hondo y el espectáculo se pone en marcha.

Según lo que hemos predicho, en cuanto menciono el Salvator Mundi, Dimitrov coge la llamada. Está sentado detrás de una mesa... en su oficina, supongo. Hasta con la barba sin afeitar, es tan atractivo como en las fotos de las noticias. Lleva una camisa blanca y un chaleco negro, y está en buena forma para tener cincuenta y seis años. Una mujer, tal vez su secretaria, deja un vaso de agua sobre el escritorio. Él agita una mano para que se vaya. Cuando la puerta se cierra con un clic, vuelve toda su atención hacia mí.

Es encantador, y me piropea, o más bien a Natasha, por mi aspecto y mi elegancia. Dice que le gustan las mujeres bien vestidas que cuidan de sí mismas. Charlamos sobre el tiempo y sobre la actual escasez de caviar ruso. Digo que sé que es un hombre ocupado, así que iré al grano. Cuando menciono el cuadro, el cambio en el ambiente es palpable.

—¿Está segura de que su línea es segura? —pregunta, acercándose a la pantalla.

—Por supuesto. —Mis palabras rezuman azúcar y jugueteo—. Puede comprobarlo.

—¿Cuánto?

Yan me muestra un número con los dedos.

—Doscientos millones.

—De dólares, supongo.

—Supone correctamente, querido.

—Señorita Petrova, sus talentos me deslumbran. No solo es usted bella e inteligente, sino también ingeniosa.

—Gracias —respondo con fingida modestia.

—Tal vez deberíamos poner a prueba algunos de esos talentos cuando nos veamos en persona.

Le dedico una risa coqueta.

—Lo siento, querido, pero le hará falta algo más que eso.

—¿Flores, champán, una cena cara y joyas con precios exorbitantes?

—Añade un anillo de diamantes, y podría considerarlo.

Yan me lanza una mirada dura.

—Hace que me arrepienta de estar casado —dice Dimitrov, guiñándome un ojo—. Me gusta que una mujer sepa lo que vale. Podría hacerle un tipo diferente de propuesta.

—Parece que tendremos mucho de qué hablar cuando nos veamos.

—No puedo esperar.

Le digo que estaré en Praga dentro de tres semanas y le sugiero la suite Klimt del Hotel París, alegando que el gerente es un amigo personal que respetará nuestra necesidad de privacidad. Acordamos reunirnos justo antes del almuerzo. Insinúo que nuestro asuntillo comercial podría extenderse hasta la cena. Le gusta cuando digo que puede que necesitemos la suite después.

—¿Cómo puedo ponerme en contacto con usted si tengo que hacerlo? —pregunta.

Yan gesticula con un meñique en los labios y un pulgar en la oreja.

—Le enviaré un mensaje de texto con un número seguro.

Hablamos de nuestros requisitos mutuos. Sin armas, y solo él, su experto en arte y yo en la habitación. Él especifica sus demandas, es decir, que registren la habitación y a mí antes de que él entre. Recomienda algunos restaurantes que puedo visitar mientras estoy en Praga, y me invita a uno de sus casinos. Todo a cuenta de la casa. Le deseo buena suerte con sus negocios, y nos despedimos como viejos amigos.

Mi sensual sonrisa solo desaparece cuando él corta la llamada, sin duda para meterse de cabeza en una investigación para descubrir todo lo que pueda sobre Petrova y el cuadro desaparecido.

—Buen trabajo —dice Anton—. Se lo ha tragado.

Yan se endereza. Su mirada es oscura y su boca dibuja un gesto de dureza. Mientras se desabrocha la camisa, dice de camino a la habitación:

—Voy a darme una ducha.

Anton da unas palmaditas en la rodilla de Ilya.

—Creo que saldré a correr. Llevo sentado en un coche los últimos dos días.

Se levanta y desaparece en su habitación. Ilya coge el mando a distancia y enciende la televisión. Me tomo un instante antes de entrar en el dormitorio de Yan para quitarme la peluca y el pañuelo. Las pestañas postizas tendrán que seguir ahí hasta que Yan haya terminado con su ducha y pueda usar el disolvente a base de aceite que guardé en el armarito del baño. También apliqué gel de silicona debajo de una gruesa capa de base para hacer que mis pómulos parezcan más altos, y una crema que contiene una pequeña dosis de veneno de abeja para aumentar el grosor de mis labios. Me pican un poco, y los noto extrañamente tensos, pero el efecto pronto desaparecerá.

Reviso la nevera, saco los ingredientes para el pollo a la *paprikash* y empiezo a hacer la cena. Por una vez, tengo hambre.

El silencio es incómodo. Cuando Anton se va, me atrevo a acercarme a Ilya, deteniéndome cerca del sofá.

—Ilya, te debo una disculpa.

Él me ignora.

—No quería engañarte, pero no había otra manera. Tenía que ver a mi abuela.

Mantiene los ojos clavados en la televisión, fingiendo estar viendo las noticias.

—Ahórrate tus excusas. A mí me da igual.

Me interpongo entre él y la televisión.

—No te mentí sobre lo de volver. Lo juro. Estaba esperando el tren cuando Yan me encontró.

Él estira el cuello para mirar a mi alrededor.

—Si tú lo dices.

—Déjame echarle un vistazo a tu nariz. ¿Has intentado enderezarla?

Silencio.

—Ilya, por favor.

Él apaga la televisión, se levanta y se dirige a su habitación, cerrando la puerta tras de sí.

Solo puedo esperar que se le pase con el tiempo. Con un suspiro, vuelvo a seguir preparando la cena. Es extraño, este subibaja de energía y apetito. Me ocurrió lo mismo antes, la primera vez que me lo diagnosticaron. La quimioterapia duró doce meses. Perdí todo el pelo de mi cuerpo, incluyendo las cejas y las pestañas. El pelo apenas me había vuelto a crecer la noche en que escuché a Yan e Ilya en el bar. Cuando me interceptaron en el callejón, todavía estaba muy débil. Las náuseas y los vómitos me habían agotado por completo. Hubo días en los que no tuve suficientes fuerzas ni para levantarme de la cama.

Aprovechando al máximo mi arranque de energía, limpio la cocina y pongo la mesa. La cena está casi lista cuando Yan sale de la habitación recién duchado y vestido con unos pantalones y una camisa a medida.

Está elegante. Con clase, como siempre. Nunca lo he visto con ropa de sport.

—¿Siempre te vistes así? —pregunto.

Él viene directo hacia mí, encerrándome contra el mostrador con sus brazos.

—¿Por qué? ¿Tienes algún problema con eso?

Qué bien huele. Jamás podré hartarme de ese aroma limpio a sándalo con el matiz de pimienta picante.

—¿Nunca quieres relajarte, simplemente quedarte tirado por ahí con unos pantalones de chándal y una camiseta?

—No.

—Ya veo.

Él me pasa un pulgar sobre el labio, sin duda corriéndome el pintalabios.

—Ve a lavarte la cara. —Casi suena enfadado.

—¿Que sucede?

—No me gusta que parezcas otra persona.

No sé qué contestarle a eso. Lo rodeo rápidamente y me apresuro hacia la habitación.

—Mina.

Me vuelvo en la puerta.

Su mirada helada me atraviesa.

—Tú me lo contarías si hubieses ido a Budapest por un motivo diferente, ¿no?

El aire sale de mis pulmones, mi pecho se desinfla.

—Sabes por qué fui. —Me cuesta un gran esfuerzo mantener mi cara de póker con él. Con otras personas, forma parte de mi naturaleza, pero Yan puede abrirme en canal con una sola mirada.

Me estudia, sin perderse nada.

—Solo lo comprobaba.

—¿Querías algo más?

—No. Vete.

Más que agradecida, cierro la puerta a su mirada escrutadora y respiro hondo unas cuantas veces. Él no lo sabe. Es solo porque es desconfiado. No puede saberlo.

Aun así, mi hambre se esfuma. Sintiéndome agotada de repente, me deshago del disfraz, lo limpio todo y lo vuelvo a guardar en su maletín. Después de lavarme la cara, regreso al salón donde Yan e Ilya se sientan en lados opuestos de la mesa.

Yan saca la silla a su lado.

—Siéntate.

Me acerco y me siento como me ordenan. Yan se levanta y trae las ollas de la cocinilla a la mesa. Ignora a Ilya y me pone un poco de comida en el plato antes de servirse él. Cuando Yan empieza a hurgar en su plato, Ilya agarra el cucharón con un gruñido. Su mirada se centra acusadoramente en su hermano mientras lanza una porción de arroz y pollo sobre su plato.

Nuestra comida transcurre en medio de un tenso silencio. Estoy empujando la comida de un lado a otro, consiguiendo tragarme solo unos pocos bocados.

—¿No tienes hambre? —me pregunta Yan, echando un vistazo a mi pollo sin tocar.

Cambio de postura en mi silla.

—No.

Ilya resopla.

—Debe de haber perdido el apetito al salir de la habitación y verte a ti.

Yan dirige una mirada de acero hacia Ilya.

—¿Te he pedido tu opinión?

Reclinándose hacia atrás, Ilya estira las piernas.

—Te la estoy dando igualmente.

—Si sabes lo que te conviene —dice Yan con los labios apretados—, cortarás el rollo.

—Si te cansas de su cara bonita, ya sabes dónde está mi habitación —me dice Ilya.

La vajilla tiembla cuando Yan golpea con el puño sobre la mesa.

—Te lo advierto.

—Por favor, Ilya. —Me inclino y toco su brazo—. Cortad eso.

—Tú... —El tono de Yan es cortante cuando me mira furioso—... no tienes derecho a decir nada.

Ilya sonríe.

—Touché. —Se vuelve hacia mí—. La verdad es que yo tengo la polla más grande.

Un vaso de agua se vuelca cuando Yan se levanta de un salto.

Ilya también está de pie. Rodea la mesa y se pone delante de Yan.

—He aceptado tu paliza porque me la merecía. Esta vez, no te dejaré ganar.

—¡Yan! ¡Ilya! —Echo para atrás mi silla, casi tropezando en mis prisas por levantarme—. Ya basta.

Yan agarra la parte delantera de la camiseta de Ilya en un puño.

—Adelante, imbécil. ¡Hazlo lo mejor que sepas!

Me escurro entre ambos y los empujo a los dos por el pecho.

—Separaos. Centraos. Tenemos un puto trabajo que hacer.

Se quedan inmóviles al oír eso, y Yan suelta a Ilya con un empujón.

Soy la responsable de esta bronca, y me siento mal, especialmente después de lo que Ilya me contó.

—Lo siento, Ilya. De verdad que lo siento.

Aun así, esta pelea no trata de mí. En realidad, no. Se trata del rechazo de Yan a su hermano cuando lo castigó por ser amable conmigo, por confiar en mí. Ilya solo está liberando su frustración y el hecho de que Yan hirió sus sentimientos y lo hace de la manera incorrecta: de la única que conoce, con los puños.

—Deja de una puta vez de disculparte con él —dice Yan.

—Qué más da —replica Ilya con tono amargo—. Lo hecho, hecho está. —Se aleja de mí, rechazándome a su manera, y camina hacia su habitación. La puerta se cierra de golpe detrás de él.

Con manos temblorosas, recojo el vaso y limpio el agua con las servilletas. Yan trae toallas de papel de la cocina y seca el líquido derramado en el suelo. Estamos recogiendo lo que queda de la comida cuando vuelve Anton.

Nos mira con los brazos en jarras.

—¿Qué ha ocurrido?

Yan echa una mirada hacia la puerta cerrada del dormitorio.

La mirada de Anton se vuelve acusadora cuando se centra en mí.

—Ve a darte una ducha —me dice Yan.

—Los platos...

—Mina. —La forma en que dice mi nombre me provoca escalofríos—. No te pases.

Dejo caer los cubiertos sucios que estaba recogiendo, y me voy a la habitación, enfurecida. Estoy cansada de esto. ¿Quién se cree que es para tratarme así?

Puede que sea su prisionera, pero yo no soy la marioneta de nadie.

Estoy preparada para él cuando entra en la habitación. Mientras me observa, allí de pie junto a la cama, con los brazos cruzados y cada músculo de mi cuerpo en tensión, él cierra la puerta con un suave clic.

Mi irritación estalla.

—¿Es así como se supone que va a funcionar? —Me acerco hasta él y le clavo un dedo en el pecho—. ¿Contigo dándome órdenes y diciéndome qué hacer?

Él parece divertido, y su agrio humor casi desaparece.

—De hecho, sí.

—No.

Él enarca una ceja.

—¿Perdona?

—Debe de ser difícil para ti entender esa palabra. No te preocupes. Lo pillo. —Saturo mi tono de falsa simpatía—. Supongo que no muchas mujeres te dicen que no.

La comisura de su boca se eleva.

—No muchas, no.

—Si vas a tenerme prisionera y yo voy a vivir en tu

casa, necesitamos establecer algunas reglas. —Le doy golpecitos en el pecho cuando digo lo de las reglas, enfáticamente.

Él me coge el dedo y lo aparta.

—Reglas, ¿eh?

—¿Me estás escuchando?

—Te pones muy muy mona cuando intentas ser mandona.

—Lo digo en serio, Yan. Si queremos sobrevivir bajo el mismo techo sin matarnos entre nosotros, ambos debemos llegar a un compromiso.

Me coge de la mano y me hace retroceder de espaldas.

—¿Es una relación lo que me propones? Porque es así como suena.

—Estoy proponiéndote que nos llevemos bien. —Mi espalda choca contra la pared—. ¿O prefieres que nos peleemos todo el tiempo?

Él me enjaula entre sus brazos.

—Tengo curiosidad. ¿Qué implicarían tales compromisos?

—Tú e Ilya, estoy harta de vuestras peleas.

—Tú no tienes ni voz ni voto, ¿recuerdas?

—Soy una persona independiente. Tú no puedes decirme qué tengo que hacer.

Él inclina su cabeza hacia la mía.

—¿Ah, sí?

—Puede que te hayas apropiado de mi vida, pero tienes que darme un mínimo de libertad en las cuestiones mundanas.

Su voz es grave, seductora.

—¿Tales como...?

—Tales como cuándo darme una ducha.

—Ah esto va de ducharse —dice, incrédulo.

—Esto va de... —Aprovechar al máximo el tiempo que me quede. Pero no lo digo. No puedo. En vez de eso me lo quedo mirando en silencio, desafiante.

—Me has preguntado si estaba escuchando. —Él mueve sus caderas hacia adelante, apretando su erección contra mi vientre—. Ahora que lo hago, ¿no sabes qué es lo que quieres decir?

Me aplasto contra la pared, pero la chispa ya está allí y mis sentidos se despiertan con la magia oscura de su toque.

—No me trates como a un animal, como si no tuviera ningún derecho a decidir sobre mi cuerpo. Soy una mujer adulta. Creo que sé cuándo necesito ducharme o comer. Cuando me das ordenes de esa manera, es humillante.

—Un animal. Humillante. —El me roza el cuello con la nariz—. ¿Crees que tienes algún poder para poder negociar? —Siento su tibio aliento contra mi oído—. ¿Crees que puedes decirme que no?

—Sí. —Mi tono es firme a pesar de los escalofríos placenteros que me recorren el brazo—. Concédeme eso y te daré lo que quieres.

Mete su mano por debajo del elástico de mis pantalones deportivos y mi ropa interior, apoyando sus dedos en mi sexo.

—¿Qué crees que quiero?

Se me corta la respiración cuando separa mis pliegues con un dedo. Intento no demostrar lo me está haciendo, pero es difícil mantener mi tono sereno.

—Que nos llevemos bien. Vivir en paz.

Él me mira a los ojos a la vez que dobla el dedo, metiéndomelo dentro. Lo agarro por la muñeca para apartar su mano, pero él tiene más fuerza. No me lo permite. En vez de eso, mete todo el dedo dentro. Mi cuerpo se aprieta a su alrededor, y mi excitación se dispara. Estoy respirando demasiado rápido, sintiendo demasiado.

—No, princesa. Te equivocas —dice, estudiando mi rostro mientras comienza a mover su dedo—. Lo quiero todo.

La crudeza de esa confesión hace que me flojeen las rodillas. ¿En qué estaba pensando? Tendría que haber sabido que con Yan nunca podría haber un toma y daca.

El placer aumenta cuando coloca la yema del pulgar sobre mi clítoris, masajeándolo en círculos. Las sensaciones me golpean fuerte y rápido. En lugar de tratar de alejarlo, me aferro a él.

—¿De verdad que vas a decirme que no, Minochka? —pregunta suavemente, con sus ojos verde esmeralda ya brillantes por su victoria.

Ambos sabemos que es una conclusión inevitable. Estoy tan cerca.

Él me roza los labios con los suyos. El beso es suave como una pluma, engañosamente cariñoso.

—Respóndeme.

Deseo esto. Lo deseo a él. A pesar de todo, yo, también, lo quiero todo. Y tal vez en otra vida, podría haberlo tenido. Si no hubiera aceptado el trabajo de Henderson cuando Gergo le pasó mi contacto. Si mi cuerpo no estuviera tan hecho polvo como está. Pero las cosas son así, y no hay nada que hacer al respecto.

—Cuéntame —insiste, profundizando el beso.

—Sí —digo en su boca. La palabra es un suspiro. Es la rendición. En el esquema general de las cosas, el tiempo es demasiado corto—. Sí.

Él me coge en sus brazos y me lleva hasta la cama. Me recuesta suavemente y me besa hasta que me siento mareada; luego me desviste lentamente, acariciando al hacerlo cada parte de mi cuerpo. Su mirada es reverencial cuando observa el recorrido de sus manos al deslizarse sobre mis senos y hacia mi vientre, y cuando sus dedos trazan el aro de mi ombligo. Quiero sentirlo contra mí. Necesito el calor de su piel. Le subo la camisa, sin molestarme con los botones. Levanta los brazos para ayudarme, se enreda con las mangas y termina la tarea él mismo. Le siguen sus zapatos, calcetines y pantalones.

Cuando se estira desnudo sobre mí, lo hace con ternura. Enmarca mi rostro con las manos y besa mis labios suavemente a la vez que me penetra. Pone atención en la forma en que me abraza, marcando un ritmo lento. Me hace correrme antes que él, e incluso después, sigue besándome. Como dijo Ilya, aquí me da lo que no puede darme fuera de la cama.

Me da compromiso y afecto.

22

YAN

*M*ina está durmiendo profundamente en mis brazos, con su pequeña forma amoldándose a la curva de mi cuerpo como si estuviera hecha solo para mí. Aun así, incluso después de la sesión de sexo lleno de ternura que acabamos de compartir, no puedo evitar sentirme agitado. La imagen del hombre que abrazó a Mina está perforando un agujero en mi cerebro. Deben de haber llegado juntos a la estación antes de separarse. No nos miró porque estuviera observando a una pareja abrazándose en público. Me miraba a *mí*. Estaba midiéndome como rival. El mal presentimiento que tuve sobre él era correcto.

¿Son amantes? ¿Por eso fue Mina hasta la clínica? ¿Para ver a su novio?

La idea de un novio que podría habérseme pasado por alto es como un clavo de hierro hincado en mi pecho. La imagen de ellos dos juntos me ha estado volviendo loco desde que la vi en el video. Incluso mientras hacía el amor con Mina, lo estaba viendo en mi mente. Pensaba en ello. Me obsesionaba con ello.

Solo hay una cosa que pueda hacer.

Encontrarlo.

Encargarme de él.

Mina es mía. No me importa una mierda su historia pasada. Este es el presente. Así es como son las cosas ahora. Así es como será para siempre. Si mi mandona mujercita me mintió acerca de su encuentro, es para protegerlo.

Demasiado tarde. Él selló su destino en el preciso momento en que puso sus manos encima de aquello que me pertenece.

A pesar de mi enojo, sonrío cuando pienso en lo de antes. Me gusta que me mantenga centrado. Tiene razón al ponerme en mi lugar. Lo necesito. Por supuesto, no dejaré que ella sepa lo sepa. Lo disfrutaré en silencio, como si estuviera disfrutando de su cuerpo relajado en su estado inconsciente. Ella es mucho más dócil así. Con ella en mis brazos, puedo olvidarme de las circunstancias que la hicieron acabar aquí.

Puedo olvidar que la estoy obligando a quedarse apuntándole a la cabeza con una pistola imaginaria.

Poniendo cuidado en no despertarla, me levanto y me aseguro de que esté bien tapada. Cierro la puerta del dormitorio y entro en el salón a oscuras. El apartamento está en silencio. Son algo más de las tres de la mañana. No enciendo las luces. En la cocina, uso la luz del congelador para echarme un vodka en un vaso helado y me siento en la mesa para encender mi portátil. Lo he visto ya veinte veces, pero vuelvo a reproducir la grabación de seguridad de la clínica.

La imagen en blanco y negro cobra vida, con una resolución sorprendentemente clara. La clínica debe de usar equipos de alta calidad.

Mina entra en el edificio. La grabación salta a ella caminando por un pasillo y subiendo unas escaleras. Entra en una habitación, que he confirmado que es la de su abuela. Después de un rato, baja la escaleras hasta una oficina. No hay cámaras en las habitaciones ni en las oficinas. El video salta hasta ella saliendo de la oficina y luego al jardín. Tampoco hay vigilancia en los jardines. Desaparece en un punto ciego y permanece fuera de la vista durante diez minutos.

La siguiente parte es donde los latidos de mi corazón se disparan y la furia me lanza zarpazos dentro de la caja torácica. Hay un hombre con ella cuando camina de vuelta hasta la entrada. Él dice algo que la hace sonreír. Es una sonrisa triste. Eso es lo que más me duele. Ella no quería decirle adiós. Tiene sentimientos hacia él, sentimientos que no tiene hacia mí. Él la abraza, el muy hijo de puta, y luego ella vuelve adentro mientras él se sube a un vehículo en el aparcamiento.

Congelo el fotograma y hago zoom en la matrícula, algo que tenía intención de hacer después de encargarme del idiota de mi hermano y enseñarle a Mina quién es su dueño.

No vuelvo a ver el resto. El resto no me importa.

Mina salió sola pero debió de encontrarse con su amigo en la calle para viajar juntos hasta la estación. También he pedido las grabaciones de seguridad de la estación. La grabación lo muestra a él solo entrando en la cafetería unos minutos después que Mina, y sentándose en una tabla por detrás de ella. Tal vez estaban planeando tomar el mismo tren para rascar más tiempo de estar juntos. Tal vez arruiné su plan cuando me presenté. Sea como sea, sus planes, pasados o futuros, pronto serán irrelevantes.

El compañero de Mina se registró en las puertas de la clínica como Izsak Varga quince minutos antes que ella llegara. La búsqueda de Izsak Varga ha resultado infructuosa, ya que el Sr. Varga no existe. Después de registrarse, se dirigió directamente a los jardines, lo que me dice que habían acordado el lugar y la hora de su encuentro. De alguna manera, Mina debe de haberse comunicado con él. Quizás con un teléfono de prepago. Podría haber comprado uno fácilmente, y tirarlo después de usarlo. Rastrear esa llamada sería casi imposible. No encontraré su número por esa vía. Mi mejor apuesta es el número de matrícula.

Ignorando lo tarde que es, escribo un mensaje a nuestros piratas informáticos, pidiéndoles que hagan una búsqueda con ese número de matrícula. De todas formas, ellos nunca duermen. Dos minutos después, recibo una respuesta. Como esperaba, el coche era de alquiler. Varga lo alquiló con el mismo nombre falso.

Estoy en un callejón sin salida. Sin saber a dónde ir desde allí, abro el archivo personal de Mina. En algún punto de la imprecisa pila de información que conforma su pasado debe de haber alguna pista sobre la verdadera identidad de Varga. Hilo a hilo, desenredaré la madeja de su historia hasta que lo encuentre.

Una hora después, sigo sin saber mucho más. Indico a nuestros hackers que hurguen un poco más en el pasado de Mina, especialmente en los años que pasó en las Fuerzas especiales y justo después, la época en la que Mina se hizo lo bastante mayor para desarrollar interés sexual por algún hombre.

Me froto las sienes para combatir las primeras señales de un dolor de cabeza. No voy a poder volver a dormirme. En vez de eso, cojo sin hacer ruido mi ropa de correr del dormitorio, me visto en el salón y salgo a la calle. Corro hasta que el sudor me chorrea por el cuerpo y las endorfinas del ejercicio intenso alejan el dolor de cabeza. Tengo los músculos llenos de calambres cuando vuelvo, pero me siento genial. Necesitaba una válvula de escape para mi frustración.

Mina se despierta cuando entro en el dormitorio al amanecer.

Se sienta y se frota los ojos.

—¿Yan?

Uso el dobladillo de mi camiseta para limpiarme el sudor de la cara.

—Estoy aquí.

—¿Dónde estabas?

—He salido a correr.

La sábana se resbala hasta su cintura, dejando al

descubierto sus pechos. Son pálidos y redondos, demasiado turgentes para un cuerpo tan delgado.

Tendría que ducharme. Mis pies deberían llevarme hasta el baño, no hasta el borde de la cama.

Todo rastro de somnolencia se esfuma del rostro de Mina mientras me mira con sus ojos azules llenos de cautela.

Estiro lentamente un brazo y cojo en la palma de mi mano una de esas tetas perfectas. La punta es de color caramelo azucarado, un tono maravillosamente claro. Giro su pezón entre el dedo índice y el pulgar hasta que se endurece y su areola rosa se contrae. Tiro de él suavemente hasta que se tensa, elevándose como una cereza que me apetece morder. Mina me mira con los labios ligeramente separados y un rubor color melocotón en las mejillas. Me gusta así, toda sonrojada y lista para que la chupe.

Incapaz de resistirme, bajo la boca hacia su pecho. Cuando ella no se opone, me acerco, llevo la curva que tengo entre los dedos y pruebo esa pequeña cereza en mi lengua. Ella jadea cuando la lamo. Eso me gusta, también. Me gusta escuchar lo que le provoco. Me meto el pezón más adentro en la boca y le doy vueltas con la lengua.

Enredando sus dedos en mi pelo, ella gime.

—Yan.

Sí. Eso es exactamente lo que quiero escuchar. Quiero mi nombre en sus labios cuando se corra.

Le suelto el pecho y muevo los labios hacia su estómago plano mientras aparto la sábana. Atrapo el aro de oro de su ombligo con los dientes y tiro de él con suavidad.

—Yan. —Ella me agarra por los hombros—. No me he cepillado los dientes.

—No te preocupes. No es tu boca lo que voy a besar. —Agarrándola por las caderas, la arrastro hasta el borde de la cama.

Ella chilla. Demasiado tarde, se tapa la boca con la mano.

Me arrodillo entre sus piernas.

—No pueden oírnos. —La habitación está prácticamente insonorizada—. Y si nos oyen, me importa una mierda.

La abro del todo y voy directamente a por mi premio. No le pregunto si lo desea. En este punto, esa pregunta sería retórica. Ella gime cuando alterno entre chupar y pellizcar. Su excitación me resbala por la barbilla, su humedad me dice todo lo que quiero saber. Meto la lengua dentro de su coño caliente y casi me corro en los pantalones cuando sus músculos internos se aprietan alrededor de la punta.

Necesito hacer que se corra. Y rápido.

Mientras le lamo el clítoris, le deslizo un dedo dentro. Ella arquea la espalda. Ese gesto levanta sus caderas y me da un mejor acceso. Los sonidos que hace son infernalmente sexys, avivando el fuego dentro de mí hasta el nivel de un incendio insoportable. Y así, pierdo el control. La devoro como un maníaco. El ritmo de mi mano no es suave. Ella agarra la sábana con el puño y se corre. No espero a que se calmen las réplicas. Estoy demasiado ido. Le doy la vuelta y la pongo a cuatro patas.

—No te muevas —gruño, viendo como su coño se contrae alrededor del vacío mientras me desnudo rápidamente.

Ella está impresionante así, completamente abierta y colocada a placer para mis ojos. Coloco mi polla en su entrada y la agarro por las caderas. Ella empuja hacia atrás, dándome permiso. La punta de mi polla la hace ceder mientras me deslizo dentro lentamente. Como siempre, ella lucha por acostumbrarse a mi tamaño, pero tan pronto como la punta está dentro, sus músculos se adaptan. Su carne se vuelve más suave, incitándome a empujar más profundo. Lo hago centímetro a centímetro, y observo mi progreso mientras me hundo en su cuerpo, sin parar hasta que estoy metido hasta el fondo.

Joder. Ella está apretada. Caliente. Hecha solo para mí.

Empiezo a moverme, convenciéndome de tomármelo con calma, pero mi lujuria es oscura, alimentada por los celos y por una amarga necesidad de demostrar mi posesión. Cuanto más rápido voy, más me parece que no es suficiente. La estoy follando duro, demasiado duro, pero no puedo parar. Sus brazos no aguantan más. Ella apoya su peso en los codos, con el cuerpo meneándose con mi ritmo áspero. Recibe mis embestidas brutales con su mejilla presionada sobre el colchón y su labio atrapado entre sus dientes. Tiene las cejas juntas y gime con fuerza.

Por su bien, trato de terminar rápidamente. Voy más deprisa. Se le doblan las rodillas. Se derrumba sobre su estómago. Me subo a la cama y encima de ella, persiguiéndola sin romper el ritmo de mis embestidas. Sus piernas cerradas añaden más fricción, impidiéndome que se la meta hasta el fondo. Con un brazo alrededor de su cintura, levanto la parte inferior de su cuerpo y le abro las rodillas con un muslo. No sé qué es lo que se apodera de mí. Lo único que sé es lo atractiva que se ve su oscura entrada mientras su capullito de rosa se burla de mí. No tengo ni idea de si ella ha hecho esto antes o no, pero es como si un demonio se hubiese apropiado de mi cuerpo.

—Quieta —digo, probando su peso para asegurarme de que se queda de rodillas antes de que la suelte.

Agarrando sus redondeadas nalgas, las separo. No hay tiempo para alguna lubricación mejor que mi saliva. Escupo generosamente, arranco mi polla de su coño y presiono la punta contra el agujero que estoy a punto de conquistar.

—Yan.

Ella estira el brazo, intentando agarrarme por la muñeca, pero su movimiento se detiene en seco cuando me lanzo hacia adelante. El apretado anillo muscular cede con un clic silencioso y su cuerpo se rinde bajo la presión despiadada. Ella da un grito de miedo.

Me quedo helado.

Joder. ¿Qué estoy haciendo? Ella está tan prieta que su culo debe de ser virgen.

—No pasa nada. —Mi voz está ronca por la oscura necesidad que arde dentro de mí, pero mi caricia es dulce cuando deslizo una palma sobre su columna vertebral—. No voy a hacer nada que no desees.

Ella se relaja un poco ante esa promesa, y maldigo internamente.

Esta no es forma de iniciarse en el sexo anal. Ella necesita una advertencia por adelantado, mucha preparación. Empiezo a salir, pero ella me agarra del brazo.

—No —dice suavemente—. Quiero hacerlo.

Aprieto la mandíbula, luchando contra el impulso de dar otro empujón, fuerte.

—Deberíamos esperar.

—Estoy harta de esperar. La vida es demasiado corta.

Sus palabras me conmueven. Hay algo de melancólico en ellas. Quiero preguntarle qué quiere decir, pero ella está empujando hacia atrás, haciendo presión contra mí, y mi polla se mete en ella otro centímetro.

Maldita sea. Me está matando.

—Mina. —Cierro mis manos alrededor de su cintura—. Más despacio. No quiero que te rompas.

Ella no me escucha. Mueve las caderas, haciendo que casi me vuelva loco. Lucho intensamente por controlarme, ignorando la necesidad violenta que hierve en mi interior. Necesito utilizar toda mi fuerza de voluntad, y más, para entrar en ella despacio con breves y suaves embestidas. Cada vez que sus tensos músculos internos se adaptan a la intrusión, avanzo un poco más, empujando un poco más profundo. La forma en que aprietan mi polla es casi insoportable. Rechino los dientes mientras progreso lentamente, luchando contra el impulso de correrme a cada segundo que estoy dentro de ella.

Aparto la vista de donde están conectados nuestros cuerpos y miro la cara de Mina. Sus mejillas están rojas y sus ojos nublados. Una gotita de sudor corre por su sien y gotea sobre la sábana. Arrastro una mano sobre su costado hasta su pecho, acariciándole un pezón con una mano mientras deslizo la otra entre sus piernas. Su culo se dilata más rápido cuando juego con su clítoris. Para cuando estoy dentro del todo, los dos estamos a punto de corrernos. Solo son necesarias unas cuantas embestidas largas y dos pasadas sobre su clítoris. Ella grita mi nombre mientras su culo estruja mi polla y su coño se aprieta en torno al dedo que empujo sin piedad dentro de ella. Cada uno de los músculos de su pequeño cuerpo se tensa.

Su orgasmo desencadena el mío. Me corro como jamás lo había hecho en mi vida, llenándola con chorros calientes de esperma que no se detienen durante varios segundos. Ella vuelve a derrumbarse debajo de mí, y yo caigo con ella, cubriéndole el cuerpo pero asegurándome de mantener mi peso apoyado en los codos. Acariciándole el cuello con la nariz, le planto suaves besos en el hombro y hacia abajo por su columna vertebral. Me quedo dentro de ella mientras me lo permite. Solo cuando gime suavemente, salgo.

Me arrodillo entre sus piernas abiertas, y contemplo mi obra. Es devastación y reverencia todo al mismo tiempo, una mezcla explosiva de oscura lujuria y hermosa pasión. Puede ser inapropiado, poco convencional, pero así es como son las cosas entre nosotros. Por retorcido que sea, así somos cuando nos convertimos en uno, y ya estoy ansioso por más. La eternidad con ella no será suficiente. Y esta no es una noción nueva. Con cada mirada robada y caricia regalada, esa sensación se vuelve más fuerte.

Su cuerpo es tan jodidamente pequeño. Mis dedos se superponen cuando rodeo su cintura. Colocando una palma entre sus omóplatos, siento que su pecho se expande con su respiración, y me tranquiliza escuchar sus latidos. Es un ritmo salvaje. Aunque yo haya tratado de tomármelo con calma, el sexo debe de haber sido duro para su diminuto cuerpo. Compruebo si hay sangre o signos de hematomas y me siento aliviado cuando no encuentro ninguno.

La tumbo de espaldas y la beso suavemente. Cojo su rostro entre mis manos y la acaricio como un hombre que se pone a los pies de una mujer. Quiero darle eso por el regalo que ella me ha dado a mí. Es inadecuado, pero es lo único que tengo que realmente importa. Es más que dinero y regalos, pero nada tan prosaico como el amor.

Lo nuestro no es un dulce romance. Es más grande

que el amor. Más oscuro que amor. Y es de ella. Todo suyo.

Después de besarnos largamente, me aparto para mirarla a la cara. Está un poco pálida, pero sonriente.

—Pensaba que no ibas a besarme en la boca —dice, estirando los brazos sobre su cabeza.

—Te mentí.

Ella hace pucheros.

—Eso no está bien.

Su aire juguetón me alivia, pero todavía no me lo trago.

—¿Qué tal te encuentras?

—Bien.

—¿Te he hecho daño?

—Un poco.

Me agrada su honestidad. La prefiero a sus mentiras.

—¿Todavía te duele?

—Me arde un poco.

Me levanto, la cojo en brazos y la llevo hasta el baño. Nos duchamos juntos. Es tierno. Es agradable. Sin más, hemos vuelto a estar como antes, como si lo de Budapest no hubiese sucedido. Una tensión que me carcome oscurece mi humor cuando pienso en el hombre con el que se encontró, pero la dejo de lado. No quiero estropear el momento.

Mientras me pongo la ropa, la veo vestirse desde detrás de mis pestañas. Me la bebo entera, hasta que me siento borracho por la novedad de tenerla allí de vuelta, en mi espacio. Aquí es donde se quedará, joder.

No me importa si ella lo desea a él. Yo le daré más, y con el tiempo, se olvidará de él.

Haré que esto le parezca tan bueno que ni siquiera recuerde su rostro.

ANTON E ILYA ESTÁN EN EL SALÓN CUANDO VAMOS A LA cocina a desayunar. Intercambiamos unas breves y tensas palabras, pero no me quedo tanto como para que sus caras largas me amarguen el humor. Les digo que limpien el apartamento, una orden que suscita muchas protestas, y me llevo a Mina a comprar ropa para su reunión con Dimitrov.

Conducimos hasta una exclusiva cadena de boutiques que frecuenta Petrova. Mientras Mina revuelve los vestidos en busca de algo del estilo de Petrova, una tarea para la que está mejor dotada que yo, me siento en el sofá de la sala de espera y reviso los mensajes de mi teléfono.

Hay uno nuevo de nuestros hackers.

Sin perder de vista a Mina, leo el mensaje. Cuando llego al segundo párrafo, me incorporo en mi asiento. Se me revuelve el estómago y me hierve la sangre. Vuelvo a leer la frase. Y lo hago otra vez.

—¿Yan?

La voz suave de Mina atraviesa la nube de furia que amenaza con asfixiarme. Alzo la vista y la veo de pie frente a mí, con un vestido blanco entre los dedos y un ceño fruncido en su rostro.

—¿Va todo bien? —pregunta con cautela.

No. Nada va bien. Quiero lanzarme a perpetrar una matanza. De hecho, eso es exactamente lo que pienso hacer.

—¿Qué decías?

—Te he preguntado qué te parecía el vestido.

Haciendo un gran esfuerzo, dirijo mi atención a la prenda que ella lleva en la mano. Es un vestido corto y sin mangas, definitivamente algo que se pondría Petrova.

—Parece apropiado para la ocasión.

Ella señala con el pulgar hacia los probadores.

—Me lo voy a probar.

—Póntelo y ven a enseñármelo.

Poniendo los ojos en blanco, se va. La veo entrar en la zona de los probadores. Veo lo delicada y hermosa que es, lo jodidamente perfecta, y todo se tiñe de rojo, y no, nada va bien. Tengo ganas de vomitar. Vuelvo al texto de mi teléfono, a la razón por la cual Mina dejó las Fuerzas especiales, pero lo único que veo es su cuerpecito, y a los diez soldados que intentaron violarlo.

Lo único que puedo ver es la foto de mi hermosa y perfecta Mina, y lo destrozada que la dejaron.

23

MINA

*C*uando me estoy subiendo la cremallera del vestido, la puerta del probador se abre. *Por favor.* ¿De verdad ha forzado Yan la cerradura? Entiendo que no se fíe de mí, pero ¿a dónde iba a ir yo en un cubículo sin ventanas? Estoy en el fondo de la zona de probadores, sin salida. No soy Houdini, por el amor de Dios.

—No tienes que vigilarme aquí dentro. —Me giro con el ceño fruncido y me quedo paralizada.

El hombre que está cerrando la puerta y volviendo la llave no es Yan. Es rubio, con los ojos marrones, y debe de tener unos sesenta años. Podría liquidarlo fácilmente, y por eso no lo hago. No me siento amenazada, pero permanezco alerta.

Señalo la puerta.

—Fuera.

Él se pone un dedo en los labios, haciendo un gesto para que me calle. Puede que no reconozca su rostro, pero no se me escapan ni esa sonrisa ni esa inconfundible manera suya de comportarse con descarada valentía, un rasgo que muchos confunden con arrogancia o con vanidad.

Mi corazón comienza a galopar tan ferozmente que puedo escuchar como la sangre martillea en mis oídos.

—¿Gergo?

Él sonríe.

Joder, qué bueno es. No es de extrañar que lo llamen El camaleón. Mi sorpresa se convierte en miedo. ¿Está loco? Yan está sentado a poca distancia. Podría entrar y pillarnos en cualquier momento.

Agarro el brazo de Gergo y susurro con urgencia:

—Tienes que salir de aquí.

—Nadie me ha visto entrar.

—No es seguro.

—Puedo cuidar de mí mismo.

—No estoy sola —mascullo.

—Lo sé. —Señala hacia la puerta con la cabeza—. Yan Ivanov te está haciendo de niñera.

En los espejos que nos rodean, mis ojos se agrandan.

—¿Cómo lo sabes? ¿Cómo me has encontrado? —*Por favor, dime que no me seguiste.*

—Te seguí.

Mierda.

—¿Por qué?

—Estaba preocupado por ti. Allá en Budapest, no parecías tú misma. Quería asegurarme de que estabas bien, y menos mal que lo hice.

—Gergo, lo digo en serio. Te tienes que ir. Si él te encuentra aquí...

—Parecía absorbido por lo que sea que estuviera haciendo en su teléfono. No va a venir a buscarte. Tenemos unos minutos

—¿Y si te hubiera visto entrando aquí? No me puedo creer que corras ese riesgo.

—He movido un riel de ropa de la entrada a la zona de probadores.

De puntillas me acerco a mirar por encima de la puerta. Un perchero con ropa que los clientes se han probado pero no se han llevado bloquea en efecto la vista. Me vuelvo a mirar a mi ex compañero de equipo. La forma en que su rostro me está juzgando me hace temblar.

—No es lo que tú crees.

—Vives en su casa. Te ha traído a comprarte ropa. ¿Qué debo pensar?

—Estoy haciendo un trabajo para él.

—¿Un trabajo? ¿Ahora trabajas para los rusos?

—Más o menos.

—Ellos iban a matarte. Me dijiste que te habías escapado. ¿Qué me estás ocultando?

—Nada.

—Vale. —Se saca una pistola del cinturón—. En ese caso, me lo cargaré ahora mismo. Ni siquiera lo verá venir.

Al ver el arma, mi corazón se estrella contra mis costillas. La idea de que algo le pase a Yan hace que me suden las palmas de las manos y las sienes me palpiten con un pulso acelerado. No me detengo a analizar estos síntomas. En todo caso, debería de alentar a Gergo a llevar a cabo su amenaza. En cambio, le agarro por el brazo otra vez y le susurro:

—No.

Él se queda quieto, pero no guarda el arma.

—¿Te está chantajeando?

Me froto el cuello, y mis dedos juguetean con el pequeño bulto de mi nuca.

—Es complicado. No quiero involucrarte.

—Ya estoy involucrado. —Baja la cabeza para que nuestros ojos estén a la misma altura—. Cuéntamelo, Mink. Quiero ayudarte.

—Gergo, por favor. Te lo suplico. Simplemente vete.

—No me iré a ninguna parte hasta que hables conmigo.

Me estoy poniendo cada vez más nerviosa. Si Yan decide venir a ver qué hago, uno de los dos definitivamente terminará muerto.

—No puedo. Por favor, Gergo. Es que no puedo.

Sus ojos adoptan una expresión dolida.

—¿No confías en mí?

—¿Qué? ¡No! Sabes que sí.

—Entonces, ¿cuál es el problema, cariño? ¿Por qué no me dejas ayudarte?

Gimo y me paso nerviosamente los dedos por el pelo.

—Te tienes que ir. ¡Ya! Él vendrá a buscarme. Ya llevo demasiado tiempo aquí metida.

Él se mete la pistola en el cinturón y me agarra por los hombros.

—Sal, desfila para él y luego vuelve aquí y cuéntame qué demonios está pasando.

—Puedo encargarme yo solita. —Mi tono seco tiene la intención de disuadirlo—. No necesito que me salves.

Gergo no se echa atrás. Me vuelve hacia la puerta, la abre y más o menos me empuja fuera.

Me cuesta un instante recobrar la compostura y recomponer mi rostro, pero me estaba preocupando por nada. Cuando regreso a la sala de espera donde los hombres ricos beben vodka invitados por la casa mientras sus mujeres se gastan su dinero, Yan continúa leyendo algo en su teléfono, con su atención definitivamente puesta en otra parte.

Carraspeo, y él levanta la cabeza. La expresión de sus ojos me produce escalofríos. Es toda odio y frialdad, nada que ver con el calor que me muestra en la cama. Es un atisbo de la parte de él que creció en las calles, cometiendo actos para sobrevivir que nadie tendría que cometer jamás. Pero cuando vuelve lentamente su mirada hacia mí, el destello cruel y frío desaparece, y ese hombre peligroso y desalmado que acabo de vislumbrar es reemplazado por mi asesino calculador y hábil amante.

La parte calculadora aprueba mi aspecto. Dice que conseguiré interpretar el papel de Natasha Petrova. Al amante que dice que me posee no le gusta la cantidad de piel de la que estoy haciendo alarde. Frunce el ceño mientras se centra en el escote bajo y la falda corta.

—Es dos tallas demasiado grande. —Dios, espero estar sonando normal—. Se ajustará mejor con los postizos.

Con el tobillo apoyado sobre la rodilla y el pulgar sobre los labios, Yan me estudia en silencio. Los segundos pasan despacio. ¿Qué le estará pasando por la cabeza? ¿Por qué está actuando así? ¿Lo que sea que le haya distraído antes le ha molestado? Quizás sea algo de trabajo. ¿O ha visto a Gergo? Estoy aguantando la respiración, rezando para que la mañana no acabe en un baño de sangre mientras me aferro desesperadamente a mi cara de póker, pero como siempre, él ve a través de mí.

Aunque me habla con voz suave, sus ojos son como dos piedras duras y pulidas de jade.

—¿Qué sucede?

Me río con forzada despreocupación.

—Nada.

—No me mientas, joder.

—No lo hago.

Se pone en pie tan de golpe que doy un respingo.

En dos zancadas, se planta delante de mí. Me agarra por la cadera y acaricia el hueso prominente con el pulgar. La caricia es suave pero intensa. Posesiva.

—Te he hecho una pregunta, Mina.

Es imposible ocultarle mi miedo. Él ve todo lo que quiere ver. Él ve la verdad. Cediendo a mi aprensión, me dejo caer en sus brazos.

—Estás actuando de una forma extraña.

Considera mi respuesta por un momento, y su mirada perfora la mía.

—¿Te doy miedo?

—A veces —susurro.

Él asiente y su expresión se suaviza.

—No voy a hacerte daño; no, a menos que me des una razón.

—¿Una razón? —Trago saliva—. ¿Cómo por ejemplo...?

—Volver a escaparte de mí.

—No voy a volver a escaparme.

—Sé que es desagradable para ti, así que no te recordaré las consecuencias de salir corriendo.

Tiene razón. No puedo soportar pensar en que Hanna resulte herida por mi culpa.

De repente, su rostro se vuelve inexpresivo. Es como si alguien hubiese apretado un interruptor. Da un paso atrás y deja caer la mano.

—Ve a cambiarte.

Casi doy un traspiés en mis prisas por alejarme. Antes de dar la vuelta al perchero que sigue bloqueando el acceso, vuelvo la vista atrás, pero él ya está sentado otra vez, con la cabeza inclinada sobre el móvil.

Me deslizo dentro del cubículo y me encuentro a Gergo subido en el banco, con las rodillas levantadas para que nadie que pase pueda ver sus zapatos por debajo de la puerta.

Él tira de mí hacia adentro y gira la llave.

—Habla.

Tener otra discusión solo sería perder el tiempo. No va a dejarlo. Dudo, pero luego me decido. Le confiaría a Gergo mi vida. Respirando hondo, le digo:

—Por alguna razón, Yan está interesado en mí.

Me da la vuelta para ayudarme con la cremallera. Su tono es seco, su voz enojada.

—Te está reteniendo en contra de tu voluntad.

Lo miro por encima del hombro.

—Me ha puesto un localizador en el cuello.

Su mirada va y viene a mi nuca.

—Ese hijo de puta. Puedo extraértelo. Podría sacarte del país.

—Lo hubiese hecho yo misma si no necesitara este trabajo con él.

—¿Por qué lo necesitas tanto?

—Necesito el dinero para Hanna. Sus cuidados son caros. —Me retuerzo para salir del vestido y me pongo los vaqueros y la camiseta. Gergo y yo estamos acostumbrados a estar juntos en ropa interior. Forma parte del trabajo. A menudo hemos hecho misiones en espacios reducidos.

—Te puedo conseguir otro encargo o darte un préstamo.

No habría tiempo. Se está agotando demasiado rápido.

—¿Qué diferencia habría? Un trabajo es un trabajo.

—¿Cuándo se supone que vais a dar el golpe?

—Dentro de tres semanas.

—¿Tres semanas? Yan Ivanov es un hombre

peligroso. No le confiaría tu vida ni un solo día, ni mucho menos tres semanas.

—Sé lo que hago —digo, atándome las zapatillas.

—Maldita sea, Mink. ¿Sabes lo arriesgado que es esto?

—Sí.

—¿Estás dispuesta a jugarte la vida?

No le digo que para mí eso ya no importa. Si supiera que vuelvo a tener cáncer, no me dejaría marchar. Recojo el vestido.

—Me tengo que ir.

—Te liberaré después de que hayan pasado tus tres semanas.

Eso me hace sonreír.

—¿Harías eso por mí?

—Organizaré un avión privado. Puedes adoptar una nueva identidad y volar hasta Tahití. Nunca te encontrarán.

—Lo siento. —Le doy un apretón en la mano—. No puedo hacer eso.

Sus ojos se entornan.

—¿Con qué te está amenazando?

—Con Hanna.

—Ese cabrón de mierda. Deberías dejarme que lo liquidase ahora mismo y acabar de una vez.

—No —digo rápidamente—. Hay más gente en su equipo. Cumplirán con su palabra si él muere.

Gergo me escudriña y dice lentamente:

—No quieres que muera, ¿verdad?

Aparto la mirada.

—Joder, Mink. ¿Sientes algo por él?

Quiero negarlo, pero la mentira se me queda atascada en la garganta.

—Lo que yo sienta no importa. Lo que importa es Hanna y, por lo tanto, este trabajo.

—¿Y después?

—Vivo al día.

—Comprendes que si te quedas con él no podremos volver a vernos. No te podré mandar trabajos.

Yo asiento.

—Será más seguro si no hay ningún contacto entre nosotros.

—Me estás pidiendo que te dé la espalda.

—No hay otra manera.

—Puedo trasladar a Hanna a algún lugar seguro.

—Ella es frágil. No sobreviviría al estrés. —Echo un vistazo a la puerta—. Será mejor que me vaya.

—Espera. —Él me agarra por la muñeca—. Al menos dime en qué te estás metiendo. Dime en qué consiste el trabajo.

—Será mejor que no lo sepas.

—Solo para que me quede tranquilo. Es lo único que te pido. Por el amor de Dios, puede que nunca te vuelva a ver.

Escuchar eso duele. Me duele tanto como es capaz de dolerme algo así con alguien que no sea Hanna. O Yan... aunque todavía no me siento cómoda al admitir eso.

—El trabajo es Dimitrov.

Sus ojos se agrandan.

—¿Casmir?

—Sí.

—La seguridad de ese hombre es infranqueable.

—Voy a hacerme pasar por Natasha Petrova con el pretexto de venderle una pintura robada.

—No estoy seguro de que haya ningún cuadro que por el que él se arriesgue.

—Ya ha aceptado.

—¿Qué? ¿Qué demonios le estás vendiendo?

—El Salvator Mundi. Es una réplica.

Me da una mirada impresionada.

—No puedo creer que hayas conseguido algo así. ¿Dónde vais a hacerlo?

—Hotel París. Yan tiene un contacto con el gobierno que presionó al gerente para que trabaje con nosotros.

—Lo del cuadro fue idea tuya, ¿no?

—Fue la única forma que me pude imaginar para conseguir que Dimitrov se quedase solo.

—Mink, sabes lo que te sucederá si descubren tu tapadera.

—Nadie va a descubrir mi tapadera. Yan y su equipo están centrados en este trabajo. No van a poner en peligro su propia misión.

—¿Y qué hay del gerente del hotel? ¿Puedes fiarte de él?

—El contacto de Yan en el gobierno se fía. Creo que es seguro.

Gergo me planta un dedo en el pecho.

—Solo asegúrate de estar *tú* a salvo.

—Será pan comido. Lo único que tengo que hacer es entrar, saludar, ofrecerle a Dimitrov una copa de champán, y ya está. Ni siquiera tengo que apretar el gatillo.

—Si tienes dudas...

—No lo sé.

—¿Estás segura de saber lo que estás haciendo?

—Al cien por cien.

—Si me necesitas...

—No. No pienso arrastrarte a esto. Prométeme que te mantendrás alejado de Yan y de su equipo. No quiero que te pase nada.

Él me acaricia la mejilla con la mano.

—No me va a pasar nada. Soy un tipo duro.

Se oye un golpe fuerte, llamando a la puerta.

—¿Mina?

Joder. Mierda. Es Yan.

La sangre de mi cabeza cae en picado hasta mis pies. Gergo se sube al banco y se pega contra la pared, echando mano de su pistola.

Yan no dudará en derribar la puerta si tardo un segundo de más en dejarlo entrar. Giro la llave y abro la puerta del todo, ocultando a Gergo detrás. No le doy ocasión a Yan de entrar. Apretando el vestido en mi puño, salgo por delante de él, sin mirar para ver si me sigue. Tengo el corazón en la garganta todo el camino hasta la caja, pero camino con confianza.

Camino como si no tuviese nada que ocultar.

En el mostrador, le doy el vestido a la vendedora. Solo cuando se pone a marcar el precio me atrevo a darme la vuelta. Yan está justo detrás de mí, sacando un fajo de billetes de la cartera. El alivio me inunda, dejándome mareada. Por el rabillo del ojo, veo a Gergo cruzando la tienda hacia la salida. Fingiendo observar a una madre con un niño que grita, sigo el progreso de Gergo hasta que pone los pies en la acera. Cuando Yan levanta la vista hacia la escena de la rabieta, Gergo ya ha doblado la esquina y se ha esfumado.

Me tiembla un poco la mano cuando le cojo la bolsa a la vendedora.

Yan fija su atención en el intercambio, y sus cejas se juntan. Me coge por el codo y me guía hasta afuera.

—¿Va todo bien?

—Solo es que tengo un poco de hambre. —No es mentira—. Tiemblo si no como.

Él mira su reloj. Es casi hora de almorzar. Tranquilizado por mi explicación, me lleva a un elegante restaurante y pide una mesa en la terraza. Una maître nos lleva a la azotea donde me sorprende ver solo una mesa puesta entre macetas con flores.

Yan pide *lo de siempre*. La camarera nos sirve champán, obsequiándole con una mirada sensual. Se me acelera el pulso en señal de protesta, y un sentimiento parecido a los celos hace nido en mi pecho.

—Vienes por aquí a menudo —le digo cuando se marcha la mujer.

—La comida es buena.

Me llevo la copa a los labios y tomo un sorbo. El champán tiene bastante gas y un buqué muy intenso.

—¿Solo es por la comida?

Él no responde, lo cual es una respuesta en sí misma.

El caro brebaje se agría en mi lengua.

—Agradecería que fuésemos a otro sitio en el futuro.

Él levanta una ceja.

—¿Pasa algo malo con este?

—No me gusta que tus ex amantes me lo restrieguen en la cara, al menos no mientras te lo estás montando conmigo.

Su mirada me taladra.

—¿Por qué te molesta eso?

—Es humillante.

—¿Acostarse conmigo es humillante?

—Es humillante que me hagas desfilar delante de tus ex amantes.

Una chispa de diversión ilumina sus ojos.

—¿Estás celosa?

El hijo de puta está contento de que me sienta así.

—No.

Me observa un momento y luego dice:

—Iremos a otro sitio la próxima vez.

—Gracias —respondo de mala gana.

Sus labios se arquean.

—De nada.

Con esa genuina media sonrisa en su rostro, está aún más guapo. Sus rasgos son duros e intransigentes, pero muy viriles. Mi cuerpo entra el calor respondiendo a eso, y mi estómago revolotea con un eco de los orgasmos de esta mañana cuando pienso en lo que hemos hecho. La excitación es inoportuna, la atracción incontrolable. Pero los recuerdos del sexo con él no son lo que calienta mi pecho. Es el hecho de que él me está regalando esa sonrisa a mí y a nadie más.

La exclusividad me hace sentir especial. Es la misma sensación que tengo cuando me lleva a la cama y me inunda de lujuria retorcida e intensa pasión. Cuando folla, lo pone todo en ese acto, como si la mujer del lado receptor fuera su principio y su fin. Creo creerlo desesperadamente. Quiero creer que soy la única. Es por eso que saber que se ha tirado a la camarera me ha dolido tanto. Porque quiero ser algo más que otra mujer a la que se ha follado. Quiero ser alguien especial para alguien antes de que todo termine.

No, no solo para alguien. Quiero significar algo para *él*.

Ante esa revelación, doy un respingo interno. ¿Desde cuándo me importa lo que él piense? Esto es un terreno peligroso. Hay algo en este hombre que está atravesando mis escudos, penetrando en el cómodo entumecimiento que me ha encerrado desde la muerte de mis padres. Será mejor que tenga cuidado. No vaya a ser tan jodidamente estúpida como para enamorarme de él. No quiero morir con el corazón roto después de haberlo tenido congelado durante tanto tiempo. Ya es bastante malo que vaya a ser su prisionera hasta que deje escapar mi último aliento.

La camarera llega con nuestra comida. Sirve dos

platos de risotto con tinta de calamar y langostinos a la parrilla.

—¿Vino blanco? —le pregunta a Yan.

Él me mira.

—No para mí, gracias. —Ya estoy atontada con la copa de champán que me he bebido de golpe.

—Solo agua mineral, por favor —dice él, apenas prestando atención a la mujer.

Ella resopla ante su expresión distante y se va.

—Espero que te guste el marisco. —Coge el tenedor y me hace un gesto para que le imite—. Tendría que habértelo preguntado.

—No soy quisquillosa con la comida. —He sobrevivido a base de insectos y gusanos en algunas de las misiones más difíciles.

Él llena el tenedor, se lo lleva a la boca y me observa expectante. Quiere que me guste la comida. El por qué, no puedo figurármelo. ¿Por qué le importa? Sin embargo, tengo hambre y sé por experiencia que un buen apetito no es algo que deba dar por sentado. Empeorará a medida que pasen los días. Comer se volverá más difícil.

Aprovechando al máximo la gracia que me otorga mi cuerpo, tomo un bocado. Los sabrosos sabores estallan en mi boca. El risotto está al dente y la salsa cremosa. El marisco sabe a mantequilla con ajo. No puedo evitar cerrar los ojos mientras hago ruiditos de placer. Cuando los abro de nuevo, Yan me mira con expresión complacida.

—Me alegro de que te guste —dice.

Un camarero llega con nuestra agua y nos sirve dos vasos. Supongo que la falta de interés de Yan ofendió a la camarera. Me alivia poder disfrutar de mi comida sin el doloroso recordatorio de su presencia.

Me termino hasta la última migaja de mi plato e incluso del pan recién horneado. Cuando Yan pregunta si me gustaría tomar postre, también pido café.

—Te encuentras mejor —observa él.

No tengo manera de explicarle mis altibajos, así que solo me encojo de hombros.

Él saca la botella del cubo de hielo.

—¿Más champán?

—No, gracias. Ya he tenido suficiente.

Se sirve otra copa mientras el camarero vuelve a aparecer con una tarta paulova de fresas y con nuestros cafés. Se me hace agua la boca al ver la delicada corteza de merengue llena de bayas frescas empapadas en una reducción de frutos rojos.

Sabe tan bien como parece. He devorado la mitad de mi plato cuando siento la mirada de Yan clavada en mí. Levanto la vista y lo encuentro estudiándome con una expresión desconcertante, y con su paulova casi intacta.

Me trago la cucharada que llevo en la boca y me la limpio con la servilleta.

—¿Que sucede?

Su mirada sigue mi acción.

—El corte no dejará cicatriz.

—¿Perdona?

—El corte de tu labio. Está curado. En unos días, la marca desaparecerá.

—Supongo.

Él estudia mis ojos.

—Los cardenales también. Casi han desaparecido.

—Ejem, sí. —De repente cohibida por mi aspecto, me arreglo el pelo. Me he duchado, pero no he hecho ningún esfuerzo por resultar presentable. Ciertamente, nada como lo de la camarera bien arreglada con su peinado perfecto y su maquillaje cuidadosamente aplicado.

—No estaba previsto que ocurriera —dice él.

—¿Qué?

—Los mercenarios. No se suponía que tuvieran que darte una paliza.

Mi apetito por el dulce capricho se desvanece. Bajo el tenedor de postres.

—Me resistí.

Su sonrisa es neutra pero no cruel.

—Por supuesto que lo hiciste.

¿No quería que me pegaran? ¿Qué se supone que debo pensar de eso?

—¿Qué intentas decirme? ¿Me estás pidiendo disculpas?

—Sí. —La palabra es firme, una afirmación potente que me sorprende. Sus siguientes palabras salen con dureza y son aún más sorprendentes—. Me estoy encargando de ellos.

Me quedo boquiabierta.

—¿Encargándote de ellos? ¿Cómo?

—Un contacto les está devolviendo el favor.

—¿Has hecho que les peguen?

—Parece lo apropiado, ¿no?

Esto no es lo que me esperaba de mi secuestrador.

—¿Porque soy mujer?

Se me ponen los pelos de punta. Si la pelea hubiese sido justa, habría tenido una oportunidad. Los mercenarios me superaban en número. Siempre he sido propensa a sufrir discriminación de género en el ejército, sin importar cuántas veces haya demostrado mi valía y ejecutado misiones mejor que mis compañeros varones. Que es por lo cual tal vez estaban resentidos, por lo que pensaron que era necesario darme una lección. Mi boca se aprieta involuntariamente por el recuerdo, por las feas imágenes que invaden mi mente.

—No —dice Yan, recostándose en la silla y extendiendo las piernas—. No porque seas mujer.

—¿Por qué entonces?

—Porque eres *mi* mujer.

Algo en mí cede, como un cordón que se rompe, permitiendo que mi pesado corazón alce el vuelo. El pronombre posesivo suena demasiado bueno, aunque sé que no debería interpretar demasiado en ello. Claro que soy suya. Su objeto. Su juguete. Me reclamó la primera noche en Budapest. Eso fue lo que le admitió a Ilya en la conversación que escuché a escondidas.

Él me escudriña.

—¿Por qué renunciaste a las Fuerzas especiales?

La euforia se evapora, la deliciosa comida se convierte en una piedra en mi estómago.

—Ya te lo he dicho. Dinero.

—Dijiste que necesitabas el dinero después de dejar el ejército. —Él pone azúcar en mi café y le da vueltas. Inclinándose sobre la mesa, me sostiene la mirada mientras me da la taza—. Así que, cuéntame. ¿Por qué lo dejaste?

Algo en su mirada dice que ya lo sabe, y al darme cuenta de ello me causa enfado a la vez que me avergüenza. Me cuesta toda mi fuerza de voluntad mantener la voz serena.

—Si sabes la respuesta, ¿por qué preguntas?

—Cuéntame qué pasó.

—¿Por qué has hurgado tan profundo?

Él se acerca su expreso un poco más.

—Surgió.

No es posible que haya surgido sin más. Esa razón nunca se mencionó en mi renuncia. Solo nuestro superior, los hombres culpables, Gergo, los involucrados en la investigación y el caso judicial resultante, los médicos, y yo, sabemos lo que sucedió. Y ninguno de ellos hablará jamás. De eso estoy segura.

No, Yan debe de haberlo descubierto porque está investigando mi historial. Porque está buscando algo. Mis latidos se disparan. ¿Es posible que nos haya visto juntos a Gergo y a mí? Es improbable. Fuimos cuidadosos. Aun así, la mera posibilidad hace que un agrio ardor trepe por mi garganta. No puedo dejar que Yan descubra lo de Gergo. Él nunca puede saber que asumí la autoría del trabajo de Gergo, o Gergo estaría tan muerto como pronto lo estaré yo.

—¿Mina?

Miro mis manos.

—No me gusta hablar de eso.

—Cuéntamelo.

El ardor se convierte en bilis. Esto es todo lo que puedo soportar. Me levanto y hago ademán de marcharme, pero él me agarra por la muñeca. Sus dedos son como una banda de hierro. No me hace daño, pero me deja claro que no me va a soltar. Lentamente, me arrastra hacia él. Siento sus ojos en mi cara, pero no puedo mirarlo. El recuerdo es demasiado vergonzoso, demasiado devastador. No puedo soportar que nadie sea testigo de mi humillación, y especialmente no quiero que Yan vea en mis ojos la sombra que ese día aún arroja sobre mi alma.

Cuando llego a la prensa de sus piernas, me sienta en su regazo y me acaricia el cuello.

Su voz es suave y tranquilizadora cuando repite su orden.

—Cuéntamelo.

—Yan, por favor.

Desliza sus dedos por mis cabellos, acariciando mi cuero cabelludo.

—Necesito saberlo.

—El pasado es mejor no tocarlo.

Besa mi cuello, con su aliento caliente sobre mi piel.

—No siempre.

Girando la cara un centímetro, finalmente

encuentro sus ojos y le ofrezco la mayor honestidad que le he dado a nadie.

—Me llevó años olvidarlo. No quiero revivirlo.

Sus labios rozan los míos...

—No vas a revivirlo. Solo cuéntame los hechos. —Aprieta sus brazos a mi alrededor, con sus ojos verdes ferozmente clavados en mi cara—. Ya no estás sola, Minochka.

La promesa es dulce, pero él no sabe lo de las pesadillas que habían perseguido mis horas de vigilia y sueño durante meses y años después del incidente. No voy a sacar ese esqueleto del armario. Además, cuanto más hurgue en mi pasado, más probabilidades tiene de tropezar con mi amistad con Gergo.

—¿Por qué estás tan empeñado en escucharme repetir esa sórdida historia? ¿Qué cambiará eso?

—Todo. —Su mandíbula se tensa—. Voy a hacer que lo paguen.

No puede estar hablando en serio. ¿Por qué le importa? No lo pillo. No importa cuántas veces Yan y yo compartamos una intimidad extraordinariamente intensa, no estoy más cerca de entenderlo a él, porque nuestra intimidad se limita al dormitorio. ¿O esto cuenta? ¿Abrazarme y ofrecerme venganza cuenta como afecto cuando me está chantajeando con la vida de mi abuela?

—Piensa en ello —me apremia—. ¿No lo deseas?

No puedo encontrar los motivos para su oferta, pero lo pienso. Mis agresores no han sido condenados. No han sido expulsados ni han perdido sus rangos.

Fue mi palabra contra la suya. Afirmaron que mis heridas fueron el resultado de una mala caída, que mentí sobre la agresión para meterlos en problemas por haberme tirado los tejos, un comportamiento normal para cualquier hombre en esas circunstancias. Me etiquetaron como a una puta que desfilaba desnuda por delante de ellos, una calientapollas. Pero eso eran patrañas. Sí, compartimos los mismos barracones y duchas comunales, pero fuimos entrenados para mirar más allá de nuestra desnudez y de cualquier otra cosa que no formase parte de la misión. Éramos máquinas, instrumentos para lograr un objetivo, nada más. Siempre esperé hasta que el baño estuviera vacío, y nunca me quité la ropa interior delante de ellos.

Sin embargo, los oficiales superiores que investigaron el asunto no se pusieron de mi parte. Las circunstancias eran cuestionables, por citar a mi superior. "Un hombre siempre será un hombre", dijo. Y me había sentido tan traicionada, tan tremendamente brutalizada por la agresión que lo único que quería era dejar atrás el incidente. Me dije a mí misma que me vengaría de mis agresores más adelante, cuando fuese menos probable que me arrestaran por sus muertes, pero luego la salud de Hanna empeoró y a mí me diagnosticaron la leucemia.

Por ilógico que fuera, parecía que el universo me estaba castigando por algo, así que elegí centrarme en la supervivencia en lugar de en la venganza, en pagar las cuentas con mis habilidades mortales en lugar de buscar la revancha contra quienes me habían perjudicado.

—Quiero que sufran tanto como sufriste tú —dice Yan, trayéndome de vuelta al presente—. Que sientan cada gramo de lo que sentiste, para que nunca lo olviden.

Yo también lo deseo, muchísimo. Tal vez ese *más tarde* finalmente haya llegado. Pero no, que Yan meta las narices en mi antigua unidad es algo demasiado peligroso para Gergo. Por mucho que anhele venganza, necesito disuadir a Yan de esto.

—Esos hombres son poderosos. La mayoría de ellos todavía están en las Fuerzas Especiales, y el resto se unió a las filas del gobierno.

Él se ríe entre dientes.

—¿Se supone que eso debería asustarme?

—Harías enemigos no deseados.

—Con todos los que tengo, ¿qué son unos cuantos más?

A pesar de la situación, su tono despreocupado me arranca una sonrisa.

—Ojalá fuera así de simple.

—Lo es. —Me pasa un dedo por los labios—. No voy a forzarte a hablar, pero iré tras ellos, me cuentes o no tu versión de la historia. Tengo mucha imaginación. La usaré cuando decida qué les hago en represalia. Créeme, va a ser todo muy creativo.

Trago saliva.

—No vale la pena. —O al menos eso es lo que me dijo Gergo después de la agresión. Me convenció de que no valía la pena que me arrestaran o me mataran por vengarme, especialmente cuando mi abuela dependía de mí.

—Y una mierda que no. *Tú* vales la pena.

Las palabras aciertan en el centro de una diana en mi corazón.

—Mírame bien, de verdad, Yan. No soy una buena persona.

—Eres *mía*, y me gustas tal y como eres.

—Soy una asesina a sueldo.

—Eres lo más cercano a la perfección que he visto en este jodido mundo.

Desconcertada, lo miro a los ojos.

—No lo dices de verdad.

—No me digas lo que digo de verdad o no. Yo no regalo mis palabras.

No, no lo hace. *Eres lo más cercano a la perfección*. Si no supiera que no es así, diría que Yan siente algo por mí.

Recoge la cuenta.

—Vámonos. —Cuando me ayuda a ponerme de pie, desaparecen todos los rastros de su gentileza—. Quiero pasar por casa de tu amiga para ver cómo va con nuestro cuadro. —Y así, sin más, vuelve a ser el hombre peligroso del que Gergo me advirtió.

24

MINA

*V*olvemos a casa de Yan a media tarde, después de que se haya asegurado de que nuestra falsificadora va a terminar la réplica del Salvator mundi a tiempo. Ilya está relajándose en el sofá con una cerveza. Nos informa de que Anton ha ido a recoger los rifles de francotirador de su proveedor. El apartamento está sorprendentemente limpio. Ilya ha debido de estar ocupado. Espero que esa sea la razón de que parezca tan descontento, y no que el clima entre los hermanos esté lejos de estar despejado.

Yan anuncia que tiene asuntos privados que atender. Mientras cuelgo el vestido en el armario de Yan, oigo que le pregunta a Ilya si lo hará bien esta vez, y ese *lo* se refiere asegurarse de que yo no me escape.

Ilya responde refunfuñando:

—Que te jodan.

Vaya plan. Así que los nubarrones no se han esfumado, después de todo.

Cuando Yan se va, busco una forma de ser útil y evitar molestar a Ilya, haciendo la colada y pensando en qué cocinar para la cena. Sin embargo, estoy demasiado distraída hasta para tomar una decisión así de trivial. No puedo dejar de pensar en la atrevida aparición de Gergo y en los planes de venganza de Yan contra mis agresores. También me preocupa Hanna. Ojalá pudiera llamarla.

Después de revisar el contenido de la nevera por tercera vez, cierro la puerta con un suspiro. Es inútil.

—¿Qué te apetece para cenar? —le pregunto a Ilya.

Él cruza los tobillos sobre la mesita de café.

—Lo que sea.

—Eso no me ayuda. —Vuelvo a suspirar y ordeno la sala agachándome a recoger las revistas viejas y la botella vacía de cerveza de Ilya, que está dejando un cerco sobre la madera de la mesita.

—Mina —exclama él cuando me enderezo.

Doy un respingo.

—¿Qué?

Él se pone en pie de un salto, señalando hacia mi cara.

—Tu nariz. Está sangrando.

—Mierda. —Me aprieto con la mano libre contra la nariz para que la inmaculada alfombra de mohair de Yan no se manche de sangre, y corro a la cocina, donde tiro la botella y las revistas al cubo de reciclaje antes de coger un papel de cocina. Inclino la cabeza hacia atrás y espero a que pare la hemorragia.

—Déjame ver —dice Ilya, poniéndose a mi lado.

—No es nada. Me pasa de vez en cuando.

Él me coge por el codo.

—Ven a sentarte.

—No. No quiero manchar la alfombra.

—Que le den a la alfombra. —Él me lleva hasta la mesa y me sienta en una silla—. ¿Necesitas hielo o algo?

—No. Se detendrá en un minuto.

—Lo dices como si te pasara mucho.

—De vez en cuando —le repito.

Él saca el teléfono del bolsillo.

—Voy a llamar a Yan.

—No. —Le agarro por el brazo.

Al notar la urgencia de mi tono, me lanza una rápida mirada.

—No quiero que se preocupe por una nadería —explico.

—Esto no es una nadería.

—Es una hemorragia nasal. No es como si me hubieran amputado un trozo de la cara.

Él parece titubear.

—No quiero molestarlo —insisto—. Es una tontería.

—Ninguna de las veces que me ha sangrado la nariz a mí ha sido una tontería.

Sonrío desde detrás del arrugado papel de cocina.

—¿Porque te habían dado un golpe en la nariz?

—Más o menos.

—Siento que Yan te pegase por mi culpa.

Él suspira y se frota el cuello.

—Yan tiene razón. Deberías dejar de disculparte.

—Sólo quiero que sepas que lo digo en serio. Si hubiese tenido elección...

—Y una mierda. Solo tenías que pedirlo. Yan te habría llevado a ver a tu abuela.

—¿Tú te crees eso? —El goteo se detiene. Me limpio la nariz y miro la cara magullada de Ilya—. No soy su novia. No es así como funcionan las cosas entre nosotros.

—Él es diferente contigo.

—Ya me lo habías dicho, pero eso no cambia lo que somos. Además, francamente, ¿crees que yo quiero que mi abuela lo conozca?

Él sonríe.

—No es tan malo, ¿sabes?

—Tal vez deberías decirle eso alguna vez.

—Oh, ya lo sabe. No hay que darle más razones de las que ya tiene para que se le suban los humos. —Ilya agacha la cabeza para ver mejor mi nariz y frunce el ceño—. Será mejor que te laves eso con agua fría.

Me pongo de pie, pero él me detiene poniendo una mano en mi brazo.

—¿Seguro que estás bien?

Exhibo la falsa sonrisa que utilizo cuando interpreto a otra persona.

—Por supuesto.

—Si no, me lo dirías, ¿verdad?

—¿Decirte qué?

—Si te pasara algo malo.

Mierda. No quiero mentirle más todavía. Me cae bien. De verdad que sí. De no ser por esta situación, creo que podríamos haber sido amigos. Tal vez incluso a pesar de la situación. Dios sabe que me vendría bien un amigo, especialmente ahora que Gergo está fuera de escena. Solía ser la persona a la que yo acudía cuando necesitaba un hombre en el que apoyarme.

—¿Mina? —Ilya me mira y sus rasgos toscos adquieren una expresión inquisitiva.

—Ahora ya estoy bien.

Su ceño fruncido dice que no está de acuerdo.

—¿Por qué no vas a lavarte la cara? Te preparé una taza de té.

Su amabilidad me saca una sonrisa.

—Eres un encanto, pero no es necesario.

—Yo voy a hacerme una taza de todos modos. No es molestia.

Con un impulsivo gesto de gratitud, le rodeo con mis brazos y lo abrazo.

—Eres un osito de peluche, ¿lo sabes?

Él extiende sus dedos sobre la parte baja de mi espalda.

—Si cambias de opinión sobre nosotros...

—Oye. —Aparto esa mano que se ha ido donde no debía—. Ya hemos tenido esta charla, ¿recuerdas?

—Puedo ser mucho más que encantador y achuchable.

Le sonrío de oreja a oreja.

—No lo dudo.

—Si me dieras una oportunidad... —Se interrumpe al escuchar el sonido de una llave abriendo la puerta principal.

Me alejo y susurro con urgencia:

—No se lo cuentes. Por favor. Hará un mundo por algo sin importancia.

La mirada de Ilya muestra un conflicto interno.

—Por favor, Ilya.

Asiente con decisión.

Cuando la puerta se abre, yo ya estoy escapándome hacia el baño de Yan. Él entra cuando yo me estoy secando la cara con una toalla. Nuestros ojos se cruzan en el espejo.

—¿Qué está pasando, Mina?

—Nada. —Me vuelvo, agarrando el lavabo a mis espaldas—. ¿Por qué?

Él acorta la distancia, se para delante de mí y me mira fijamente a la cara.

—¿Por qué estabas tan cerca de Ilya? Cuando abrí la puerta, saliste disparada como una bala. ¿Por qué corrías?

—No estaba corriendo.

—Él te ha tocado.

—Yo le he abrazado.

—Tú lo has abrazado. —Sus palabras suenan peligrosamente neutrales.

Tengo que suavizar la situación antes de que la cosa termine en otra pelea.

—No todos los contactos físicos son sexuales. Los abrazos pueden ser platónicos.

—Explícame por qué has tenido que abrazarlo.

—Yan —digo con un resoplido de frustración, tratando de esquivarlo y apartarme.

Él me coge el rostro con una mano y me detiene.

—¿Por qué has tenido que abrazarlo?

—Se ofreció a hacerme una taza de té.

—Una taza de té.

—Eso he dicho.

—¿Y eso le hace ganarse un puto abrazo?

—Él es tu hermano. ¿No os abrazáis nunca?

Sus ojos se entornan.

—No entre nosotros.

—¿Solo a las mujeres que compartís?

—*No* vamos a volver a ese tema.

—Has empezado tú.

Una mirada abrasadora invade sus ojos. Adquieren un tono más oscuro mientras recorren mi cuerpo.

—No tienes que abrazarlo por ningún motivo, ¿me oyes? Ni aunque te regale un collar de diamantes. De hecho, tampoco quiero que aceptes nada de lo que él te ofrezca.

Suelto un resoplido de frustración.

—Ya basta. Estas exagerando.

Su mandíbula se tensa.

—¿Quieres té?

Niego con la cabeza mansamente mientras él me sujeta.

—No.

—Yo te prepararé una puta taza de té.

—Yan, por favor.

—Por favor, ¿qué?

—Corta el rollo. No quiero pelearme contigo.

—No nos estamos peleando, ¿verdad?

—Entonces, ¿cómo llamas a esto? —Me intento apartar.

Él me agarra el vaquero con su mano libre.

—Establecer los límites. —El botón se abre, y él sigue mirando mi cara mientras me baja la cremallera —. Asegurarme de que entiendes que esto... —tira de la cintura de los vaqueros y me empuja contra su erección—... es exclusivo.

Antes de que yo pueda decir nada, planta sus labios contra los míos. Me besa salvajemente, al mismo tiempo que sus dedos, por contra, se deslizan con suavidad dentro de mi ropa interior. Ya estoy suave, mojada. Él gime en mi boca mientras recoge la humedad y la extiende sobre mi clítoris. Yo arqueo las rodillas hacia sus dedos, en busca de más fricción. Me mordisquea la lengua y me lame los labios, luego ensarta dos dedos entre mis pliegues y los empuja profundamente mientras frota la yema de su pulgar contra mi clítoris.

El placer es instantáneo. La parte inferior de mi cuerpo se calienta, me fallan las rodillas. Agarro sus antebrazos y me aferro a él mientras me inclina hacia atrás y se sumerge en mi boca. Me duele el cuello por la tensión, pero no puedo pensar en otra cosa que no sea lo cerca del límite que me están llevando sus hábiles dedos.

—Mía —gruñe, interrumpiendo el beso.

Sin aliento, me sujeto en el lavabo para apoyarme mientras él se arrodilla y me desata los cordones de las zapatillas. Me las quita, y luego los vaqueros. Mis bragas les siguen a continuación. Me coge de la cintura con las manos, me sienta en el mueble armario del lavabo y me arranca la camiseta y el sostén. No se detiene a quitarse su ropa. Apenas se ha desabrochado el cinturón y se ha bajado la cremallera, y ya está dentro de mí. La intrusión es repentina y absoluta, y me arde. La recibo rodeándole el cuello con los brazos, y la incomodidad que siento me recuerda que sigo viva, lo mismo que hace quince meses, cuando me folló por primera vez. Igual que entonces y que cada vez desde entonces, él hace que mi cuerpo adquiera vida propia. Él tiene un efecto singular sobre mí.

—Jamás había sido así para mí —admito en un momento de excitación, al rodearle las caderas con mis piernas.

—Mina. —Él me asfixia cubriéndome de besos y me levanta del lavabo.

Sujetándome por las nalgas, camina hacia el dormitorio con mi cuerpo todavía enroscado a su alrededor y su polla metida dentro de mí. Al borde de la cama, se detiene. En lugar de dejarnos caer sobre el colchón, él sale hasta solo dejar dentro la punta de su pene, y luego lentamente me baja de nuevo hasta el final.

—Joder. —Me mira a los ojos mientras mantiene un ritmo lento—. Eres tan buena como sabía que serías. Mejor. Mejor que nada en el mundo.

Intercambiando nuestras posiciones, se sienta para que yo lo cabalgue.

—Móntame. Utiliza mi cuerpo.

La invitación es demasiado tentadora para dejarla pasar. A Yan le gusta tener el control. No es frecuente que lo ceda. Sintiendo su necesidad de mirar, me inclino hacia atrás y hago exactamente lo que me ha pedido. Lo utilizo para darme placer, moviéndome al ritmo y la profundidad adecuados para mí. Le miro a la cara mientras me acaricio el clítoris. Él aprieta los dientes y se recuesta sobre sus brazos, dándome su cuerpo y su permiso para hacer con él lo que quiera.

Renunciar tanto a tener el control requiere confianza, especialmente para él. Empujo levantándome sobre mis rodillas y vuelvo a hundirme, llevándolo más adentro de mí. Su mirada se dirige a donde estamos conectados. Sus ojos son de un tono verde oscuro, todo su cuerpo está en tensión. Está cerca de correrse, pero no toma el mando. Me deja que dirija nuestro baile de apareamiento hasta que mi cuerpo se hace eco de la tensión de sus músculos con un espasmo de respuesta. Sudando con el esfuerzo de contenerse, maldice cuando mis músculos internos se contraen. Solo cuando yo me rompo, él se deja llevar. Cuando el placer me atraviesa, él me sigue con un gruñido bajo, llenándome, vaciándose dentro de mí.

Por un breve instante, pienso en la posibilidad de crear una nueva vida, sobre las elecciones y oportunidades que nunca tendremos, y un dolor agudo me desgarra. No es que los niños sean una opción con nuestros estilos de vida. No es que espere que esto pudiera llegar tan lejos jamás. Es simplemente el hecho de que yo no tengo nada que decir sobre el tema, y que nunca podremos elegir. Por ilógico que parezca, estoy de luto por nuestro final cuando apenas hemos tenido un comienzo. No quiero admitir lo que significan estas emociones que me recorren. Solo sé que no puedo dejarle marchar. Sigo meciéndome en su regazo y besando sus labios para alargar el momento, deseando que no termine. La invitación hace mucho que terminó, pero todavía la uso, esta vez no para mi cuerpo sino para mi alma.

Con una palma en mi espalda, me empuja hacia su pecho. Giro la cara hacia un lado y me quedo así. Su latido es un sonido errático pero extrañamente relajante en medio de la maraña de mis pensamientos y sentimientos. Los asuntos prácticos que no había considerado hasta ahora bombardean mi mente. El final va a ser duro. Yo no estaré guapa. ¿Qué hará él conmigo? ¿Me concederá la misericordia de un hospital para enfermos terminales y morfina, o me cortará la garganta cuando empeore? Cuando se dé cuenta de que ya no le soy útil, ¿me retendrá o me liberará? No puedo imaginar que él quiera estar a mi lado cuando mi cuerpo esté en los huesos y mi piel colgando flácida de ellos.

—Mina. —Me pasa los dedos por el pelo—. ¿Por qué estás tan tensa?

No me he dado cuenta de lo tirantes que se han puesto mis músculos. Haciendo un esfuerzo consciente, los relajo uno por uno.

—¿No ha estado bien? —pregunta.

—Tal vez demasiado bien.

—¿Es eso algo malo?

—No —respondo con voz suave—. Definitivamente no es algo malo.

—Rodéame con tus piernas. —Se pone de pie y se quita los pantalones para no tropezar con ellos al llevarme hasta la ducha.

Como siempre que lo hacemos, me lava el cuerpo y el cabello. Me seca con una toalla y me planta un beso suave en la columna vertebral. Estudiando mi reflejo en el espejo mientras me peino con los dedos, anuncia:

—Vamos a salir a cenar.

—Pero ya hemos salido a comer.

—Eso fue hace horas.

—¿Vamos a ir con Ilya y Anton?

Su expresión se endurece. Regresa a la habitación y abre el armario con un gesto brusco. Mientras busca entre sus camisas, dice:

—Vamos los dos solos.

He aprendido a no preguntarle cuando su humor está así de volátil.

—No —me ordena cuando cojo un par de vaqueros —. Ponte el vestido.

—Eso es demasiado elegante.

—Se ajusta a la ocasión.

—¿Qué ocasión?

—Estamos de celebración.

—¿Lo estamos?

Saca su teléfono del bolsillo de los pantalones que se ha quitado, marca su clave y gira la pantalla hacia mí.

La foto me pone la piel de gallina. Es la cara de un

hombre cuyos rasgos se han quedado grabados en mi memoria para siempre.

—¿Lo reconoces? —pregunta Yan.

Trago saliva.

Es uno de los hombres que me agredió.

—¿De dónde has sacado esto? —Tan deprisa, quiero añadir. Y lo más importante, ¿habrá descubierto algo sobre Gergo?

Él pasa a la siguiente foto, y yo me quedo helada.

Es el mismo hombre. Lo sé instintivamente, como un soldado sentiría la presencia de un enemigo sin fiarse de sus ojos, a pesar de que los orgullosos y soberbios rasgos del hombre son irreconocibles.

Son irreconocibles porque le han pegado hasta que su cara se ha quedado convertida en un amasijo.

25

YAN

*N*o puedo apartar los ojos de Mina, sentada frente a mí en el restaurante. Se muerde el labio mientras estudia las recomendaciones del chef. Yo tendría que hacer lo mismo, al menos elegir el vino, pero no puedo dejar de mirarla por encima de mi menú.

Hablaba en serio en el almuerzo. Ella es lo más cercano a la perfección. Con ese vestido rosa nude con el bolso y los zapatos a juego, es la mujer más bonita que he visto nunca. El hilo de algodón tejido a ganchillo del vestido forma un delicado patrón de encaje que realza su pequeño cuerpo. Si cambia de postura justo así, puedo entrever su ropa interior de satén rosa. Le compré un conjunto completo de sujetador y pantaloncitos cortos con el vestido en mente, pero esa recatada ropa interior no oculta sus turgentes pechos ni su firme trasero. Verla así me la pone dura. No puedo evitar pensar en todo lo que quiero hacerle más tarde.

Con su cabello rubio platino peinado con gel hacia atrás y el maquillaje que insistí que usara, parece pertenecer a la portada de una revista de moda. A la página central, si la saco del vestido. Sus ojos azules son aún más sorprendentes con la sombra de ojos ahumada y el delineador, y el brillo rosado acentúa la exquisitez de sus labios. Los piercings y el tatuaje agregan un aire de rebeldía, de coraje. Ella tiene todo con lo que yo haya fantaseado jamás reunido en una sola persona.

El paquete completo. Femenina. Seductora. Inteligente.

Jodidamente mortal.

Ella lo es todo. Sin trampa ni cartón.

Lástima que también sea la mujer que me incriminó. Todavía la odio por mandarme a paseo de una forma tan despreocupada, pero no tanto como para no llevármela a la cama. No tanto como para no querer tenerla allí para siempre. Mi fijación con ella es demasiado absoluta. Me encantan su fuerza y su resiliencia. Me encantan su brillantez y su frescura. Me encanta como me toca. Con una caricia de uno de esos finos dedos, estoy listo para arder en llamas y caer a sus pies, hecho cenizas.

Se ha metido bajo mi piel, y soy incapaz de evitar el orgullo y el afán de protección que ella me provoca. Quiero mantenerla a salvo. Estoy orgulloso de cómo está manejando el trabajo de Dimitrov. Estoy orgulloso solo por tenerla a mi lado. Cada vez me resulta más difícil ignorar que no ha elegido estarlo por su libre albedrío, que no está sentada aquí porque quiere, sino porque yo se lo ordené. Sin embargo, no puedo evitar adorarla. Simplemente la odio un poco más por sus mentiras y engaños. Nunca debería olvidar eso.

¿Quién es el hombre con quien te viste en Budapest, princesa?

Como si sintiera el peso de mi pregunta, ella levanta la mirada. Bajo la mía rápidamente, fingiendo leer las letras que bailan delante de mis ojos. No quiero darle más poder del que ya tiene.

—¿Yan?

Tiene la voz ronca. Me dan ganas de arrastrarme debajo de la mesa, abrirle de piernas y comérselo aquí mismo.

¡Contrólate, joder!

—¿Sí?

—No tengo mucha hambre.

Mi preocupación deja de lado todas mis oscuras reflexiones. Su apetito viene y va. ¿Estará sufriendo una depresión? La situación en la que se encuentra ciertamente se merecería alguna mierda psicológica grave; no es yo que me haya preocupado de ese tipo de cosas antes.

Ella cierra su menú.

—Solo tomaré un entrante.

¿Tendría que hacer que fuese a un psiquiatra? ¿Pero de qué serviría eso? Si la raíz del problema no cambia, el tratamiento no supondrá ninguna diferencia.

Tampoco me interesa atiborrarla a drogas.

Por otra parte, mentiras o no mentiras, adoración u odio, he asumido la responsabilidad de cuidar de ella cuando la hice mía, y yo me tomo mis responsabilidades en serio.

—¿Querrías ir a ver a un médico? —pregunto.

Ella da un respingo. Es un movimiento leve, pero no me pierdo nada en lo que a ella respecta.

—¿Por qué iba a necesitar un médico? —Su tono parece como a la defensiva.

—Has pasado por mucho. —Mi mirada se desliza hacia sus piernas que están escondidas debajo de la mesa—. Tus moretones no parecen desvanecerse tan rápido como deberían. —Otra observación que me ha estado preocupando.

—¿Sabes qué? —Abre de nuevo su menú—. Tomaré los *escargots* de aperitivo y el salmón de plato principal.

Bien jugado, pero eso no va hacer que yo me desvíe del tema.

—Llamaré a alguien por la mañana.

—Vas a perder el tiempo. Estoy bien.

—No voy a perder el tiempo. —Le muestro mi sonrisa más encantadora.

Ella responde con una mirada que pretende hacerme pedacitos.

—No necesito ningún chequeo.

—No me estaba refiriendo a uno de los que atienden a lo físico.

Sus ojos se agrandan cuando capta mis intenciones.

—¿Quieres que hable con un psicólogo?

—Con un psiquiatra. —Por si necesita antidepresivos o algo así.

—Que te jodan, Yan.

—Cuidado con los insultos. Sabes a dónde te llevarán.

—¿Directamente a que me tumbes en tu regazo? —pregunta con mordacidad.

—Me alegro de que sigas siendo rápida en pillarlo.

—Si necesito un loquero, te lo diré.

—No hay necesidad de estar tan a la defensiva. Estoy haciendo lo que más te conviene.

—Dice el hombre que es la razón por la cual podría necesitar un psiquiatra.

—Mina —digo su nombre con un tono de advertencia suficiente como para poner una mirada cautelosa en su rostro—. Quiero disfrutar de esta cena contigo.

—Entonces no tendrías que haberme sacado el tema de llevarme a un maldito psiquiatra.

—Pensé que no querías pelear.

—No lo sé.

—¿Entonces cuál es el problema?

—¿Crees que sentarme en un diván y hablarle a un extraño sobre nuestra jodida situación hará que me sienta mejor?

Cualquier otro hombre habría sentido remordimientos. Una culpabilidad desgarradora. Pero no yo. Su resistencia solo aumenta el desafío.

—Tal vez.

—No, gracias.

—¿Qué hay de las píldoras, entonces?

—Yo no soy del tipo que toma pastillas.

—Tú misma. Sin embargo, la oferta se mantiene.

Ella entrecierra sus bonitos ojos.

—Qué amable.

Nos callamos cuando el camarero viene a tomar el pedido. Elijo lo mismo que Mina. Con tanto mirarla con la boca abierta, no he tenido tiempo de mirar el menú, pero no quiero pedir que nos den ni dos minutos más, porque los hombres de la barra están mirando descaradamente a Mina. De repente estoy ansioso por llevarme a mi mujer a casa. Es irónico, considerando que estamos aquí para escapar de estar demasiado en casa y alrededor de Ilya. Cuando el tío trajeado vuelve a lanzarle otra mirada larga a Mina, me giro en mi silla, preparado para romperle la cara. Nuestros ojos se encuentran, y él aparta la vista rápidamente.

Bien.

No, y una mierda bien.

Me pongo de pie.

Mina me mira sorprendida.

—¿Adónde vas?

—No te muevas. Vuelvo enseguida.

El tío palidece al ver que me acerco. Me detengo frente a él y su amigo.

—¿Nos conocemos?

—N-no —dice, tartamudeando.

—¿Entonces qué cojones estás mirando?

—N-nada.

—Es hermosa, ¿verdad?

Él niega con la cabeza.

—No.

—¿Estás diciendo que mi mujer no es hermosa?

—Sí, digo, no. Sí, es hermosa.

—¿Era eso lo que estabas mirando?

Él levanta las manos.

—Mira, tío, no quería decir nada. No pude evitar notarlo.

—Si valoras tu vida, mirarás hacia otro puto sitio.

Su nuez sube y baja cuando traga saliva.

—¿Lo has pillado? —pregunto con una fría sonrisa.

—Sí. Sí, lo he pillado.

—Estupendo. —Le doy unas palmaditas en el hombro, no demasiado suaves, y regreso a nuestra mesa.

Mina me mira ojiplática cuando me siento otra vez en mi silla.

—¿De verdad era eso necesario?

Nos han llenado las copas. Me bebo la mitad del vino de un trago sin saborear el buqué italiano.

—Sí.

Desviando la mirada, se frota la frente con la palma de la mano.

—¿Qué? —le espeto.

Ella suspira.

—Nada.

—Dilo.

—No puedes amenazar a todos los que me miren.

Y así de fácil, lo que queda de mi buen humor se esfuma.

—Ahí es dónde te equivocas. —Me inclino hacia ella por encima de la mesa—. No dejes que el hecho de que te esté invitando a una cena con vino te incite a ver esto como algo que no es. Tu vida es mía. Puedo hacer lo que me salga de los huevos contigo o con cualquiera que te mire. ¿O lo has olvidado?

Ella se abraza a sí misma y se frota los brazos.

—No. —Lo dice con un hilo de voz—. No lo he olvidado.

Joder. Tengo ganas de pegarle cabezazos a la mesa. Esto es lo que ella me hace. Me vuelve loco. Estoy jodidamente celoso porque no me fío de ella. Me vuelve inseguro. Mi cabeza dice que no es culpa suya, pero mi ira es demasiado feroz para razonar.

Evitando mis ojos, ella levanta la copa y toma un sorbo. Ella mira el centro de mesa, los cuadros de la pared, a los otros comensales, a todo menos a mí. Cuando empieza a frotarse los brazos otra vez, me quito la chaqueta y se la pongo.

Ella se tensa, luego se queda paralizada en algún extraño tipo de limbo, sin rechazar la chaqueta pero tampoco aceptándola por completo y arropándose con ella. Eso me molesta, porque está temblando, aunque el local tiene una temperatura bastante acogedora. Para complacer a Mina, he elegido un restaurante en el que nunca había estado, un lugar donde no tengo ninguna historia pasada con una mujer. Quería que esto fuera agradable, pero todas mis buenas intenciones se fueron volando por la ventana en el momento en que abrí mi bocaza. Y ahora la atmósfera es tensa, incluso más que antes, cuando le mostré a Mina esa foto. Su reacción no fue lo que me esperaba. Pensé que estaría agradecida de que me hubiese encargado de uno de sus agresores. En vez de eso, su cara se puso tan blanca como la pared, y ella enmudeció, dándose la vuelta sin decir nada.

No sé qué fue lo que le molestó tanto de esa foto, pero si creía que iba a dejar que esos hijos de puta anduviesen alegremente por ahí, no me conoce en absoluto. Primero, sufrirán. Luego, morirán.

Pero estoy volviendo atrás en mis pensamientos. Estábamos hablando de que ella no necesitaba un médico. Estaba pensando en su frecuente falta de apetito. Esa foto apareció en mi mente, pero no fue lo que le quitó el hambre. Sí, ver la cara machacada de ese feo hijo de puta no fue algo bonito, pero ella está acostumbrada a ver eso, y más. Hay alguna otra cosa, algo más que me está ocultando.

Nunca pensé que necesitaría tener su confianza, pero lo hago. Lo quiero igual que deseo su cuerpo. Lo quiero todo. No puedo soportar la idea de que ella me oculte algo. Ella me desea. Me ha deseado desde el principio. Desnudar su cuerpo para mí nunca le ha supuesto un problema. Es desnudar su corazón lo que le resulta problemático.

Cuanto más pienso en lo que no me está contado, más pierdo yo mi propio apetito. El silencio continúa. Jamás he deseado tanto que ella me hablara como lo hago ahora, pero no sé cómo romper esta rebeldía silenciosa.

Cuando llegan nuestros platos, ambos empujamos la comida por ellos sin ganas de probarla . Este es territorio desconocido. Sé cómo hacer cantar el cuerpo de una mujer, cómo hacerla gritar, pero nunca he intentado convencer a una para que hable. Joder, nunca antes había tenido la necesidad de escuchar a ninguna mujer. Por mucho que odie admitirlo, en cosas así es en las que Ilya está mejor capacitado. Él sabría cómo hacerlo, pero no puedo pedirle ayuda, sabiendo que todavía quiere meterse en las bragas de Mina.

Cuando nos traen la cuenta, estoy tan frustrado y tengo tantas dudas sobre cómo manejar la situación, que me siento como una tirolina colgando entre dos árboles. Mina no me habla en el coche. No me habla en la ducha, ni cuando me la tiro hasta el agotamiento en la cama. Ella gime y jadea y hace todos los sonidos correctos, pero cómo estoy haciendo sentir su cuerpo ya no es lo único que quiero saber. No sé cuándo ha ocurrido exactamente.

Solo sé que ya no me basta con eso.

26

YAN

*M*ucho después de que Mina se haya dormido, yo sigo despierto en la oscuridad, castigándome sobre cómo ha resultado la velada. Solo hay un remedio para deshacerse de la frustración acumulada. Tengo que descargarla en alguien más.

Otra foto esperaba en mi teléfono cuando regresamos de la cena; los hombres que he contratado son muy rápidos a la hora de hacer su trabajo.

Dos fuera, faltan nueve.

Salgo a hurtadillas de nuestra habitación y cierro la puerta para no molestar a Mina. Entonces despierto a Anton sin hacer ruido. Los ronquidos de Ilya se mantienen regulares cuando Anton agarra sus pantalones y me sigue al salón.

—¿Qué pasa? —pregunta, pasándose una mano por el pelo revuelto.

—Nos vamos a Hungría.

Me mira contrariado.

—¿Otra vez?

—Esta vez volaremos.

Me pongo la chaqueta y me dirijo a la puerta. Anton maldice suavemente mientras da saltitos para embutirse los pantalones. Agarra su gabardina de la parte posterior del sofá y se la pone sobre la camiseta con la que había estado durmiendo.

—Date prisa. —Quiero volver antes de que Mina o Ilya se despierten por la mañana. Una vez en el rellano y con la puerta cerrada con llave, le pregunto—: ¿Cómo de rápido puedes tener listo nuestro avión?

—Ya está a la espera en el aeródromo privado.

Me dirijo a las escaleras.

—Vámonos.

—¿Qué es lo que pasa? —pregunta, corriendo para alcanzarme.

Yo me levanto el cuello de la chaqueta para evitar el frío zarpazo del aire nocturno mientras reviso el mensaje de mi teléfono y avanzo por la calle hacia donde está estacionado el coche de alquiler. Los hombres que contraté están siendo muy claros acerca de por qué están dándole una paliza a la escoria con la que sirvió Mina, y los dos que ya han recibido lo suyo habrán llamado a sus compinches para contarles lo que está sucediendo. Eso es bueno. Quiero que sepan lo que se avecina. Aunque huyan y se escondan, seguiré su rastro.

Ninguno de ellos se librará de su castigo.

Dado que Mina era parte de las Fuerzas Especiales

cuando presentó su denuncia, de su caso se encargó un tribunal militar. Su oficial superior, el teniente general Rafael Tóth, tendría que haberla protegido. En cambio, afirmó que lo sucedido había sido por culpa de ella. Leo el informe que presentó. Leo las excusas estúpidas de los hombres que se unieron contra una mujer desarmada. Leo el triste intento de presentar una defensa del abogado militar. Ahora tengo algunas preguntas propias para el imbécil que testificó contra Mina.

Faltan nueve. Diez si cuento a Tóth.

En estos días, es asesor de algún idiota menor del Ministerio de Defensa que se encarga del bienestar de los veteranos del ejército.

—Yan —dice Anton cuando llegamos al coche—. ¿Qué cojones pasa?

—Tengo que interrogar a alguien.

—¿Con respecto a Dimitrov?

—No.

—¿Entonces qué?

—Otra cosa.

Él se sube al asiento del pasajero cuando abro las puertas.

—¿Vas a contármelo?

—No.

—*Mudak* —murmura cuando enciendo el motor.

EN MENOS DE UNA HORA, ATERRIZAMOS EN UN PEQUEÑO aeródromo a las afueras del este de Budapest. El contacto de Anton en la torre de control nos ha ayudado a obtener los permisos de despegue y aterrizaje en un tiempo récord.

El conductor que solicité antes del despegue está esperándonos al llegar con un coche. Ya he trabajado con él antes. Es discreto y de confianza. Una vez Anton y yo nos hemos acomodado en el asiento de atrás y le he dado al chófer la dirección, él levanta la partición para darnos privacidad.

Abro los planos de la casa en mi móvil mientras arrancamos.

Anton mira la pantalla.

—No quiero entrometerme en tu guerra privada, pero esa casa tendrá una buena seguridad.

—Buena, pero no de primera categoría.

—¿Qué es lo que no nos estás contando?

—¿Nos?

—A mí. A Ilya.

—No sabía que era yo contra vosotros.

Sus ojos oscuros se endurecen.

—Es por Mina, ¿verdad?

—No digas su nombre, joder.

—Ya estamos otra vez. —Menea la cabeza—. Le has dado una paliza a tu propio hermano por esa mujer. ¿Hasta dónde vas a permitir que llegue esto?

—¿Llegar el qué?

—Estás dejando que ella te manipule.

—Cierra el pico. No tienes ni idea de quién está manipulando a quién.

—¿Y *tú*?

—Anton, te estoy dando una puta advertencia.

—Vale —resopla—. No digas luego que *yo* no *te* lo advertí. —Mira por la ventanilla y después se vuelve hacia mí—. ¿Por qué narices estoy yo aquí? Si vas a estar así de susceptible, deberías haberme dejado en el avión.

—Estás aquí para entrar en esta casa.

Él vuelve a mirar la pantalla.

—Quieres que te ayude a entrar, pero no vas a decirme por qué.

—Si no quieres ayudarme, dímelo ahora.

Él levanta las manos en el aire.

—Tendrás mi puta ayuda.

—Estupendo. ¿Tan difícil ha sido?

Vuelve a menear la cabeza, pero no contesta.

Si se hubiera tratado de cualquier otra y no de Mina, se lo habría contado. Pero esto no es asunto suyo, y no tengo derecho a compartir los asuntos privados de ella. Antes de que todo esto salte por los aires, esos hombres ya estarán muertos. Para entonces, estaremos lejos de aquí, gastándonos el dinero del golpe de Dimitrov. Estaría bien que fuese en un sitio cálido.

Tal vez una isla privada frente a la costa de Mozambique.

Anton y yo repasamos los puntos del plan durante el viaje. Cortar la alarma y entrar es fácil. El idiota no tiene ni guardia de seguridad ni perro. Entramos en la espaciosa casa, en una parcela aislada a las afueras de la ciudad, y nos dirigimos al dormitorio principal del piso de arriba, donde el pesado corpachón de nuestro objetivo forma una tienda de campaña bajo las sábanas. El hijo de puta solo se despierta cuando le apoyo el cañón de la pistola en la sien.

El blanco de sus ojos destaca enorme a la luz de la luna que brilla a través de la ventana. Es listo, y cierra el pico. Su esposa está dormida a su lado.

—Tsk, tsk. —Meneo la cabeza—. No estás demasiado alerta para ser un ex soldado. Estás perdiendo facultades.

Al escuchar mi voz, la mujer se agita. Abre los ojos, pestañea, y se sienta como un resorte.

—Shh. —Le pongo un dedo en los labios—. No querrás despertar a los niños.

—Haremos lo que nos digas —dice Tóth, con una voz ronca por el sueño y temblorosa.

Me dirijo a su esposa.

—Voy a hacerle unas preguntas a tu marido. Quédate aquí y no te haremos daño.

Ella traga saliva y lo mira a él. Cuando asiento, Anton se acerca a su lado de la cama, asegurándose de que ella vea el arma.

—Levántate —le digo a Tóth. Con el arma contra su cabeza, lo empujo hacia el pasillo—. Hacia el garaje.

Él no discute. Me lleva escaleras abajo hasta el garaje doble a través de una puerta en la cocina. Cierro la puerta y enciendo las luces. Se da la vuelta para mirarme, con las manos en alto. Ahora está tranquilo. Demasiado tranquilo.

—Sabes por qué estoy aquí —le digo.

—He oído lo de los otros.

Le muestro una lúgubre sonrisa.

—Las noticias vuelan.

—Te ha enviado esa mujer.

—No me ha enviado nadie.

Él parece confundido.

—¿Entonces por qué estás aquí?

—Por *esa mujer*. —Hijo de puta. Ni siquiera recuerda su nombre. Echo un rápido vistazo al espacio. Parece que hace mucho bricolaje. Los estantes están cuidadosamente organizados con tarros de clavos y tornillos. Hay martillos y sierras colgando de ganchos en la pared—. Coge unas bridas.

El gordo asqueroso va hasta un cajón y saca un montón de bridas.

Acerco un banco de trabajo de una patada.

—Siéntate.

—Haré lo que quieras si prometes no hacerles daño a mis hijos.

—Siéntate —le digo otra vez, más bruscamente.

Se deja caer en el banco, con el flequillo cayéndole sobre el rostro.

—Pon las manos a la espada.

Cuando obedece, le ato las muñecas y sujeto sus tobillos a las patas del banco. Es un ex-militar. Si tiene ocasión, irá a por mí. No es que no pueda tumbarle, pero no tengo intención alguna de meterme en una pelea que despierte a sus hijos. Sin embargo, él no tiene por qué saber eso.

Me mira desde detrás del flequillo cuando rodeo el banco y me detengo delante de él. Su vientre se tensa en la camiseta de tirantes que lleva y sus muslos hacen que sus boxers queden tirantes. No se ha estado cuidando. Parece que el cómodo puesto en el gobierno lo ha relajado.

—*Esa mujer* —le digo—. ¿Cómo se llama?

Su cara se contrae.

—¿Qué?

—¿Cuál es su puto nombre?

—Ha pasado mucho tiempo. Apenas recuerdo su cara.

—No me jodas, mierda. —Ningún hombre olvida algo así. Un nombre tal vez, pero no su aspecto, desnuda y retorcida en un charco de sangre y vómito. Ni siquiera un soldado curtido olvida eso—. Respóndeme.

—158–14–algo.

—He preguntado por su nombre.

—Nunca miraba sus nombres. Es mejor pensar en ellos como números.

Aprieto los dientes.

—Mina. Mina Belan.

—Vale. ¿Y qué?

—Tomaste su declaración.

—Era su superior al cargo.

—¿Qué ocurrió?

—Tú sabes lo que pasó.

—Quiero oírtelo decir.

—¿Esto qué es?

—¿Tú qué crees que es?

—¿Venganza? —Cuando no respondo, pregunta—: ¿Por qué esperar todos estos años? ¿Por qué ahora?

—Te he hecho una pregunta.

—Dijo que los hombres la atacaron en la ducha. La golpearon e iban a violarla, pero un compañero de equipo entró en escena.

—¿Un compañero de equipo?

—Gergo Nagy.

—Ah, así que sí recuerdas *su* nombre.

Me lanza una mirada cortante.

—He estado de misión con Gergo. La Sta. Belan no había sido desplegada con ninguno de los equipos que yo supervisé sobre el terreno.

—Continúa hablando.

—Los hombres retrocedieron cuando Gergo sacó una pistola. Él llamó a los sanitarios.

Camino alrededor de él, digiriendo sus modales templados. Apático. Como un soldado entrenado para infligir tortura.

—¿Qué fue de ese tío, de Gergo?

—Lo dejó no mucho después que ella. Afirmó que la agresión había sido demasiado. Eran buenos amigos, Gergo y Belan.

Entonces, Gergo fue la única persona que la ayudó, que la defendió.

—¿Dónde está él ahora? ¿A qué se dedica?

—No tengo ni idea. No he mantenido el contacto con los hombres que sirvieron conmigo.

—¿Qué heridas sufrió ella?

La tensión de sus hombros es el primer signo de emoción que muestra. Aún más significativo es su silencio. El incidente dejó huella en él, después de todo.

—¿Cuáles fueron sus heridas? —repito, plantándome delante de él con las piernas extendidas.

Él suspira.

—Cuatro costillas rotas, un brazo roto, conmoción cerebral y hemorragia interna.

—La golpearon en la cara. —Siento un frío mortal cuando recuerdo la imagen de sus ojos hinchados, amoratados y ensangrentados—. Repetidamente.

—Sí. —Lo admite con tono contrito.

—Hasta que le fracturaron el cráneo.

—Sí.

Mi ira aumenta. Es una furia fría, la más peligrosa.

—Le dieron patadas mientras estaba en el suelo.

—Sí.

—Hasta que su riñón derecho se partió como una judía.

—Sí.

—Luego le dieron patadas en el vientre.

Él aparta la cara.

—Mírame —le digo con los dientes apretados. Cuando lo hace, repito—: le dieron patadas en el vientre.

—Sí.

—Hasta que le dañaron un ovario.

—Sí. Lo pillo. Puedes detener el juego.

—Le puede resultar muy difícil concebir.

Él agacha la cabeza.

—Sí.

—Pero tú tienes tres hermosos hijos.

Él levanta rápidamente la vista hacia mí. Por primera vez, su voz adquiere una nota de pánico.

—Ellos son inocentes.

—También lo era Mina. —Inclino la cabeza, considerándolo, midiendo su participación en lo que debería de haber sido justicia—. Sin embargo, dijiste lo contrario. Afirmaste que se cayó por las escaleras y luego trató de atribuir sus heridas a sus compañeros de equipo.

—Dije lo que era razonable.

—¿Ah, sí?

—¿Qué esperas cuando arrojas a una mujer joven y hermosa en una habitación llena de hombres, soldados sanos y viriles, que no ven mujeres la mayor parte del año?

Pienso en esa foto, esa Evidencia A, y en sus largos y rubios mechones cubiertos de sangre. Veo a Mina en el ojo de mi mente, irreparablemente rota, su imagen grabada en mi cerebro. Me estoy desmoronando, los bordes de mi alma se desgarran, y lo único en lo que puedo pensar es en ese cabello manchado de sangre. ¿Por qué se cortó una melena tan hermosa?

—Yo siempre había estado en contra de incluirla en el cuerpo de élite —prosigue Tóth—. Sabía que iba a pasar algo así.

Ah. Algo de verdad, por fin.

—¿Es por eso que dejaste a esos posibles violadores marchar con una reprimenda? —Una maldita reprimenda, cuando Mina luchó por su vida en una cama de hospital durante meses. La frialdad se intensifica, arrastrándose lentamente por cada parte de mi cuerpo, endureciendo mi corazón.

—Puedes decir lo que quieras, pero es la naturaleza humana. Claro que iban a ir a por ella. Se duchaba con ellos. Dormía con ellos. Exhibía su cuerpo. Y luego, cuando aceptaron su oferta, ¿va ella y les dice que no?

Será hijo de puta. Quiero matarlo con mis propias manos, pero eso sería demasiado fácil.

—¿Lo dices en serio, joder?

—No era decisión mía. Fue el fallo del tribunal militar.

Vale. Barriendo un escándalo debajo de la alfombra.

—La comisión especial que designó el tribunal se basó fuertemente en tu opinión y recomendaciones.

—Como dije, una mujer no tenía cabida en el cuerpo de élite. Fue una lección para nuestro futuro proceso de selección.

—Una lección de discriminación, quieres decir.

—Mira, no puedo retirar mi decisión. Haz lo que tengas que hacer. Eso no cambiará nada.

Me inclino más cerca de él.

—Ahí es dónde te equivocas.

Él palidece un poco.

—¿Qué quieres de mí? ¿Dinero? ¿Por eso te ha enviado Belan?

—No. —Fuerzo una sonrisa que hace que mi cara duela—. Como ya te he dicho, Belan no me ha enviado, y no quiero tu dinero sucio y asqueroso.

—¿Entonces qué?

—Justicia. —Pongo la nariz a un centímetro de la suya—. Ojo por ojo.

—Si vas a darme una paliza, hazlo ya.

Sacudo la cabeza.

—¿Vas a matarme? —Se echa a reír—. Adelante. No tengo miedo de morir.

—Por supuesto que no. —Sonrío con malevolencia —. Llevas toda la vida entrenado para morir. No, morir sería demasiado fácil.

Él me mira fijamente, y su boca débil se abre un poco.

—Tú hiciste la vista gorda —digo—. Te quedaste callado cuando deberías haber hablado. Te dejaré elegir. ¿Los ojos o la lengua?

Su mal aliento me baña la cara cuando grita:

—¿Qué?

—¿Quieres vivir el resto de tu vida siendo ciego o mudo? Ah, la parte sobre la que no tienes elección es tu polla. —No le mostré a Mina las fotos de su agresor con su polla cercenada embutida en la boca. Parecía lo suficientemente disgustada con las de la paliza.

Tóth niega con la cabeza. Unas gotas de sudor le resbalan por la cara.

—¿Qué? —Sonrío—. ¿Los hombres que te advirtieron no te han contado esa parte? Supongo que están demasiado avergonzados de cómo les han dejado.

Él pronuncia un apenas coherente:

—No.

—¿Qué ha sido eso? —me burlo.

—No, por favor. Solo mátame.

Pienso hacerlo, pero él no necesita saber eso todavía. Doy unos chasquidos con la lengua, mostrando desaprobación.

—¿Y dejar a tu familia en la estacada? Vaya un padre que estás hecho.

—¿Qué tipo de hombre seré si...? —Balbucea.

Le agarro por el pelo.

—¿Lengua u ojos? Elige, o te dejo sin ver ni hablar.

—Dios. Joder.

—No. No te llegará ninguna ayuda de esa parte. Supongo que así debe de haberse sentido Mina cuando suplicaba.

—Y-yo... No. Joder. Mátame. Por favor. Te daré dinero.

Voy a buscar las tijeras de podar que cuelgan de la pared.

—Vale. Jugaremos a tu manera. Empezaré con tus ojos.

—La lengua —grita él. —La lengua. Joder. Jesús.

—Como quiera.

El cabrón no tiene ni una pizca del coraje ni de la fuerza de Mina. Cuando le saco la lengua y estiro de ella, se mea encima.

Es una pena que se desmaye antes de que le corte la polla.

27

MINA

*E*star encerrada me está volviendo loca poco a poco. No estoy acostumbrada a estar fuera de servicio. Me crezco con el peligro y la adrenalina, no aquí enjaulada en casa de Yan sin nada que hacer excepto cocinar. Es verdad, hay mucho de adrenalina y peligro en mi situación actual, suficiente para mantener despierta a la oscuridad que hay en mí, pero soy una participante pasiva, involuntaria... excepto cuando Yan me lleva a la cama. Aunque regodearme en lo que no puedo cambiar solo conseguiría empeorarlo, así que ignoro la apatía que me devora y me voy directa a dormir después de cenar.

Yan me sigue poco después, y sus brazos me rodean dándome seguridad, atándome a él de una forma que va más allá de lo físico. Me intriga, este peligroso asesino. Me siento atraída por él en la misma medida en que quiero escapar de esta enloquecedora prisión.

Es contradictorio. Confuso. Me hace estar todavía más inquieta.

—¿Que sucede? —me susurra él al oído.

—Nada.

—No has dicho una palabra durante la cena.

—¿Es darte conversación otro de tus requisitos? ¿Además de ser tu juguete sexual?

—Mina. —Su tono es de advertencia, y no es sutil.

Cierro la boca antes de decir algo que solo empeorará una situación ya imposible. Su mano roza mi vientre por debajo de la camiseta de algodón que llevo puesta, y se posa sobre mi cadera. Ya la tiene dura. Sé lo que quiere, pero no estoy segura de poder sacudirme este humor extraño e indiferente.

—Estoy cansada —susurro.

Él se queda inmóvil, en nuestra posición haciendo la cuchara. Espero a que discuta o me desafíe, pero solo me pasa el brazo por la cintura otra vez y me aprieta más fuerte contra él. Cuando cambia a una posición cómoda, como suele hacer antes de dormirse, siento una necesidad inexplicable de llorar. No ha tratado de forzarme ni de seducirme. Simplemente ha aceptado que estoy cansada, y me siento desgarrada de una forma poco habitual, a la vez patéticamente agradecida por su consideración e irracionalmente triste por la idea de que es posible que haya herido sus sentimientos.

Tomo una bocanada de aire breve y temblorosa.

—No es por ti.

—Duérmete —dice con tono seco, pero su frialdad

se resquebraja dejando entrever un atisbo de calidez que se le escapa por las grietas.

Cierro los ojos, bloqueo los pensamientos perturbadores que se repiten en bucle en mi mente, y no me cuesta mucho quedarme dormida. Estoy cansada de verdad. Pero el alivio temporal que me da el sueño no dura mucho, porque pronto estoy de vuelta en aquel coche, con la nieve y los árboles pasando rápidamente a mi lado y los faros iluminando el asfalto de la carretera.

Volvemos la curva, y se me hace un nudo en el estómago. Soy Mina, la adulta, sentada en la parte de atrás. Miro como un observador como el coche se detiene. Es Mina, la adulta, la que sale con mis padres, la adulta que se supone que debe protegerlos, pero la pistola en mi mano es brillante y azul. De plástico.

—¡No!

Se oye un disparo. Mi madre cae, con sus rubios cabellos cubriéndole el rostro.

¡Pum!

Mi padre cae de rodillas.

—¡No!

Salto sobre los hombres, golpeándoles los brazos blancos, flácidos, con marcas de jeringuillas, lo suficiente como para inmovilizarlos. Solo lo justo para atarlos y hacer que me miren, pero ellos no conocen a la Mina adulta. Solo conocen a la niña pequeña. Y hace mucho que olvidaron a mis padres. Morirán sin confesar su pecado, porque no pueden confesar un pecado que ni siquiera son capaces de recordar.

—¡Mina!

La voz de mi secuestrador se convierte en la voz de mi salvador en el sueño. Me saca de las garras de la pesadilla y me devuelve a la realidad.

—Despierta.

Abro los ojos, sabiendo que he gritado. Siempre grito en esta parte.

—Lo siento. —Mi camiseta está empapada de sudor.

Enciende la lámpara de la mesita de noche y se levanta, apoyando la espalda contra la cabecera.

—Ven aquí.

Me acerco a la curva de su brazo, necesitando el calor, la comodidad.

Él me besa la coronilla.

—¿El mismo sueño?

Yo asiento.

—Están muertos, esos hombres —dice él—. Han pagado por lo que hicieron.

Paso un dedo sobre la sombra de vello oscuro de su antebrazo.

—¿Pagaron por lo que hicieron si no eran capaces de recordarlo siquiera?

—¿No lo eran?

—Estaban colocados cuando les disparé. Tal vez estuvieran drogados la noche que ellos...

—Dilo. —Me empuja suavemente cuando dejo de hablar.

Sé por qué está haciendo esto. Este tipo de cosas se infecta cuando lo escondes bajo la piel, los huesos y la carne, cuando lo entierras en tu corazón.

Yan sigue mirándome, esperando, así que cojo aire y suelto de golpe:

—La noche que mataron a mis padres. —Mi pecho se vacía con el esfuerzo.

Me acaricia con los nudillos un lado de la cara.

—Cuéntamelo.

Quiero hacerlo, pero no porque lo hubiera enterrado. No lo hice; solo me había quedado insensible. Helada como la nieve y el hielo de aquella noche. No había tenido esa pesadilla en muchos años, pero desde que Yan me capturó, ha vuelto con más fuerza. Y sospecho que la razón es que Yan está descongelando lentamente mi corazón, haciéndome sentir de nuevo. Haciéndome vulnerable.

—¿Cómo te libraste? —pregunta con suavidad.

Un escalofrío me atraviesa.

—Eché a correr. Corrí muy rápido. Me escondí en el bosque y esperé. Pensé que mis padres vendrían a buscarme cuando los hombres malos se fueran, pero tardaban mucho y yo tenía tanto, tanto frío.

Me frota el brazo como si tratara de disipar el frío de esa noche.

Continúo, porque sí me siento mejor contándoselo.

—Al final, me fui a buscarlos. Al principio no lo entendía. Entonces sentí la humedad, la sangre. Vi los ojos de mi padre, vidriosos como canicas, antes de ver el agujero de su cabeza.

—¿Qué hiciste?

—Nada. Solo... empecé a caminar. —Me encojo haciéndome pequeña a su lado, escondiéndome en la seguridad que me ofrece—. No sentía el dolor, solo el frío. Todavía no lo siento del todo. A veces, es casi como si le hubiera pasado a otra persona, como si la niña a de mi sueño fuese una extraña.

—Distanciamiento —reflexiona, arrastrando su barbilla por mi cabello—. A menudo es un mecanismo de defensa en casos de trauma severo.

Miro fijamente donde mi mano está agarrando mi rodilla, con los nudillos blancos.

—Ellos trataron de curarme durante mucho tiempo.

—¿Ellos?

—Los psiquiatras. Los terapeutas. Los orientadores del colegio. Decían que yo era disfuncional. Que no era normal. Con dificultades para hacer amigos y formar nuevos lazos afectivos. Con falta de empatía y una malsana fascinación por el peligro. Fui a terapia una vez por semana durante años, sin éxito. Finalmente se dieron por vencidos cuando empecé el instituto.

El cuerpo de Yan se tensa contra mí.

—No tenían ningún derecho a juzgarte. Nadie es todo dulzura y luz, arcoíris y cachorros. No en el fondo, donde importa. Todos llevamos la oscuridad dentro de nosotros mismos. Algunos simplemente tienen el lujo de no descubrirlo nunca. En cualquier caso, *normal* es un concepto vago y complicado. ¿Qué es normal aparte de una generalización amplia basada en los estándares y valores de la mayoría de las personas del planeta? El hecho de que seas diferente no significa que no seas normal.

Mi pecho se llena de una refulgente calidez, algo nuevo para mí. Nadie me había defendido así antes.

—Supe que yo era diferente desde el momento en que me quedé parada junto a los cuerpos de mis padres. Instintivamente, supe que no iba a ser como otros niños. Ellos nunca me comprendieron, y yo nunca les comprendí. Sencillamente era más fácil estar sola.

Él pone su mano sobre la mía.

—De cualquier manera, tener amigos está sobrevalorado.

Algo suave se instala dentro de mí. Él no me está juzgando, y es algo liberador. Es muy parecido a sentirse en paz.

—Eso me convirtió en una candidata ideal para ser francotiradora. Así que esa es la ventaja, supongo.

—Apuesto a que sí. —Me aprieta más fuerte—. Una perfecta pequeña asesina. ¿Es esa la carrera que siempre tuviste en mente?

—Al principio, quería cargarme a los malos. Luego me di cuenta de que lo bueno y lo malo son conceptos muy grises, y que los tipos malos podrían ser tus propios camaradas, los mismos hombres que habían jurado cubrirte las espaldas.

—Y ahí fue cuando te pusiste a trabajar por libre.

—Sí. —Levanto la vista, sonriendo con ironía—. Aunque todavía soy selectiva con los trabajos que acepto. —Cuando su rostro se oscurece, sin duda al recordar que supuestamente le había hecho pasar por terrorista, rápidamente cambio de tema—. ¿Y qué hay de ti? ¿Fue difícil la primera vez?

—Más fácil de lo que debería haber sido. —Su mirada se vuelve insondable—. Dijiste que te sentiste fantástica. Yo, no sentí nada. Sentí abrirse la carne al clavar el cuchillo en el costado de ese asqueroso hijo de puta. Sentí la calidez de la sangre al resbalar por mis dedos. Pero eso fue todo. Nada más. No necesité hablar de mis sentimientos después. No tuve remordimientos. Solo otra casilla que tachar de la lista.

Interesante. Y él solo tenía dieciséis años. ¿Significa eso que él es aún más disfuncional que yo?

Mis loqueros se habrían puesto las botas con él.

—¿Por qué no tienes un nombre profesional? —pregunto.

El ríe suavemente.

—No necesito ninguno.

Le doy un puñetazo amistoso en el brazo.

—Ay —dice, aunque sé que apenas lo ha notado. Cuando no muerdo el anzuelo, me da un beso en la sien y me pregunta—: ¿Por qué Mink?

Respiro hondo.

—Justo antes del secuestro, le pedí a mi madre una galleta. Ella dijo que tenía que esperar hasta la cena. —Era una cosa muy de mami para ella, la comida sana iba primero—. Me apetecía un montón esa galleta, pero no insistí porque entonces yo todavía era una buena chica, hasta aquel instante en que comencé a caminar sola por aquella carretera. —Arrinconando ese recuerdo, prosigo—. La marca de las galletas era Mink. Eran de pepitas de chocolate y menta. Desapareció del mercado hace unos años. ¿La conocías?

Él niega con la cabeza.

—Las galletas no abundaban en el sitio de donde yo vengo. Si me hubiera comido una Mink alguna vez, lo recordaría.

Le rodeo la cintura con los brazos, consolándole, porque todos los niños se merecen comer galletas.

—¿Qué paso después de echarte a andar? —pregunta.

—Caminé durante horas, creo. Por fin pasó un coche. La conductora se detuvo. Era una amable señora, de camino a visitar a su familia. Me llevó hasta la comisaría más cercana. Ellos se pusieron en contacto con mi abuela.

Él me acaricia el costado con un pulgar.

—¿Cuándo te hiciste el tatuaje?

—En el mismo momento en que cumplí dieciocho años. Es mi propia versión de una lápida.

—Eso es muy bonito. Estoy seguro de que ellos lo habrían aprobado. —Alza su mano hacia mi cuello y traza el tatuaje de allí—. ¿Qué hay del colibrí?

Me resulta difícil no ponerme tensa y delatarme.

—Simboliza la vida.

¿Y de qué me sirve ahora? Me lo hice después de mi primer tratamiento de quimioterapia como un pequeño símbolo de victoria, de mi lucha por vivir. Durante la mayor parte de ese primer año después de ser diagnosticada, odiaba mi cuerpo por ser defectuoso, por fallarme cuando yo comía saludablemente, me ejercitaba religiosamente y necesitaba mi trabajo peligroso como comer y respirar. Y no era solo por cuestión del dinero. La adrenalina de las misiones me hacía sentir viva. Era lo único que me recordaba que seguía teniendo un corazón.

Hasta Yan. Ahora él también me lo recuerda. De muchas otras maneras.

—Me gusta —dice.

—¿Sí?

Él recorre con un dedo los piercings de mi oreja.

—Todo.

—¿Por qué? —Una parte de mí quiere que él admita que le gusta algo más que lo que ve en la superficie.

—Ya sabes por qué.

—No lo sé.

—Estoy seguro de que eres consciente del efecto que ejerces sobre los hombres.

Esta vez, no soy lo bastante rápida como para ocultar la rigidez que se adueña de mis músculos. Yan no es tonto, y es excepcionalmente inteligente para leer a la gente. Especialmente a mí, al parecer.

Me agarra por la barbilla, afilando su perceptiva mirada.

—Después de Budapest, ¿con cuántos hombres te acostaste?

Él quiere decir después de que folláramos como animales en su cama. Le digo la verdad.

—Con ninguno.

Su mirada se agudiza aún más, y una tinta de oscura posesividad inunda las magníficas profundidades verdes de sus ojos.

—¿Y antes de Budapest?

Esa es una verdad que no estoy preparada para compartir. Intento apartarme, pero él me sujeta con fuerza.

—Respóndeme, Mina.

—Tuve algunas aventuras después del instituto. Ninguna de ellas fue nunca seria.

—Eso no es lo que te he preguntado. Antes de mí, ¿cuándo fue la última vez?

Me muerdo el labio.

—No me puedo acordar.

—Creo que sí que puedes.

—No quiero hablar de ello.

Sus duras facciones me observan con un gesto reflexivo.

—¿Fue antes o después de que dejaras el ejército?

Lo conozco lo suficientemente bien como para saber que no lo va a dejar correr.

—Antes —admito suavemente.

Su forma de sujetarme es fuerte, su pregunta implacable.

—¿Por qué?

—Después del incidente, no podía dejar que ningún hombre me tocara.

—¿Por qué yo, entonces?

—¿Por qué tú qué? —pregunto, intentando retrasarlo.

—¿Por qué te acostaste conmigo? ¿Fue una diversión para escapar? ¿O pensaste que si no yo te mataría?

La acusación de Ilya me vuelve a la mente. Dijo que

yo me había acostado con Yan porque creía que era o tirármelo o morir. Ahora Yan quiere saber si solo tuve relaciones sexuales con él para salvar mi propia piel. Es tentador mentir para protegerme, pero lo que compartimos es demasiado grande para dejar que crea eso.

—Me acosté contigo porque quise hacerlo —admito—. Pensé que mi cuerpo estaba muerto para todos los hombres, pero tú rompiste ese hechizo. Me hiciste volver a la vida.

La satisfacción y la pura posesión masculina oscurecen sus pupilas. En un abrir y cerrar de ojos, se convierte en el depredador que me acecha. Estoy apretada y atrapada debajo de él antes de poder respirar.

—Te dije que éramos los dos iguales —dice contra mis labios—. Yo tampoco me he follado a otra mujer desde entonces, y tus manos definitivamente hacen que mi cuerpo cobre vida.

Para demostrarlo, frota su erección contra mí, dejándome sentir mi efecto sobre él. Y esta vez, mi piel se calienta en respuesta y mi respiración se acelera a medida que mi cuerpo, el que él había devuelto a la vida en Budapest, se despierta rápidamente, y mis molestias de antes desaparecen.

—Te deseo —dice con voz ronca—. ¿Sigues cansada?

—No. —Y extiendo las piernas para rodear sus caderas con ellas, dejándole que me toque, que me haga sentir toda la belleza y el dolor de estar viva.

AL LLEGAR EL DÍA, UN TIERNO BESO EN MI HOMBRO ME despierta.

—Es hora de levantarse.

Me acurruco más bajo las sábanas mientras Yan sale de la cama. —¿Para qué? No tengo donde ir ni nada que hacer. Me quedaré aquí hasta media mañana, hasta el mediodía o hasta la noche.

—Ilya está haciendo tortitas —dice Yan.

—No tengo hambre.

Me pongo la sábana por encima de la cabeza, solo para gritar cuando el cálido edredón es arrancado repentinamente de mi cuerpo y una ráfaga de aire frío contrae mi piel.

—¿Pero qué...?

Yan me tira una camiseta y un par de pantalones cortos.

—Levántate.

Agarro las prendas de ropa de mala gana.

—¿Qué problema tienes?

—Nos vamos a correr.

—¿Qué?

—Debes salir, hacer ejercicio. Por eso estás tan gruñona.

—No estoy gruñona.

—Estás deprimida.

—¡No estoy deprimida!

Él me mira con los brazos en jarras y el ceño fruncido.

—La negación es el primer síntoma de la depresión.

—Vale. Ponme la etiqueta que quieras. Me han llamado cosas peores.

Me agarra por el tobillo y me arrastra hasta el borde de la cama.

—¿Qué estás haciendo? —chillo.

—Te llevaré fuera a rastras en bragas y camiseta, o puedes vestirte antes. Tú eliges.

—Gilipollas —murmuro, incorporándome.

Él sonríe.

—Llámame eso otra vez, y no podrás volver a sentarte en una semana.

Cierro la boca, porque no dudo que cumplirá su amenaza.

—Ahora, Mina. —Tiene la audacia de chasquear los dedos en mi dirección mientras va de camino al baño.

—Mula cabezota —murmuro, saliendo de la cama.

Nos vestimos sin hablar, yo de mal humor y él de un humor irritantemente bueno. Cuando entramos en la tranquila sala de estar, está claro que Anton e Ilya aún no están despiertos. Le lanzo a Yan una mirada con los ojos entornados. Me ha mentido sobre lo de las tortitas.

—No te preocupes —dice con un guiño—. Yo te hago las tortitas a la vuelta.

Me cuelga una toalla de ejercicio del cuello y me empuja hasta la puerta con un:

—Vámonos.

Aspiro el aire de la mañana cuando salimos a la calle, y me pongo a su lado cuando él comienza a trotar hacia el casco antiguo. Su ritmo es agotador, pero tan pronto mi cuerpo siente la adrenalina, se anima. Mi energía resurge con rapidez. Le sigo el ritmo, y hasta le hago correr un poco más. Corremos una hora entera, antes de detenernos a hacer algo de entrenamiento de resistencia, usando una zona de ejercicio al aire libre del parque.

Cuando acabamos, estoy sudando, pero mucho más feliz que cuando salimos del apartamento. Este ejercicio extenuante era exactamente lo que yo necesitaba.

—¿Lo ves? —dice, dándome un suave puñetazo en el hombro—. Tenía razón.

Pongo los ojos en blanco.

—Todos los hombres creen que tienen razón.

—Admítelo —dice con una chispa de brillo en los ojos.

—Vale. Lo he disfrutado. ¿Ya estás contento?

—Eufórico. —Me da un besito en los labios—. Te echo una carrera de vuelta.

Siempre estoy lista para un desafío. Y siempre gano. Por supuesto, él dice que yo solo he ganado porque me ha dejado ganar.

28

MINA

*L*os días siguientes al que Yan me arrastró a hacer ejercicios matinales al aire libre son más fáciles. A pesar de que mi energía viene y va, corremos y nos entrenamos cada mañana. Eso me ayuda a canalizar mi frustración y ahuyentar los sentimientos depresivos. Y ese no es el único regalo que me da. También me sigue vengando.

Diez hombres más.

Yan me muestra las pruebas de sus torturas igual que un gato le traería orgullosamente un ratón a su dueña... un ratón vivo, con el que ha estado jugando cruelmente. Estoy aterrorizada por que pueda tropezarse con Gergo en cualquier momento, pero por ahora, parece que solo está centrado en los hombres que me agredieron. También me preocupa que esa violencia nos salpique y tengamos que salir huyendo antes de terminar el trabajo de Praga, pero mis ex-compañeros no están hablando de sus encontronazos con el equipo de mercenarios de Yan. No es como si pudieran presentar cargos. ¿Qué iban a decir? No quieren que el mundo sepa lo que han hecho, o lo que se les ha hecho a ellos como represalia. Yan tiene la intención de dejar que sufran por un tiempo; luego regresará para acabar con ellos. Por supuesto, le cuesta eliminarlos a todos, y para cuando solo le queda un nombre en la lista, estamos a dos días de nuestra reunión con Dimitrov.

El nivel de estrés es alto. El apartamento es pequeño y los hombres se ponen nerviosos los unos a los otros. Es bueno que esto vaya a terminar pronto. No solo para los hombres, sino también para mí. A medida que pasan los días, mis fuerzas se deterioran. Está sucediendo más rápido que antes. Casi puedo sentir como las células defectuosas crecen dentro de mi cuerpo, destruyéndome poco a poco.

Y a medida que me deterioro invisiblemente, nuestro plan progresa.

Dimitrov utiliza el número seguro que le di para asegurarse de que nuestro encuentro sigue en pie. El cuadro está seco, gracias a que se ha usado pintura acrílica. El hecho de que no se trata de un óleo será obvio al inspeccionarlo de cerca, pero para entonces, Dimitrov ya tendrá una bala en el cerebro. Me pruebo el vestido con los postizos y practico mi papel. Trabajo en el personaje. Volvemos al hotel y hablamos con el gerente, asegurándonos de que todo esté preparado. Hacemos un simulacro en el escenario. Alquilamos una habitación en otro hotel calle arriba donde puedo disfrazar a los dos guardias de seguridad del hotel. Yan e Ilya prueban las armas. Limpian y desmontan los rifles para llamar menos la atención al transportarlos. Comprueban la cuerda y hacen rappel en un centro de entrenamiento bajo techo. Al mismo tiempo, seguimos teniendo un ojo puesto en Casmir Dimitrov y Natasha Petrova, por si él se comporta de manera sospechosa o ella hace algún cambio repentino en su agenda. Pero todo transcurre sin problema alguno... que es por lo cual todos estamos extra tensos. En nuestro negocio, nunca es buena señal que las cosas vayan demasiado viento en popa. Sin embargo, nadie lo dice en voz alta, porque eso solo conseguiría gafarlo.

Esa noche, cenamos tranquilamente y vemos una película para relajarnos, ya que todos están con los nervios a flor de piel. Yo me siento en el sofá al lado de Yan, y Anton ocupa el sillón. Ilya está haciendo palomitas en la cocina. Es una estúpida película de terror, una película que nos hace reír en vez de asustarnos. Yan me rodea los hombros con su brazo. Sus dedos juguetean con mi antebrazo, enviando unos deliciosos escalofríos por mi piel. Es una caricia relajante. Conocida. No me puedo creer lo rápido que él ha pasado a formar parte de mi vida, cuánto le echo de menos cada vez que no está, aunque solo sea un minuto.

Durante las últimas tres semanas, mi captor se ha convertido de alguna manera en mi ancla.

Ilya se une a nosotros por fin con un bol de palomitas de maíz, metiendo un puñado en su boca mientras se hace sitio a empujones a mi lado. Como era de esperar, Yan se pone rígido y el suave roce de sus dedos en mi brazo se detiene.

Vuelvo la cabeza y le miro.

—Esta noche no —le susurro en tono de súplica, y le doy un beso en la mejilla. No quiero que se peleen.

Él me agarra por la barbilla antes de que pueda volver a mirar al televisor. Mientras me sostiene la mirada con ojos llameantes, baja su boca hacia la mía y me planta un apasionado beso. Mis mejillas se enrojecen un poco al pensar que Ilya y Anton están mirando, pero el beso parece tranquilizar a Yan, porque vuelve a ponerse a acariciar mi brazo.

Ilya me ofrece el cuenco, y yo me sirvo. Las palomitas de maíz están calientes. Se derriten con un sabor a mantequilla en mi lengua. Me quedo absorta de nuevo en la estúpida película hasta que Ilya recoge las palomitas de maíz que he dejado caer en mi regazo.

—Cuánto ensucias al comer —dice, con un empujoncito cariñoso.

Yan le atraviesa con la mirada. Anton carraspea.

La mujer de la pantalla abandona la seguridad de su casa para ver quién se esconde en el bosque. Todos nos reímos de eso.

—Eso es tan poco realista —se queja Anton.

—Si no hicieran cosas idiotas, no habría película. —Ilya empuja su pierna contra la mía—. Díselo, Mina.

Yan se tensa de nuevo. Desde el episodio del restaurante, ha hecho un gran esfuerzo para comportarse de manera menos posesiva, incluso con

Ilya. Es como si estuviera tratando de compensarme por su comportamiento de esa noche, por la forma hiriente que me recordó cuál era mi sitio. Y yo quiero creer en esto, quiero confiar en que el afecto que me muestra nace de otra cosa aparte de la atracción física, pero también soy sensata al respecto.

Da igual lo real que esto parezca, no soy más que otra de sus posesiones.

Efectivamente, cuando Ilya estira su brazo a lo largo del respaldo del sofá, abrazándome desde el otro lado, Yan se pone de pie de un salto.

Con los dientes apretados, me tiende la mano.

—Ven, Mina. Es hora de acostarse.

—La película no ha terminado —protesta Ilya—. Iba a hacer chocolate caliente.

—Disfruta del resto de la película con tu chocolate caliente —responde Yan con frialdad.

Mi captor ya no me dice cuándo ducharme o comer, pero cuando me ordena que me acueste, no discuto. Eso solo consigue cabrearle. Además, reconozco cuándo se está gestando una pelea.

Tomando la mano ofrecida por Yan, dejo que me ayude a levantarme. Él me arrastra tirando de mí hasta el dormitorio. Para mi sorpresa, Ilya se levanta y lo sigue.

Yan se detiene en la puerta y se vuelve hacia su hermano.

—¿Qué cojones estás haciendo?

—Mina. —Ilya se mete las manos en los bolsillos—. No tienes que tener miedo de la reacción de Yan. De hecho, imagina que no está aquí. Quiero que me lo digas honestamente. ¿Estás con él porque quieres estar?

Yan da una sacudida, yendo hacia Ilya, pero Ilya salta hacia atrás.

—Tú, cabronazo. —Yan le mira fijamente con los puños apretados—. ¿Cuál es tu puto problema?

—Creo que Mina podría sentirse atraída por mí —dice Ilya con tranquilidad—, si le permitieras mirar a alguien más.

—¿Sabes lo que creo? —pregunta Yan, con los labios apretados—. Creo que tienes un impulso suicida.

—Chicos. —Me interpongo entre ellos—. Dejadlo estar.

—No —interviene Anton, uniéndose al círculo—. Yo quiero saberlo. —Me mira. —Dínoslo, Mina.

Trago saliva y mi mirada salta de uno a otro.

—¿Pero qué te pasa? ¡Vamos a por Dimitrov en dos días!

El mentón barbudo de Anton se adelanta.

—Deja de usar eso como excusa. Dinos la verdad ahora. ¿Sientes algo por Yan?

Lo miro asombrada, y mi boca se abre y se cierra, como un pez fuera del agua. Espero a que Yan le diga a Anton que no es asunto suyo, pero él solo se queda allí, mirándome. Esperando.

Joder.

—Esto no es justo —digo.

Yan se cruza de brazos. No va a rescatarme.

—Lo que no es justo —continúa Anton—, es andar jugando.

—¡Yo no estoy jugando a ningún juego!

Antón se pone en postura más desafiante, ocupando más espacio.

—Entonces responde a la pregunta.

Yan lo fulmina con la mirada.

—Atrás.

—Solo queremos que ella nos lo diga —dice Anton—, ya que parece tenerte comiendo de la palma de su mano.

Lo miro con los ojos entornados.

—¿Qué quieres decir?

—No lo sé, Mina. Que tal vez estás usando tu cuerpo como arma contra Yan.

Me lanzo y lo abofeteo sin pensar. Mi palma resuena con un *plas* seco contra su mejilla antes de que tenga la oportunidad de apartarse. Ya he tenido bastante de esas falsas acusaciones.

—Yo no he pedido esto —gruño mientras él me mira con incredulidad, sujetándose con la mano su cara enrojecida.

Apenas he pronunciado esas palabras cuando Yan agarra a Anton por el frontal de su camisa. En un abrir y cerrar de ojos, los dos hombres empiezan a pegarse. Hay puños volando en todas direcciones. Ilya se agacha justo a tiempo cuando un brazo de Yan le pasa rozando la cara antes de aterrizar en la mandíbula de Anton. El golpe hace que Anton se tambalee. Su espalda choca contra la pared.

—¡Basta! —Interponiéndome entre ellos de un salto, intento separarlos, pero Yan es demasiado fuerte.

Me aparta de un empujón como si nada.

—No te metas en esto, Mina.

Ilya me agarra por el brazo y me aparta.

—Déjalos que se peleen.

—Tú has empezado esto —le acuso, soltándome.

Sosteniendo a Anton clavado contra la pared con un brazo apretado contra su garganta, Yan levanta el puño.

—Pídele disculpas a Mina.

La oscura mirada de Anton solo se endurece.

—No antes de que ella admita la verdad. No pienso disculparme por nada.

El ruido de un crujido reverbera cuando Yan le da un puñetazo a la nariz de Anton. Luego se aparta, jadeando, mientras Anton se agarra la cara y suelta una sarta de palabrotas.

—Me has roto la puta nariz —gruñe, mientras la sangre le chorrea por los dedos.

—Mis disculpas —dice Yan con los dientes apretados, acercándose otra vez hacia él.

Agarro el brazo de Yan antes de que pueda darle otro golpe.

—No me hacen falta sus disculpas. No necesito nada de él.

Anton suelta un bufido.

—La verdad es fea, ¿no? Y tampoco es fácil de admitir.

Me planto frente a él.

—Tú no sabes nada de mí. —Me giro para mirar a los tres hombres—. Sois increíbles. —Estoy temblando de indignación y de rabia—. Será mejor que os comportéis y mantengáis vuestra testosterona bajo control. Solo tenemos una oportunidad de cargarnos a Dimitrov. —Le doy unos golpecitos con la punta del dedo a Anton en el pecho—. Intenta centrarte en eso.

Me voy derecha hacia la habitación de Yan y cierro la puerta. Les dejo que se peleen, como sugirió Ilya. Por lo que a mí respecta, pueden matarse unos a otros. Al menos así yo sería libre. Pero sin lo que me falta para poder pagar la estancia de Hanna en la clínica de por vida.

Camino hacia la ventana y miro a través de los barrotes antirrobo, contemplando la calle tranquila de abajo pero sin ver nada. Me siento como un hámster en una jaula. Atrapada y más que frustrada. No hay ninguna salida para mí. Sigo diciéndome a mí misma que da igual. En unos meses, habré muerto. Pero no da igual. No lo da, porque no quiero que las cosas sean así. Me he estado mintiendo todas estas semanas.

Me importa. Demasiado.

Mi cuerpo no es la única parte de mí que Yan ha devuelto a la vida.

La puerta se abre y se cierra. Por un momento, la habitación está tan silenciosa como si nadie hubiera entrado, pero puedo sentirlo allí de pie. Es Yan. Puedo notar cómo me observa.

No me vuelvo para mirarlo. No quiero que lea la verdad en mis ojos.

El suelo cruje cuando él se acerca. Se detiene justo detrás pero no me toca. El calor de su cuerpo se despliega a mi alrededor, ofreciéndome una comodidad imaginaria, una felicidad momentánea.

—Mina —dice por fin, con voz suave—. Mírame.

Cuando no reacciono, me coge por los hombros y me da la vuelta para que lo mire. La expresión de su rostro es tan suave como su voz. Contiene una disculpa, pero no remordimientos. No se siente mal por lo que está haciendo. No va a dejarme ir.

Me estudia durante mucho tiempo antes de volver a hablar.

—Anton e Ilya están nerviosos. Todos estamos tensos.

—¿Estás justificando su comportamiento?

—Solo poniéndolo en perspectiva.

Supongo que es noble por su parte intentarlo y tratar de suavizar las cosas, especialmente sabiendo lo posesivo que es.

—¿Por qué me odia tanto? ¿Cuántas veces tendré que disculparme por lo de aquel trabajo?

—Anton no te odia. Soy yo. No me estoy comportando como siempre. Eso le preocupa, especialmente antes de un golpe.

—¿Qué quieres decir con que no te estás comportando como siempre?

—Nunca he estado apegado a nadie excepto a Ilya. Esto... —Hace un gesto con la mano entre nosotros—. Anton no entiende lo que está pasando. Llevamos trabajando juntos muchísimo tiempo. Él sabe cómo soy. Cree que soy incapaz de que nadie que no sea de la familia me importe, por lo que piensa que tú me manejas porque me tienes cogido por los huevos. Ya hemos tenido a un líder de equipo, Peter, que se retiró debido a una mujer; él no quiere que a mí me pase lo mismo.

Es la parte de que le importo algo a la que me aferro.

—¿Yo te importo?

—¿No es evidente?

—Creía que me odiabas.

Él no me responde.

Se me encoge el corazón.

—Así que sí me odias.

—Odio lo que hiciste.

—Es lo mismo.

Su mirada se dirige hacia mí como si estuviera bebiendo de mis propios pensamientos.

—Siempre ha habido química entre nosotros, Mina. Nos hemos deseado desde el principio. Y esperaba intentarlo contigo, para ver a dónde nos llevaría eso... —Me suelta y se pasa una mano por la cara.

—Pero no pudiste porque te tendí una trampa —termino por él, con mi pecho encogiéndose en agonía. No me puedo creer que Yan me esté revelando tanto, dejándome entrever el hombre que hay por debajo de la máscara fría y distante que presenta al mundo.

Un hombre que puede ser vulnerable. Que puede sentir.

Su boca dibuja una mueca.

—Ponte en mi lugar. Al saber con qué facilidad me echaste a los tiburones, ¿cómo te habrías sentido tú?

Hasta el último de mis átomos clama que diga la verdad, pero no puedo hacerlo sin poner la vida de Gergo en peligro. No me queda más remedio que aceptar las consecuencias de mi mentira y vivir con ellas.

—Así que nunca dejarás de castigarme.

—No te estoy castigando.

—Entonces déjame marchar.

Me mira como si lo hubiera abofeteado.

—¿Quieres marcharte? Después de todo lo que hemos compartido, ¿tan poco significo para ti? ¿Igual que cuando me vendiste?

Aprieto la mandíbula con frustración.

—No, Yan. No me refería a eso. No quiero irme. Pero, ¿cómo puede haber algo entre nosotros sin que haya libertad ni confianza?

—¿Qué motivos tengo para confiar en ti?

Las lágrimas me escuecen en los ojos.

—No voy a escapar.

La incertidumbre cruza por su rostro. Me mira como si quisiera creerlo, pero es incapaz.

—Eso es lo que dijiste antes de escaparte.

—No me escapé. Fui a ver a mi abuela.

—¿Por qué?

—Ya sabes por qué.

Mi respuesta lo decepciona, puedo notarlo.

—Tal vez la carta de la confianza no esté entre las que nos han repartido.

La derrota me cansa, y el cansancio habitual se

apodera de mí cuando la adrenalina de la pelea desaparece.

—Entonces no tenemos nada de qué hablar. —Intento sortearle, pero él me agarra por la muñeca.

—Hay más de qué hablar.

—Ahora no, ¿vale? Necesito una ducha.

—Ahora. —Él es inamovible, su boca dibuja una línea decidida—. No has respondido a la pregunta de Ilya. ¿Sientes algo por mí?

Lo miro fijamente, y el dolor en mi pecho se intensifica. ¿Le digo la verdad? ¿Me atrevo a admitirlo, incluso ante mí misma? Desde la muerte de mis padres, he sentido muy poco, he ido por la vida en piloto automático, subsistiendo con el amor de Hanna y la adrenalina de mis trabajos. Pensé que era imposible para mí amar, sentir algo más allá de una leve atracción, pero estaba equivocada.

Muy, muy equivocada.

Yan se acerca y me pone la mano en la mejilla.

—Dímelo, Mina. Solo concédeme esta verdad.

Me está mirando como si necesitara la verdad con cada fibra de su ser, como si la respuesta fuera su alfa y omega. Considero mentir para proteger mi corazón y mi orgullo, pero ¿qué sentido tiene? No voy a irme a ninguna parte. Perdí esa guerra hace mucho tiempo. Y puede que Yan no me haya dado su confianza, pero me ha hecho el regalo de la venganza, y tanto de sí mismo como es capaz de dar. El hombre que es incapaz de dar afecto fuera del sexo se ha abierto a mí, dejándome mirar dentro de su corazón helado. Por eso, y por hacerme sentir de nuevo, se merece la verdad.

Por el poco tiempo que nos queda, ambos nos merecemos la verdad.

—Sí. Tengo sentimientos hacia ti. —Mi confesión se me escapa con la ráfaga de un suspiro, con el peso de la derrota aplastándome antes aún de que las palabras hayan salido—. Yan... estoy enamorada de ti.

Su expresión es una mezcla de conmoción y satisfacción que se convierte en tierna posesión. Rodeándome con los brazos, me atrae hacia su pecho. No es una caricia exuberante que celebra el amor. Es un gesto que ofrece comodidad, una tirita sobre una herida. Me abraza y me consuela por haber perdido no solo mi libertad, sino también mi corazón.

—Minochka —murmura—, haré que valga la pena. Te lo prometo.

El hecho de que él no corresponda a mi declaración de amor no se me escapa. Él desea mi cuerpo. Se preocupa por él como alguien cuida a una mascota, asegurándose de que esté alimentado y sano para cumplir con los propósitos de su dueño. Incluso puede preocuparse por mi mente, en su propia forma retorcida, pero jamás me amará. Esa idea duele, pero el tiempo se me escapa y no me queda hueco para el resentimiento ni el dolor.

Derritiéndome contra él, tomo lo que sí puedo tener. Acepto el afecto físico, la desconfianza y la culpa inevitable que me llevaré a la tumba. Asumo la responsabilidad de mis sentimientos y bajo mis defensas, dándole acceso tanto a mi cuerpo como a mi alma.

Anton estaba equivocado. No es mi cuerpo el que he usado como arma; son los muros que había construido alrededor de mi corazón. Pero ahora, no me quedan más armas.

Le he dado a Yan el poder definitivo sobre mí.

Sintiendo mi rendición, me coge en sus brazos y me lleva a la cama. Me ha dejado sobre este colchón innumerables veces, pero nunca con tanta ternura, tanta reverencia. Me sostiene la mirada mientras se desabrocha la camisa para exponer los músculos cincelados de su pecho, luego se desabrocha los puños y saca los brazos de las mangas. Continúa desnudándose lentamente, creando un recuerdo que nunca olvidaré.

Sus movimientos son fuertes y decisivos cuando se desabrocha el cinturón y se baja la cremallera. Me estudia mientras se quita los zapatos y los calcetines antes de empujar los pantalones con los calzoncillos hacia abajo por sus caderas. Yo lo observo todo, asimilando cada detalle y consignándolo en mi memoria. Grabo en mi mente la imagen de su cuerpo ágil y poderoso, deleitándome con lo duro que se ha puesto para mí, en cuánto me desea.

Él se sube a la cama, se sienta a horcajadas sobre mis piernas y desliza sus manos por debajo del borde de mi camiseta. Sus palmas se cierran alrededor de mi cintura, y me acaricia hacia arriba, apartando la tela al mismo tiempo y dejando al descubierto mi piel.

Cuando la parte superior de mi cuerpo queda expuesta, baja la cabeza y dibuja un camino de besos desde mi ombligo hasta el valle de entre mis senos. Me toca y me lame. Me explora como si fuese nuestra primera vez. Y en cierto sentido, lo es. Nunca me había rendido por completo cuando lo hemos hecho; siempre he retenido una parte de mí. Pero ya no.

Acaricia mi cuello con su boca y mordisquea su camino hacia mi mandíbula. Separo los labios cuando finalmente llega a ese destino, y su lengua se desliza en mi boca, enredándose con la mía. El beso es diferente a cualquier otro que hayamos compartido. Es urgente, pero tierno. Traza el contorno de mis labios con su lengua mientras levanta mis brazos para quitarme la camiseta. Abre el broche delantero de mi sujetador y aparta las copas, liberando mis senos.

—Eres perfecta —susurra, bajando la cabeza para probarlos.

Su boca está caliente en mi pezón, su beso húmedo y suave. Arqueo la espalda, queriendo más, pero él mantiene la caricia suave. Sus dedos juegan con mi otro pezón hasta que cada pellizco y balanceo resuena en mi clítoris.

Es igual de lento al quitarme la ropa como lo ha sido al desnudarse. Para cuando me libera de los vaqueros y las bragas, estoy jadeando. Cuando entierra su cabeza entre mis piernas, apenas puedo soportarlo más. Al tercer lametazo de su lengua, me corro. El orgasmo es brutal. Me desgarra con emociones que me sacuden hasta el fondo a su paso: una necesidad de pertenecer, un pozo infinito de amor doloroso, una fútil voluntad de vivir. Cuando coloca sus caderas y me penetra, mis sentimientos fragmentados se reúnen. Se fusionan con el cálido resplandor de mi cuerpo y, por primera vez en mi vida, me siento completa.

—Minochka. —Enmarca mi rostro con sus grandes manos y comienza a moverse. Su ritmo es pausado—. Esto lo es todo.

Lo agarro por los hombros y le sostengo la mirada, necesitándolo como nunca antes.

—Perfecto.

—Sí. —Una gota de sudor rueda por su sien—. Como tú.

Estoy lejos de ser perfecta. Mi vida está manchada de sangre. Mi cuerpo se está muriendo. Pero nos queda este momento, y me aferro a él con todo lo que tengo.

Él se mueve suavemente, saboreándome. Estoy apretada alrededor de él y las réplicas de mi orgasmo todavía hacen que mis músculos internos se contraigan.

—Dulce madre de... —gime él cuando otro espasmo me golpea.

Sentado sobre sus talones, coloca mis muslos sobre los suyos. Una mano envuelve mi cuello, mientras que la otra se desliza entre nuestros cuerpos. Su abrazo es posesivo y dominante. Pone cuidado en no apretar demasiado mientras acelera el ritmo. Odia dejarme marcas. El control que se refleja en su rostro es áspero y crudo. Es igual que un hermoso y salvaje animal.

Cambia el ángulo de su penetración y alcanza el

punto que hace que los dedos de mis pies se curven. Pongo los ojos en blanco cuando añade presión a los círculos que está dibujando con su pulgar sobre mi clítoris. El ritmo de sus caderas se vuelve castigador, pero es lo que necesito. Mi placer ya está escalando de nuevo. La lujuria oscura que circula por mi cuerpo y me quita la razón exige una gratificación instantánea. Desata una locura incontrolable que me hace levantar las caderas para sentirlo más fuerte y más profundo. Crea una visión de túnel en la que no existe nada más que él.

Estoy cerca, tan cerca. Persigo mi orgasmo, respondiendo a cada uno de sus empentones. Cuando me aprieta los dedos alrededor del cuello, casi me corro. Estoy borracha de pasión, apenas registro la realidad cuando él se sale y me da la vuelta.

Antes de que tenga tiempo de protestar, vuelve a estar dentro de mí, poseyéndome con movimientos implacables.

—Quiero tu culo —dice con voz entrecortada, doblando sus manos alrededor de mi cintura y poniéndome de rodillas.

Se inclina por encima de mí, abre el cajón de la mesilla de noche y saca un tubo. Está mejor preparado esta vez. Mantiene una mano cálida sobre mi espalda mientras desenrosca la tapa y hace gotear un líquido frío entre mis nalgas. La presión de su polla sobre mi entrada oscura me hace quedarme inmóvil.

Él besa mi columna vertebral.

—Dime si tengo que parar.

Esas palabras me tranquilizan.

Confío en él al respecto.

Le confiaría mi vida.

Él va entrando lentamente, y la incomodidad que siento es significativamente menor que la primera vez, aunque siga teniendo una sensación de plenitud extrema, de ceder más allá de mis límites, de ser invadida de una forma extraña, poco natural. Pero el ardor que viene con eso solo aumenta mi deseo, alimentando mi placer, y cuando él por fin empieza a moverse, vuelvo a estar a punto de correrme.

—No voy a durar, princesa.

Ha pasado tanto tiempo desde que me llamó *princesa* que la palabra me saca de mi estado delirante. Donde antes usaba el término de manera despectiva, ahora está lleno de cariño. Presionando mi mejilla contra el colchón, lo miro por encima de mi hombro. Su rostro está tenso por la concentración, toda dirigida hacia mí.

Sujetando mi cadera con una mano mi pecho con la otra, me ordena con voz ronca:

—Tócate.

En el momento en que lo hago, sé que todo se acabó para los dos. Mi clímax es como una descarga eléctrica. Me estoy desmoronando y recomponiendo, todo al mismo tiempo. La parte inferior de mi cuerpo se tensa, provocando su orgasmo, y él se sumerge profundamente en mí y luego se queda quieto con un gemido, con su polla latiendo dentro de mí. La calidez me llena, y va mucho más profundo que la mera carne.

El amor que pensé que nunca conocería se extiende por mis venas, derritiendo lo que queda del paralizante hielo de mi corazón. Debería ser algo sucio, esta unión entre nosotros, pero en vez de eso es una cosa pura y plena. Hermosa.

Rendirme a Yan es el acto más significativo de mi vida.

Nos derrumbamos sobre la cama, con su peso aplastándome contra el colchón. Apenas puedo respirar, pero quiero quedarme aquí para siempre y fingir que no hay barrotes en las ventanas ni células defectuosas en mi cuerpo. Solo quiero tumbarme aquí y amarlo, y fingir que él también me ama.

—Te estoy aplastando —dice, besando mi cuello.

Demasiado pronto, el capullo en el que me estoy escondiendo se deshace. Y no hay transformación ni mariposa, solo una cruda y vacía realidad.

Empuja hacia arriba, sosteniendo su peso con los brazos.

—Respira hondo. —Sale cuando mis pulmones se expanden, y me deja un escozor, pero el leve dolor se está reduciendo—. Quieta. —Una orden que le encanta dar.

Entra al baño y regresa con una toallita húmeda. Después de limpiar el derrame de entre mis piernas, me da la vuelta.

—¿Quieres alguna otra cosa?

Sacudo la cabeza.

—¿Un analgésico?

—Estoy bien.

Él tira la toallita al suelo y se estira a mi lado, acunándome desde atrás.

—Duerme.

—Debería ducharme.

—Mañana. Me gusta la idea de que duermas con mi semen en tu culo.

Le doy un manotazo en el brazo que me rodea la cintura.

—Qué marrano eres.

—He sido acusado de cosas peores.

—Pensé que ya no ibas a decirme cuándo debo dormir.

Me muerde el lóbulo de la oreja y me acaricia la sien con la nariz. Sus labios se estiran en una sonrisa contra mi piel.

—Esta vez, vas a querer obedecerme.

—¿Ah, sí? ¿Y por qué?

—Porque mañana voy a llevarte a ver a tu abuela.

29

YAN

*M*ina está enamorada de mí.

Intento que mi mente se acostumbre a esa idea de camino a Budapest. No es lo que me esperaba, y es mucho más de lo que podría haber esperado. ¿Cómo puede alguien amarme, y mucho menos alguien tan cauteloso como Mina? Al mismo tiempo, la atracción tiene sentido. Somos muy parecidos. Ambos hemos visto el lado más feo de la vida, y ambos podemos ser despiadados. Sin embargo, los dos somos leales a la familia que amamos. Sin mencionar que ambos necesitamos un poco más de picante en nuestras vidas que la mayoría de la gente.

Aun así, somos un mundo aparte. A pesar de todo el entumecedor trauma de su pasado, ella siente más, se preocupa más por las personas que yo. Puedo verlo en la forma en que interactúa con mi hermano, e incluso con Anton, hasta cierto punto. Su duro caparazón es tan solo eso, un caparazón. Por dentro, es vulnerable, frágil. Está herida. Y hay un lado suave en ella, una parte cariñosa y maternal que me atrae igual que a una planta espinosa la lana de un cordero.

Incluso ahora, mientras me siento frente a ella en el Cessna que Anton está pilotando, mi mano descansa sobre su rodilla. Ese gesto puede parecer casual para un observador externo, pero es un contacto posesivo, un contacto que reclama ese territorio. Ahora que sé cómo se siente, soy más reacio que nunca a dejar que se aparte de mi vista. No estoy ciego a lo mal que está eso. Retenerla en contra de su voluntad es la peor jodida cosa que he hecho. Pero no puedo dejarla marchar. Dejarla libre sería como amputarme una parte de mí mismo. Se ha metido muy dentro de mi piel, y ya no volveré a ser el mismo sin ella.

No, no hay otra opción. Ella tiene que quedarse. Voy a seguir reteniéndola para siempre.

Sin embargo, la balanza de mis sentimientos se ha inclinado hacia el otro lado. Antes, quería ser dueño de su vida y hacerle pagar por su traición. Ahora, una aceptación tranquila invade mi mente. La necesidad apremiante de venganza se ha convertido en una necesidad apremiante de complacerla. De hacerla feliz. Que es la razón por la cual vamos de camino a ver a su abuela un día antes de llevar a cabo el golpe de Dimitrov. Quiero darle todo lo que pueda para compensar el amor que me ofrece, a cambio de la libertad que nunca tendrá.

Está tensa, mi pequeña soldado. Su cuerpo está rígido y su cara más pálida de lo normal. Sin tener en cuenta la teoría de distribución de peso/impacto en la aerodinámica de Anton, que me puso en el asiento frente a ella, me cambio al que está a su lado. Cojo una de las manos que sujetaba entre sus rodillas y rozo sus nudillos con mis labios antes de entrelazar nuestros dedos. Desearía poder decirle que la amo, pero no sé qué significa el amor. El sentimiento que albergo por Ilya es un deber arraigado de protegerlo y cuidarlo. Es parte de mi programación. Lo que siento por Mina es nuevo, difícil de definir. Solo sé que no puedo soportar la idea de estar separado de ella o, Dios no lo quiera, de que algo le ocurriese.

—¿Nerviosa? —susurro contra su oreja, aprovechando para besuquearla. Huele a limón y madreselva. Me hace la boca agua.

—¿Tú qué crees? —me espeta ella.

—Pensé que estarías contenta de ver a tu abuela.

—No estoy contenta de que *tú* vengas.

—No te alteres, princesa. —Sonrío—. Me portaré lo mejor que sé.

Resoplando, vuelve la cara hacia la ventanilla como si yo no fuera digno de mirar, lo cual no soy.

—Ya no falta mucho. —Dejo su mano en mi muslo y le masajeo los nudos de los hombros.

Ella se relaja un poquito, inclinándose ligeramente hacia mí. Ese gesto de sumisión es pequeño, una diminuta gota en un inmenso océano, pero mi corazón se calienta al instante como si le hubiesen disparado con un lanzallamas.

Pocos minutos después, Anton anuncia que

descendemos. Aterrizamos en el aeropuerto privado donde nos espera el mismo conductor de hace unas noches.

—Quédate en el coche —le digo a Mina, ayudándola a subirse al asiento de atrás. Y por si acaso, asiento con la cabeza al conductor, que cierra las puertas. Amor o no, no voy a poner la tentación delante de los pies de Mina.

Con Mina encerrada con seguridad, me llevo a Anton a cierta distancia. Quiero que Mina vea a su abuela, pero también tengo un motivo oculto para este viaje. Saco mi teléfono y descargo la información que llegó anoche. Alguien ha eliminado a los agresores de Mina, a los hombres a quienes mis mercenarios habían pegado y mutilado. Yo iba a matarlos pronto, pero alguien se me ha adelantado. Solo puedo suponer que es para asegurarse de que no iban a hablar.

Quizás no lo sepa todo. Quizás haya algo más de lo que pensaba tras la agresión a Mina.

—¿Qué pasa? —pregunta Anton cuando nadie puede oírnos.

Le muestro el artículo de periódico de mi teléfono. Quien se haya cargado a esos hombres tiene contactos en el gobierno, lo bastante importantes como para hacer pasar esos asesinatos por una guerra entre cárteles de drogas.

Anton frunce el ceño mientras lee. Me dirige una mirada especulativa cuando termina.

—¿De qué va esto?

—Mina.

—Joder. —Levantando la cara hacia el cielo, se pasa una mano por la barba—. Tendría que haberlo sabido. Por eso hemos venido a Budapest. Esto es lo que has estado haciendo estas últimas semanas.

—Escúchame.

—¿Tengo otra puta elección?

—No.

Mi tono lo silencia. Suspira y se mete las manos en los bolsillos.

—Suéltame tu mierda. Te escucho.

No iba a contárselo a nadie, pero la situación ha cambiado. Levanto la foto que no he podido mirar más de una vez... no es que lo necesite, ya que está grabada en mi memoria, y giro la pantalla para que Anton la vea.

—Jesús. —Palidece—. ¿Es esa... Mina?

—Esto es lo que le hicieron. Diez de ellos.

—Por eso te los has cargado.

—No he sido yo. Iba a hacerlo, después de dejarlos vivir sin sus colitas durante un par de semanas mientras reflexionaban sobre sus pecados, pero alguien más hizo el trabajo por mí, alguien lo bastante poderoso como para hacerlo parecer una guerra entre cárteles de la droga.

—Alguien debe de haber necesitado silenciarlos.

—Exacto.

—¿Qué quieres de mí?

—Los he rastreado a todos, salvo a uno.

—Quieres que obtenga información sobre él.

—Te deberé un favor.

Él sonríe.

—Puedo vivir con la idea de que me debas un favor. ¿Qué información tienes?

—Se llama Laszlo Kiss. Se escondió como los demás, pero su ama de llaves vendió la información a uno de nuestros informantes.

—Debe de haber sido un soborno atractivo.

—Suficiente para que pueda vivir tranquila el resto de su vida.

—Estás invirtiendo bastante en vengar a Mina.

Nada es demasiado. Ni todo el dinero del mundo.

—¿Qué se supone que quiere decir eso?

—Sientes algo por ella.

Frunzo el ceño.

—¿Habría hecho lo que hice si no?

—¿Quieres decir secuestrarla?

No voy a responder a eso.

Me mira en silencio.

—Ilya tiene razón, ¿sabes? No puedes retenerla en contra de su voluntad. Eso es tan malo como lo que esos tipos le hicieron.

Mi ira se dispara. En un segundo, estoy pegado a su cara.

—No se parece en nada a eso, ¿me oyes?

—¿Entonces qué es, Yan? ¿Se trata siquiera de venganza? Joder, ¿alguna vez se trató de venganza? Entiendo que querías hacerla pagar por hacernos pasar por terroristas, pero mira eso. —Señala el teléfono en mi mano—. Mira lo que le hicieron. ¿No crees que ya ha sufrido bastante?

—Esto es el pasado —le digo con dureza, sacudiendo el teléfono—. Lo que sucedió después no tiene nada que ver con este incidente.

—Solo digo que tal vez la chica haya pasado por suficientes mierdas en su vida.

—Tú no tienes nada que decir al respecto. —Doy un paso más hacia él—. Ella es mía. La única opinión que importa es la *mía*.

—Vale. —Levanta las manos—. Pero esto te va a estallar en la cara. Acuérdate de lo que te digo.

—Solo averigua lo que puedas de su ex compañero de equipo y déjame preocuparme a mí por lo que pueda explotarme en la cara.

—Vale —repite—. Envía los datos a mi teléfono. Iré a comprobarlo. ¿Asumo que este tipo anda por aquí?

—En la región rural del norte. Después de dejarnos en la clínica, el conductor puede llevarte. Prepárate bien. Estoy seguro de que Kiss espera una visita. Estará listo, con armas y todo. Guardias también.

Anton muestra sus dientes, que hubieran sido perfectos de no ser por un colmillo ligeramente torcido.

—Suena al tipo de desafío que me va.

—Hazme saber lo que averiguas en el momento en que lo hagas. Nos encontraremos aquí a las seis. No quiero llegar tarde a casa. Necesitamos dormir bien esta noche para estar listos mañana.

Él me hace un saludo militar.

—Hecho. —De camino hacia el auto, agrega—, no puedo esperar para cobrarme el favor que me deberás.

Haciéndole una peineta, me subo al asiento trasero al lado de Mina mientras Anton coge las armas y municiones que siempre llevamos en el avión. Después de cargar las pistolas y cuchillos en el maletero, se sienta en el asiento de delante.

—¿Qué es lo que ocurre? —pregunta Mina.

Cojo su mano y beso cada uno de sus delicados dedos.

—Nada.

Ella está callada hasta que lleguemos a la clínica. Firma en la puerta y se queda allí plantada, titubeante, hasta que el coche se aleja. Entrelazando nuestros dedos, la llevo por el camino hacia la entrada. Remolonea justo delante de las puertas dobles.

—Yan…

No puedo resistirme a besar sus suaves y dulces labios.

—¿Mina?

—Esto no es buena idea.

Entrecierro los ojos. Quiero que esto sea algo bueno para ella. Será mejor que no me tire el gesto a la cara. Y que no se avergüence de mí, porque no se va a poder librar. De por vida. Le pongo una mano firmemente sobre su espalda y la llevo adentro.

Mis modales bruscos tienen el efecto deseado. Ella cede, dejándome empujarla hacia la recepción, pero la tensión de su cuerpo no se desvanece.

Ella se anuncia en la recepción. La recepcionista nos da una cálida bienvenida y nos dice que pasemos a la habitación de Hanna.

Los pequeños y lentos pasos de Mina me dicen que no está ansiosa por que su abuela me conozca. Mala suerte. Yo sí quiero conocer a su abuela.

Subimos un tramo de escaleras y salimos a un rellano. Mina se detiene frente a una puerta, con la espalda tan rígida que parece que sus vértebras vayan a romperse por la tensión. Después de llamar con suavidad, abre la puerta y entra delante de mí.

Miro el espacio a mi alrededor. Agradable. La habitación es cómoda y está decorada con buen gusto, con un enfoque práctico. Hay una barras a lo largo de las paredes para que sirvan de apoyo al caminar, y unos botones de llamada estratégicamente colocados para casos de emergencia. Unos visillos delante de la puerta corredera que da acceso al balcón se mecen con la brisa.

Mina se dirige hacia la puerta abierta. En el momento en que la atraviesa, su actitud cambia. Se hace laxa y relajada, la viva imagen de la calma y la serenidad. Es una máscara que tiene practicada, una que sin duda domina para el beneficio de su abuela.

Una mujer pequeña con el pelo blanco y suave y las mismas facciones de duendecillo que Mina está sentada en una silla de ruedas al sol. Lleva un moderno vestido rojo y bailarinas, y los labios pintados del mismo tono de rojo. Hay un libro abierto en un atril al nivel de sus ojos. Cuando ve a Mina, el color de sus pálidas mejillas se vuelve rosado y sus ojos arrugados se abren. Ambas tienen los ojos del mismo color: un magnífico azul helado.

—Mina. —Ella levanta unos brazos temblorosos y el esfuerzo que hace no se me escapa—. Esto es una sorpresa. —Su mirada se vuelve hacia mí, perspicaz e inquisitiva—. ¿Y quién es este apuesto caballero?

La dejo abrazar a su nieta antes de coger una de sus manos arrugadas entre las mías.

—Yan Ivanov. Es un placer conocerla, señora.

—Llámame Hanna. —Me escudriña con más atención—. Ivanov. Ese es un nombre ruso.

Yo asiento.

—De Moscú.

Ella cambia a un ruso con un acento impecable.

—¿Dónde están mis modales? Sentaos, por favor.

Acerco dos sillas y hago sentarse a Mina antes de hacerlo yo.

—¿Os apetecería un té? —pregunta Hanna.

—No vamos a quedarnos... —empieza a decir Mina, pero yo la interrumpo.

—Eres muy amable, gracias. Estoy sediento. —Fulmino a Mina con la mirada—. Y estoy seguro de que Mina también. Si me dice dónde está la cocina, iré a buscarlo.

Justo cuando los hombros de Mina se relajan con evidente alivio por librarse de mí, al menos por un corto espacio de tiempo, Hanna dice:

—Oh, no. Eres nuestro invitado. —Un gesto travieso se extiende por sus rasgos—. Mina irá a por él. Sabe dónde está todo.

—Pero yo... —vuelve a empezar Mina.

—Y unas galletas, también —le corta Hanna con un

guiño—. Y leche tibia para mi té. —Luego se vuelve hacia mí—: No me gusta que mi té se me enfríe enseguida.

Vieja lista y descarada. Esta orquestando todo esto para que nos quedemos los dos solos, y solo puedo figurarme por qué.

—Llamaré a una enfermera —se ofrece Mina.

—No, no —responde Hanna con gran sorpresa ante esa sugerencia—. Hacen un té muy aguado. Además, esas mujeres tienen mejores cosas que hacer que servirnos té a nosotros.

De mala gana, Mina se pone de pie. Su mirada oscila entre su abuela y yo, obviamente librando una batalla interna. Recordando mis modales, yo también me levanto. Cuando Mina me rodea, rozo mis dedos con los de ella. Es solo una ligera caricia al pasar, tanto como puedo permitirme frente a su abuela, pero tiene la intención de tranquilizarla. No voy a cortarle el cuello a Hanna. Jamás le haría daño a Hanna, porque Mina no va a ir a ninguna parte. Se va a quedar justo en su sitio: a mi lado.

Una vez nos quedamos solos, Hanna me examina con el tipo de perspicacia que denota una gran cantidad de experiencia vital.

—Sr. Ivanov...

—Yan, por favor.

—Yan, ¿podrías pasarme esa manta que hay en la silla?

Cojo la manta y la extiendo sobre sus piernas.

—¿Mejor?

—Gracias. Siempre hace algo de frío aquí arriba. Hermosas vistas, sin embargo, ¿no?

Miro hacia el horizonte. La ciudad se extiende por debajo de nosotros.

—Así es. Por la noche debe de ser muy bonito con todas esas luces.

—Soy una mujer afortunada. Soy afortunada de tener una nieta que me cuida tan bien. No es porque no fuera a contentarme con menos.

—Muy afortunada.

Ella inclina la cabeza.

—Háblame de ti.

Me encojo de hombros.

—No hay mucho que contar.

—¿Has vivido en Rusia toda tu vida?

—La mayor parte.

—¿Solo en Moscú?

—Sí.

—¿Y qué hay de las vacaciones?

—No viajé hasta que me uní al ejército.

Las cejas de Hanna se arquean.

—Militar, ¿eh? Supongo que Mina te habrá contado que ella fue militar también.

—Me dijo que estuvo en las Fuerzas Especiales. Realmente impresionante.

—Esa niña podía leer y escribir a los tres años. Aprendía a hablar idiomas igual que un loro. Y era dura, también, igual que su madre. No voy a mentirte, me alegré cuando dejó las Fuerzas Especiales. Ese no es

413

un trabajo para ninguna mujer que quiera sentar la cabeza.

Yo le sonrío. Dudo que Mina quiera *sentar la cabeza* jamás.

—Dime Yan, ¿cuáles son tus intenciones con mi Mina?

También tengo que sonreír ante eso. Me gusta su franqueza. Me gusta que proteja a Mina. La respeto por interrogarme. Es lo que cualquier padre o abuelo que se preocupe debería hacer. Es lo que yo nunca tuve, y me alegro de que Mina tuviera a esta mujer luchadora para cuidar de ella. Que todavía la esté cuidando.

—Quiero cuidar de Mina.

—¿Por poco o por mucho tiempo?

No dudo.

—Para siempre.

Sus labios se curvan.

—Percibo honestidad en ti.

—No voy a mentir. —No sobre esto.

—Entonces es algo serio —concluye con obvia satisfacción.

—Mucho.

—Ya veo. —Se inclina hacia adelante, agarrando los reposabrazos de la silla de ruedas con manos temblorosas—. ¿Y a qué te dedicas?

—Soy consultor. —En cierto modo.

—¿Dónde os conocisteis Mina y tú?

—En el bar donde trabajaba.

—¿Qué estabas haciendo en Budapest?

—Era un viaje de negocios.

Su mirada se suaviza.

—¿Crees en el destino, Yan?

—¿Debería?

La expresión de su cara se torna enigmática.

—¿No crees que algunas cosas deben suceder, que a veces estamos en el lugar correcto en el momento correcto?

Mira por dónde. Hanna es una romántica.

—Nunca lo había pensado así.

—Quizás deberías.

—Puedo verle el atractivo. —Nuestra situación sería muchísimo más fácil si pudiésemos llamarla destino. Tal como están las cosas ahora, no es otra cosa que un secuestro. Un afilado dardo de culpabilidad se clava en un rincón lejano de mi mente. Está alejado pero persistente, como un dolor de cabeza palpitante.

—¿Vais a casaros? —pregunta Hanna.

—No creo que Mina crea en eso.

La abuela de Mina se encoge de hombros.

—No es demasiado religiosa, pero la seguridad no puede hacer daño, ¿verdad?

—¿La seguridad?

—De que estés dispuesto a quedarte con ella para toda la vida —dice ella, como si yo debiera de saberlo —. De que la amas.

¿Qué se supone que debo responder a eso?

—Un anillo tampoco le hará daño. —Ella me guiña un ojo.

Ah. Una anciana en silla de ruedas me está dando una charla por mi falta de romanticismo.

—Me aseguraré de que tenga un anillo.

—Estupendo. Le gustan los rubíes.

Yo le sonrío.

—Lo recordaré.

—¿Y el trabajo de Mina en el bar?

—Vendrá a trabajar para mí. —Eso no es mentira. Tendré que implicar a Mina en mis futuras misiones. Ella no es el tipo de persona que puede quedarse en casa sin volverse loca. A juzgar por cómo se ha comportado desde que la capturé, cualquier indicio de inactividad la deprime.

—¿En tu empresa de consultoría?

—Sí.

Hanna parece satisfecha.

—Nunca me gustó que trabajara de noche hasta tarde en ese lugar donde los hombres siempre están borrachos.

Ahora que lo pienso, a mí tampoco.

Una sombra se posa sobre sus facciones.

—¿Te ha contado lo que pasó con sus padres?

—Sí, lo ha hecho.

Su mirada se vuelve más intensa.

—¿Te ha dicho que le puede resultar difícil quedarse embarazada?

—Eso no me importa. —Solo la deseo a *ella*. La deseo de cualquier forma en que pueda tenerla.

La abuela de Mina se relaja otra vez.

—No todos los hombres son capaces de aceptar algo así. No es que sea culpa suya. Le ocurrió durante una misión. Nunca me ha contado los detalles, y yo no le voy a preguntar.

Mejor que no.

—Puedes estar tranquila de que haré todo lo que esté en mi mano para hacerla feliz.

Ella me brinda una gran sonrisa temblorosa.

—Eso es lo único que deseo para ella, Yan.

—Yo también.

Se escucha el tintineo de los cubiertos en la puerta. Mina está en el umbral, con una bandeja en las manos. Me pongo rápidamente en pie y le quito la pesada carga, ignorando las protestas de Mina mientras empiezo a servir el té.

—¿De qué habéis estado hablando? —pregunta Mina, mirándonos a uno y al otro con un ceño frunciendo su bonita frente.

—De esto y de aquello —dice Hanna sonriéndome —. Tu Yan parece un hombre muy dotado. Un buen partido. Tampoco está mal físicamente. Bien hecho, Mina. Creo que has pillado a uno bueno.

Mina se pone más roja que las rosas del jarrón que hay en la mesa.

—¡Hanna! —regaña suavemente.

—¿Qué? —Hanna se vuelve hacia mí—. A ti no te importa que sea directa, ¿verdad? Me esforzaría más por tener tacto, pero a medida que envejecemos y nos queda menos tiempo, el tacto no nos parece nada más que un rodeo para decir algo.

—No me siento ofendido —le digo—. Puedo

acostumbrarme a tu franqueza, especialmente si implica más cumplidos.

Hanna se ríe suavemente.

—¿Azúcar? —pregunto.

—Dos terrones. Y leche, por favor.

Añado dos terrones al fuerte té negro y le echo un poco de leche.

—Yo lo cojo —dice Mina quitándome la taza. Sopla el té antes de acercarlo a los labios de Hanna.

Después de tomar un sorbo con mucha dificultad, Hanna pregunta:

—¿Cuándo vais a iros a vivir juntos?

—¡Hanna! —exclama Mina de nuevo.

—En realidad —digo—, ya estamos viviendo juntos.

Hanna irradia alegría.

—¿Es eso lo que vinisteis a decirme? Estoy encantada. ¿Dónde estáis viviendo?

—Por el momento, en Praga —respondo—. Después, ya veremos. Nuestro trabajo puede requerir viajes frecuentes.

—Me has dicho que eres consultor. —Hanna muerde la galleta que Mina le ofrece. La mastica, y traga antes de continuar—. ¿Qué clase de consultoría?

—Recursos humanos —digo.

Mina se aclara la garganta, mirando a todas partes menos a Hanna.

—Ya que tenemos unas horas antes de que tener que volver, ¿qué tal una partida de cartas? —sugiero.

El rostro de Hanna se ilumina.

—Me encantan las cartas.

—Cuidado —dice Mina—, te va a limpiar de todo el cambio que lleves.

—Entonces es bueno que me haya traído una cartera llena de monedas.

—¿Sí? —Mina me mira con recelo.

—Puede que un pajarito me haya dicho que viniera preparado. —O los informes de las enfermeras.

De cualquier manera, estoy aquí para complacerlas.

DURANTE EL RESTO DE LA MAÑANA, JUGAMOS AL PÓKER. Dejo ganar a Hanna, pero no de manera demasiado evidente. Almorzamos juntos en el comedor. Después, mientras Hanna se echa una siesta, Mina se sienta en la silla de al lado de su cama, con la mano de Hanna entre las suyas. Cuando se despierta, la llevamos a pasear por los jardines; luego regresamos a la habitación y pasamos el resto de la tarde compartiendo más té y pasteles.

Durante todo ese tiempo, Hanna me cuenta historias de la infancia de Mina, pequeñas anécdotas que guardaré en mi mente como tesoros culpables, porque estoy seguro de que no me merezco esta tarde con su aire de normalidad y el simple pero profundo disfrute de una familia pasando el tiempo juntos. Lo tomo como si tomara algo que no me pertenece, haciéndolo mío a pesar de la voz persistente en la parte posterior de mi cabeza que cuestiona mi integridad. Nunca he sufrido por tener conciencia antes, y es algo muy incómodo. La duda comenzó cuando Mina me dijo que estaba enamorada de mí. Creció un poco cuando Anton se enfrentó a mí, y después de conocer a Hanna, es una noción molesta pero imposible de ignorar.

Eso sigue sin significar que vaya a dejar ir a Mina. Solo significa que me siento mal por ello.

No me jodas. Estoy desarrollando un sentido de la moral.

Mientras Mina y Hanna charlan, me voy a un rincón para darles algo de tiempo a solas y aprovecho la oportunidad para revisar mi teléfono en busca de noticias de Anton. El mensaje es decepcionante. Laszlo Kiss ya había escapado de su residencia de fin de semana cuando Anton llegó allí. Sin embargo, Anton interrogó al personal, ofreciéndoles dinero como incentivo, y puede tener una nueva pista con respecto al paradero de Kiss.

Nuestro fugitivo podría haber escapado a su cabaña de los Alpes suizos.

Esto es un fastidio. Necesito atrapar a ese hijo de puta lo antes posible, antes de que se me escurra por completo entre los dedos, y el golpe es mañana. Tal vez pueda hacerlo sin Anton. Él podría volar a Suiza por la mañana y volver para llevarnos a nuestro escondite de África cuando termine nuestro trabajo. Se supone que solo debe fingir ser un guardaespaldas y conducir el vehículo de la fuga. No nos retrasaremos más de veinte segundos si soy yo el que ha de ponerse al volante.

Decisión tomada, me prometo hablar con Anton más tarde.

Estoy a punto de oscurecer la pantalla cuando recibo un mensaje de nuestros hackers. Asegurándome de que las mujeres todavía están absortas en su conversación, abro el correo electrónico cifrado. Es la información clasificada que solicité sobre Gergo Nagy, el hombre que salvó a Mina de la agresión.

Me salto sus logros académicos y me voy directo a su historial militar. Conocido como *El camaleón*, es un experto en disfraces, uno de los mejores del mundo. Y él estaba a cargo de entrenar a Mina.

Una bandera roja aparece en mi mente, y la intuición hace hormiguear los folículos de mi nuca. Con el corazón latiéndome cada vez más deprisa, voy a los archivos adjuntos y abro una foto.

Un tipo atractivo, más o menos de mi edad. De constitución fuerte.

Sin embargo, hay algo sobre esa boca... Es la forma en la que sonríe sin sonreír. Me resulta vagamente familiar, pero no sé exactamente por qué.

Levanto la vista y miro a Mina. Ella sigue charlando, sin darse cuenta del bullir que perturba mi estómago.

¿Qué me estás ocultando, princesa?

Entonces caigo en la cuenta y el corazón casi se me sale del pecho.

30

YAN

Será hijo de puta.

Cuando caigo en la cuenta, mi cabreo es tan grande que tengo que volverles la espalda a las dos mujeres para que Mina no note nada en mi rostro. Me tiembla la mano cuando tecleo un código para desbloquear un archivo y ver las imágenes del vídeo de la clínica, luego hago zoom en la cara del hombre con el que Mina se encontró en estos mismos jardines, los que hace apenas una hora hemos visitado con Hanna. Pongo la foto del acompañante de Mina junto a la de Gergo Nagy y estudio las imágenes con creciente furia.

Es el mismo hombre. Bien disfrazado, pero es él.

¿Es él su amante, un novio que ella siempre me ha estado ocultando? Los celos me corroen las venas, ácidos como un veneno, pero antes de que mis pensamientos puedan adentrarse demasiado por ese camino oscuro y feo, recuerdo su confesión de ayer. Fue tan sincera como reluctante. Mina me ama a *mí*, no a él, de eso estoy seguro. Además, me dijo que soy el primer hombre con el que ha estado desde su agresión, y no tengo motivos para desconfiar de eso. Aquella primera noche en Budapest, había estado tan cerrada que le hice daño. Casi como una virgen, lo que solo habría tenido sentido si hiciera tiempo que no lo hacía.

Pero si no se trata de un amante, solo de su antiguo adiestrador, ¿por qué arriesgó su vida para encontrarse con él? Ese imbécil de Tóth dijo que eran buenos amigos, que Nagy salvó a Mina cuando irrumpió justo a tiempo antes de que la violaran, pero aun así.

Espera un segundo.

No.

Joder.

De repente, todo cobra sentido. La verdad me golpea como un puñetazo en las tripas, y una sensación de ganas de vomitar se asienta en la boca de mi estómago. Durante todo este tiempo, he culpado a Mina. Pienso en el cobertizo sucio del complejo de Esguerra y en el pequeño cuerpo de Mina atado allí, en su bonita cara magullada. Pienso en cuando la interrogamos y en el minúsculo destello que titiló en sus ojos cuando le mostramos las fotos de los hombres de la Fuerza Delta disfrazados de nosotros. En aquel momento, tomé su reacción por culpabilidad, pero estaba equivocado.

No era culpabilidad. Era sorpresa. Mina no hizo los disfraces. Fue Gergo Nagy. Ella reconoció su trabajo pero asumió la culpa para protegerlo.

Mi corazón se salta un latido. Por supuesto que ella

lo protegería. Él la salvó de ser violada, tal vez incluso le salvó la vida.

Joder, hostia puta.

¿Cómo es que no he podido ver antes que era inocente? ¿Tan desesperado estaba por hacerla responsable?

Una confusa mezcla de alivio y arrepentimiento me atraviesa. Alivio, porque no fue ella quien me tendió la trampa. Arrepentimiento, por cómo esto podría, debería, haber sido.

A medida que lo voy asimilando, una ola de asqueroso odio hacia mí mismo me recorre.

La he castigado por nada. Es inocente. Por eso se encontró aquí con Nagy. Para advertirle. Ella sabía que si nos enterábamos de su participación, yo lo mataría.

Mierda, mierda, mierda. Cada molécula en mi cuerpo resuena con furia. Quiero perseguir a ese hijo de puta y quitarle la vida con mis propias manos. Pero ahora todo es diferente. Mina está enamorada de mí y no quiero hacerle más daño del que ya le he hecho.

Joder, ¿qué hago?

—¿Yan?

La voz de Mina me llega, suave y titubeante. Asustada, incluso. Mi nombre pronunciado por sus labios atraviesa la bruma de mis turbulentas emociones, haciéndome retroceder como una gentil marea.

Empujando todo bajo la superficie, recompongo mi expresión antes de volverme a mirarla.

—¿Mina?

—Hanna me estaba preguntando si nos quedamos a cenar.

Hay esperanza en su rostro, pero también miedo. Todavía desconfía de tenerme cerca de Hanna después de mi amenaza. ¿Y quién podría culparla?

—Mañana tenemos un largo día por delante —digo disculpándome, y odiando la triste aceptación que se instala en sus ojos azules.

Mientras hablo, la miro. Miro y remiro. No puedo dejar de mirarla.

Ella no es quien yo la he acusado de ser. Según iban transcurriendo las semanas, he hecho las paces con su traición. He llegado a aceptar que nuestra aventura de una noche no significó nada para ella más allá de lo físico. Me he felicitado por haber logrado atarla a mí con sentimientos, utilizando el sexo como arma. Me he dado una palmadita figurativa en la espalda por hacer que se enamorase de mí. Cuando su traición era mi excusa, no era tan difícil hacerlo. Pero ahora, ya no puedo aprovechar eso, y tengo que enfrentarme al hecho de que tal vez nuestro sexo espontáneo de la primera noche que nos vimos no había significado tan poco para ella después de todo.

Joder. Ya no puedo usar su traición como moneda de cambio. Ya no puedo cobrarme su libertad como pago por un pecado que nunca cometió.

Mina se da la vuelta para poner cómoda a Hanna, y yo la sigo mirando con nuevos ojos. Miro y miro mientras una pregunta sigue dando vueltas en mi mente.

¿Puedo dejarla ir?

La respuesta se hunde en mi corazón, pesada como una roca, áspera y con bordes afilados.

No.

Joder, no.

Mi mujer se acerca a mí con una leve sonrisa.

—¿Nos vamos?

Es una sonrisa que casi me mata.

A Mina le cuesta decir adiós, tanto que el aire de mis pulmones se contrae con un incontrolable eco de simpatía. Las verdades que llevo en las cavidades secretas de mi pecho me están haciendo papilla. Sujeto la mano de Mina con fuerza cuando nos subimos al coche y no la suelto hasta que llegamos a casa.

Ilya ha salido a cazar mujeres. Espero hasta que Mina está en la ducha para dirigirme a Anton.

—Quiero que vayas a Suiza a por Kiss. Este trabajo es demasiado importante para confiárselo a nadie más.

Él saca una cerveza de la nevera y le quita la chapa.

—¿Cuándo? Te habrás dado cuenta de que después de mañana, puede que ya esté en movimiento otra vez, o quien sea que haya eliminado a los otros tipos puede haberle disparado antes de que lleguemos a él.

—Por eso quiero que te vayas mañana a primera hora. —Si no necesitara dormir, lo habría enviado ahora.

Se queda paralizado con la botella en la boca.

—Tienes que estar de broma.

Mi mirada le dice que no bromeo.

—¿Y qué pasa con Dimitrov? —pregunta.

—Nos las apañaremos. Cualquiera de nosotros puede conducir un coche tan bien como tú.

—¿Y qué hay de vigilar la calle y la salida?

—Haré que nuestros hackers aprovechen las cámaras de vigilancia de la ciudad. Pueden enviar las imágenes a mi reloj inteligente.

—Es un riesgo. ¿Vengar a Mina es realmente más importante que no joderla con este trabajo?

—No voy a joderla con este trabajo. Nos encargaremos de Dimitrov. Y tú recibirás tu parte, no te preocupes.

Él deja la botella de golpe sobre la encimera.

—No se trata solo del dinero. Es nuestra reputación. Si la cagamos, ¿quién nos contratará en el futuro?

—Todo saldrá según lo planeado.

Plantando sus manos en sus caderas, me mira por debajo de sus cejas.

—Te lo voy a preguntar por última vez. ¿Vale la pena?

¿Que si vale la pena? Joder, sí. Multiplicado por diez. Multiplicado por mil. El arrepentimiento me pesa en los hombros y la culpabilidad hace que baje la voz al decirle:

—No creo que Mina nos tendiera una trampa.

Él se queda callado un instante.

—¿Qué?

—Creo que su adiestrador militar hizo los disfraces.

—¿De qué coño estás hablando? Ella admitió que lo había hecho.

—Para protegerlo.

—¿Quién?

—Al Camaleón. ¿Has oído hablar de él?

—Sí. Es legendario. —Los ojos de Anton se abren más—. Espera. ¿Me estás diciendo que él fue quien la entrenó?

—¿Sabes esa foto que te mostré, eso que le hicieron? Él la salvó.

—Así que —dice lentamente—, ella le debe la vida.

—Exacto.

—Joder. ¿Se lo has preguntado?

—Todavía no.

—¿Cómo lo has descubierto?

—Los hackers. Me enviaron la información sobre Gergo Nagy después de que Tóth lo mencionara. Por eso se fue Mina a Budapest. Para advertir a Gergo. Tengo la cinta de seguridad de ellos dos juntos. Él iba disfrazado, pero no me costó mucho sumar dos y dos.

—¿Vas a cargártelo?

—Todavía no lo sé. Obviamente significa mucho para Mina. Al parecer, son buenos amigos.

—Supongo que en realidad no podemos hacerle responsable. Ese tío no nos conoce. Si lo que dices es cierto, él solo estaba haciendo un trabajo, igual que nosotros.

Suspiro profundamente, sintiéndolo hasta en los huesos. Sigo teniendo ganas de cargármelo, pero ahora estoy en deuda con él por haber salvado a mi mujer.

—Esto complica las cosas.

—No me digas.

—Todavía no sé quién está liquidando a los agresores de Mina. Ni por qué.

Anton ladea la cabeza.

—¿Ese Gergo, quizás?

—Si hubiera querido matarlos, lo habría hecho después de la agresión a Mina. Hay algo más en todo esto, algo más gordo, y no tengo un buen presentimiento al respecto.

—Vale. Iré a Suiza y torturaré a ese cabrón.

Le doy unas palmaditas en el hombro.

—Sabía que podía contar contigo.

—Solo hazme un puto favor y no jodas las cosas.

Logro sonreír con una media sonrisa.

—No es costumbre mía joderlas.

Levanta una ceja, dejando cosas no dichas colgando entre nosotros. Sí, la jodí miserablemente con Mina.

El grifo del baño se cierra.

Es hora de enfrentarme a mi princesa.

YAN

*A*nton se marcha discretamente, diciendo que le apetece cenar en un restaurante.

Yo me tomo un minuto para poner mi mierda en orden antes de entrar a "nuestro" dormitorio. Mina está de pie frente al armario, con el cuerpo envuelto en una toalla. Ha perdido peso. La curva de sus hombros es más afilada y sus huesos más pronunciados. Aparto esa preocupación y la dejo sobre la pila de mi pecho, que ya es una montaña del tamaño del Kilimanjaro, para concentrarme en lo que hace falta decir. Ella ha debido notar por mi comportamiento titubeante que algo no va bien, porque en su mirada se refleja la cautela.

Es igual que una muñeca: piel de porcelana, unos enormes ojos azules enmarcados por largas pestañas, brazos y piernas esbeltos, y sedosos cabellos rubio platino. Ella es indefiniblemente hermosa. No hay palabras para describir su belleza ni el valor que tiene para mí.

Cruzo la estancia y me detengo frente a ella.

Ella me mira con el ceño fruncido.

—¿Yan?

Soy muy consciente de la diferencia entre nuestros tamaños, de su pequeño cuerpo y sus huesos vulnerables... aunque ella no dudaría en luchar contra mí si le ofreciera una pelea justa. No es ninguna princesa de las que prefieren los vestiditos rosas, aunque yo querría jugar a los disfraces con ella todo el tiempo. Es una rebelde vestida de negro. Un ángel de blanco. Un soldado. Una mujer.

Cojo su cara entre mis manos. Estoy abrumado por lo pequeña que parece, por cómo mi palma rodea fácilmente su mejilla y su mandíbula.

—Dime con quién quedaste en Budapest.

Todos los músculos de su cuerpo se bloquean. Está tan rígida que es un milagro que consiga dar un paso atrás para alejarse de mí.

—Con nadie.

Dejo caer mi mano.

—Lo sé, Mina.

Su rostro pierde todo el color.

—No es lo que tú crees.

—Cuéntamelo. —Es un ruego, no la orden a la que suena. Estoy jodidamente cansado, hasta los huesos. Ya no puedo seguir luchando en esta guerra de secretos contra ella. Solo quiero que todo salga a la luz, para que podamos pasar página—. Por favor, Mina. Quiero oírtelo decir.

Quiero hacer borrón y cuenta nueva entre nosotros.

Ella traga saliva.

—Lo juro, es un amigo, nada más. ¿Cómo lo has descubierto?

—Vídeos de seguridad. ¿Por qué me mentiste?

Ella se calla, tan desafiante, tan decidida a proteger a su amigo.

—Dímelo. —No puedo explicar la urgencia que siento porque ella confiese. Solo sé que necesito que me lo cuente igual que necesito follarla, y pronto—. Ya lo sé todo. —Ella no me cree. Piensa que es un farol—. Gergo Nagy, ¿verdad? Tu adiestrador.

—¿C-cómo sabes tú nada de Gergo?

—¿Te suena de algo un tal Tóth?

—¿Tóth? —El pánico eleva un decibelio su voz—. ¿Mi oficial superior?

—El cabrón cantó como un canario antes de que le cortara la lengua. —Mi sonrisa es malvada—. Después de eso, no tanto. Y cuando le corté la polla, menos aún.

Ella está más blanca que las sábanas.

—Dijiste que les habías dado una paliza.

—Puede que no te haya contado la parte en la que les corté las pollas para ahorrártelo.

—Entonces, ¿por qué me lo cuentas ahora?

—Alguien los está sacando del tablero.

Coge aire de golpe, sin resuello.

—¿Quieres decir que alguien los está matando?

—Sí, y voy a averiguar por qué. —Le lanzo una mirada penetrante, pero solo hay incomprensión y confusión en sus ojos—. ¿Por qué iba nadie a silenciarlos?

—No lo sé.

La creo.

—Solo queda uno.

Ella me mira y prácticamente puedo ver cómo su mente lo procesa, pasando todas las fotos que ha visto hasta ahora.

—Laszlo Kiss —dice después de un momento, y yo asiento.

—Anton va a ir tras él con la esperanza de obtener información que arroje una luz sobre lo que está pasando.

—Lo matará.

Mi sonrisa es fría.

—Obviamente.

—Por favor, Yan. —En un segundo, ella cambia de marcha. Ella pasa de estar allí como un pilar de sal a estar frenética, agarrándome por los brazos—. Por favor, no le hagas daño. —Por un instante, creo que se refiere a Kiss, pero luego dice—: Por favor, no le hagas daño a Gergo.

—Cuando esos hombres te atacaron, él te rescató. ¿Verdad?

—Sí —dice ella con un suave susurro de derrota.

—Por eso se lo debes.

—Le debo mi vida. —No me mira a los ojos cuando añade—: Y mucho más.

La cojo por la barbilla y le levanto el rostro para que nuestros ojos se encuentren.

—Él te enseñó el arte del disfraz.

Ella busca en mi cara, probablemente tratando de adivinar si también sé lo de la otra mentira.

—Era parte de nuestro entrenamiento.

—Así que cargaste con la culpa en su lugar cuando Sokolov te preguntó sobre los disfraces.

La sorpresa, y no de las del tipo bueno, hace que su rostro sea todo un cuadro. Es a la vez un asombroso y conmovedor lienzo donde se pinta la verdad. Cae de rodillas, me rodea las piernas con los brazos y me mira mientras unos grandes lagrimones corren por sus mejillas y gotean en la toalla que le cubre los pechos.

—Por favor —dice otra vez—, no le hagas daño.

Verla así, mendigando de rodillas y llorando a mis pies, es más de lo que puedo soportar. Me hace pedazos. Por primera vez en mi vida, me siento vencido. Completamente derrotado. Mi pecho se abre y unos sentimientos que nunca había conocido se cuelan en él, sentimientos oscuros y feos de fracaso, remordimiento, culpa y miedo. Miedo a perderla.

No puedo perderla.

Me pongo en cuclillas frente a ella. Extiendo el brazo y le pongo una mano en la mejilla húmeda. Sus lágrimas siguen brotando, corriendo por mis nudillos hasta el puño de mi camisa. Cada uno de mis instintos me ordena que elimine a ese tío, pero por la mujer que significa el mundo y más para mí me fuerzo a decir:

—Si es tan importante para ti, lo perdonaré.

Ella respira hondo. Pasa un momento antes de que ella logre balbucear un "Gracias" a través de sus sollozos y labios temblorosos.

No me merezco su agradecimiento. No merezco nada de ella. Le debo una disculpa, pero no sé cómo disculparme. Quiero que sepa que me quedo con ella. A pesar de todo. Que siempre la cuidaré y la mantendré a salvo.

—Esto no cambia nada, Mina. —Mi disculpa a medias suena más como una puta amenaza. Mi voz es ronca y dura mientras mis entrañas están trituradas y enredadas.

Acercándola a mis brazos, aprieto a mi preciosa protegida contra el pecho. La siento flexible y cálida enroscada contra mi cuerpo. Mi polla se endurece contra su vientre, y la toalla es de repente una barrera demasiado grande entre nosotros. Se la arranco y desnudo su piel. Sus pezones están rosados y duros. Su piel suave hace que me piquen las manos de ganas de tocarla. No puedo apartarlas de ella.

Como un maldito troglodita, la abro de piernas allí mismo. El suelo es duro, demasiado duro, pero mi mente ya está medio ida por la lujuria, y mi corazón exige que la posea, que pruebe que ella es mía. Le rodeo un pezón con los labios y le rozo la punta con los dientes. Cuando su espalda se levanta del suelo, casi pierdo lo poco que queda de mi mente racional. Me pasa los dedos por el pelo cuando beso y chupo el otro pezón, dejando marcas que me había prometido no volver a dejar. Pero estas no son las huellas de mis dedos. Son chupetones. Marcas de propiedad. Marcas que me tranquilizan pero que no eliminan la culpa que he empujado a un rincón oscuro de mi alma mientras bajo haciendo un camino hacia su coño.

Por ahora, me pierdo entre sus piernas. Entierro mi cara en su calor y su néctar. Aquí, en medio de nuestro placer, puedo olvidarme de todo lo demás. Puedo hacerla olvidar, aunque solo sea por unos momentos sobre el duro suelo. La abro con los pulgares y chupo el tierno paquete de terminaciones nerviosas oculto entre sus pliegues. Lamo el licor que ella derrama para mí. En apenas nada, se entrega a su placer. Me lo entrega sin contenerse, igual que la última vez, cuando me dijo que está enamorada. De *mí*.

Despiadadamente, lo tomo todo. Le arranco réplica tras réplica a su cuerpo hasta que ella se queda sin fuerzas. Luego le meto los dedos dentro, curvando el dedo corazón para encontrar su punto secreto. Entro y salgo de su cuerpo agotado hasta que su deseo vuelve a crecer y más néctar se derrama por mis dedos. Soy un cabrón. No le doy tiempo para recuperarse, ni siquiera lo suficiente para que recobre el aliento. La penetro hasta que ella echa la cabeza hacia atrás y las venas de su delicado cuello se marcan por la tensión. No avanzo con consideración ni precaución. Estoy más allá de la cortesía razonable. Estiro su apretado coño con tres dedos y muevo mi palma sobre su clítoris hasta que ella estalla y vuelve a correrse. El clímax parece una tortura. Su cuerpo se contrae como si una carga eléctrica la hubiese golpeado.

Vuelve a caer sobre el suelo, y su espalda choca contra la superficie de madera. Como un obseso, me desabrocho el cinturón y los pantalones. Casi ni me los he bajado aún por las piernas y ya estoy agarrándome la polla y empujando la punta contra su entrada.

La deseo. La necesito. Ya.

Con una inclinación de mis caderas, separo su carne apretada. Ella grita de placer, tal vez un poco de dolor también, pero yo ya hace mucho que he sobrepasado mi límite. No puedo contenerme. Empujando hacia adelante, la lleno hasta el fondo con mi polla. Igual que yo se lo he arrebatado todo, hago que ella me lo arrebate todo a mí. Cuando nuestras ingles están pegadas, me muevo.

Me pierdo en un ritmo desesperado, sabiendo que no aguantaré. Sostengo mi peso sobre un brazo y sujeto sus caderas con la otra para evitar que mis empujones la arrastren por todo el suelo. Entro y salgo de ella sin cesar, hasta que el calor explota en la base de mi columna y mi verga estalla con un placer volcánico y abrasador. Me vacío dentro de ella, haciéndola tomar cada gota solo porque es algo tan jodidamente íntimo. En el nivel más básico de todos, es la máxima expresión de afecto. Una mujer no puede tomar nada más grande que esto, y esto es todo lo que un hombre puede dar.

Respirando pesadamente, apoyo mi frente en la suya. Entrelazo nuestros dedos y beso su boca, volcándome a mí mismo y a todo lo demás que quiero dar en ese beso. Juntos, nos recuperamos de mi frenesí, de lo que cojones sea que se llame lo que acabo de hacer. Es algo más que follar. Es más que hacer el amor.

Es más sagrado. Es más oscuro. No hay palabras para describir lo que siento.

Cuando recupero un poco la razón, me pongo de lado y arrastro a Mina conmigo. No puedo obligarme a salir de ella. Todavía no. Justo allí, en el suelo, le doy el cuidado que le debo, acariciando su espalda, brazo y cabello. Hace una semana, quería desesperadamente su confesión. Ahora, solo la quiero así. Relajada. Satisfecha.

Tendría que estar en paz, pero no lo estoy. La semilla de la culpa ha crecido. Se está haciendo más fuerte, igual que una judía mágica que se convierte en una planta gigantesca. Finalmente, reuniendo suficiente fuerza de voluntad para romper nuestro contacto, salgo de Mina y me pongo en pie.

Ella se levanta haciendo fuerza con los brazos.

—¿Va todo bien?

No. Nada va bien. Dudo que jamás vuelva a ir bien. Ella ha vuelto mi mundo del revés, ha desmantelado todo lo que yo creía ser. La culpa es como un cáncer que me devora las tripas. Nunca me he odiado tanto como en este preciso momento.

Sus ojos son grandes, vulnerables. De un dulce color celeste.

—¿Yan?

Apretando los puños, considero todos mis errores.

—Nunca te dije que yo también te amo.

Ella arrastra sus rodillas hacia su pecho y las rodea con sus brazos.

—Lo sé.

—Si eso te molesta...

—Tú no deberías enamorarte de mí.

La sinceridad de su afirmación me descoloca un instante.

—¿Por qué no?

—No es buena idea.

No puedo mirarla así, desnuda en el suelo, sentada en un charco de mi semen. Eso solo hace que la maldita culpabilidad sea más intensa, el dolor más agudo. Le ofrezco una mano y la pongo de pie.

—Gracias —dice ella.

—¿Por qué?

—Por llevarme a ver a Hanna.

Mi sonrisa es débil.

—De nada.

Cuando deja caer mi mano y se da la vuelta, la agarro por la muñeca.

—Aquella noche en Budapest, ¿significó algo? Más allá de lo físico, quiero decir.

Su mirada es neutral.

—Cuando te dije que es diferente contigo, quise decir tanto ahora como entonces.

Por alguna razón, sus palabras me desmontan. Me desmorono un poco más.

—¿Entonces por qué te largaste?

—Tú me diste miedo. Estaba asustada.

—¿Solo asustada?

—E intrigada.

La química *fue* real. No fue unilateral.

—Yo no te habría hecho daño.

439

—Querías retenerme.

Eso no puedo discutírselo.

—Yan —continúa ella y luego hace una pausa—. El trabajo de Henderson... No tenía forma de saber que estabas involucrado. Tendría que haber confiado en mis instintos...

Le pongo un pulgar sobre los labios.

—Te creo. Eso es el pasado. No vamos a volver a hablar de eso otra vez.

Ella se queda allí de pie, en silencio y esperando, pero cuando yo no digo nada más, se gira y se marcha hacia el baño.

Yo me la quedo mirando. Un hematoma se extiende por mi pecho mientras miro su constitución frágil y su diminuto cuerpecito. Nunca podré volver a mirarla del mismo modo. Solo puedo verla como la vi en la habitación de Hanna: una mujer agraviada, una mujer a la que admiro y adoro. Su inocencia solo actúa como una lupa que hace más visibles a la vista mis defectos y fallos.

Forzando a mis pies a moverse, la sigo hasta la ducha, donde la poseo de nuevo, inclinándola y entrando por detrás. Soy más amable esta vez. La tormenta ha causado sus estragos. Por ahora.

Después, Mina se ofrece a cocinar, pero está cansada. Mañana es un gran día. Pido unas pizzas, que comemos desnudos en la cama mientras vemos las noticias en mi portátil. Se queda dormida en mis brazos incluso antes de cepillarse los dientes. Saliendo con cuidado de debajo de ella, cierro el portátil y recojo las cajas de pizza y las servilletas de papel. Cuando entro a la cocina, todavía desnudo, me encuentro a Ilya apoyándose con los codos en la encimera, con una botella de cerveza frente a él.

Me mira de arriba abajo con una sonrisa.

—¿Una buena noche?

Tiro la basura al cubo. Nuestra vida sexual no es de su incumbencia. Cojo una toalla limpia de la secadora y la envuelvo alrededor de mi cintura.

—Parece que tu noche tampoco ha estado mal.

—Espléndida. Rubia. Unas piernas que le llegaban hasta el cielo. Te juro que podría haberlas enroscado dos veces alrededor de mi culo.

Cojo una cerveza de la nevera y le quito el tapón.

—Bien por ti.

—¿Qué mosca te ha picado?

—¿Por qué tendría que haberme picado algo?

Él se ríe entre dientes.

—Estás hablando con tu gemelo.

Echo un vistazo a la puerta cerrada de mi habitación.

Él sigue mi mirada.

—¿Problemas en el paraíso?

Apoyado en la encimera y cruzando los tobillos, le doy un trago a mi cerveza.

—Jamás ha sido el paraíso. El infierno, tal vez.

—Pensaba que eras feliz. ¿Por qué si no te pelearías tanto conmigo por Mina?

—La he jodido.

Se pasa una mano por la cabeza y me mira con

cautela.

—¿Qué has hecho?

—Mina no lo hizo.

—¿Hacer qué?

—Lo de los disfraces. Fue otra persona.

Él se pone tieso.

—¿De qué estás hablando?

Le cuento todo lo que le he contado a Anton. No me interrumpe mientras hablo, y hay que decir a su favor que no me suelta que soy el peor gilipollas vivo.

Cuando termino la triste historia, él se acerca y me da una palmadita en el hombro.

—Está arreglado, entonces. Ella no lo hizo. ¿No debería eso hacerte sentir mejor? Por todos los demonios, yo sí que me siento mejor.

—De alguna jodida manera, me siento peor. La he tratado bastante mal.

—Discúlpate. Ella te mintió. Tú no podías saberlo.

—¿No lo ves? —Me paso los dedos por el pelo—. Yo utilicé su traición como excusa para retenerla.

Él se encoge de hombros.

—Entonces déjala marchar.

Me dejo caer hasta el suelo, y me siento allí con la espalda apoyada en el armario. Mientras le doy la vuelta a la botella, digiero sus palabras. No es que no lo haya considerado. Al menos cien veces desde que supe la verdad. Y cada vez que pienso en soltarla, me topo con el mismo muro.

—No creo que pueda hacer eso.

Ilya se sienta a mi lado, con los brazos sobre las

rodillas.

—¿Por qué no?

—No puedo vivir sin ella. —Me agarro la cabeza con las manos, con la fría botella apretando mi sien—. No sabría cómo.

—La amas —dice maravillado—. No me jodas. Nunca creí que vería llegar este día.

Niego con la cabeza, la apoyo contra el armario y cierro los ojos.

—No creo que sea capaz de amar.

—Creo que no estás reconociendo tus propios méritos.

Abro un ojo con esfuerzo y miro a mi hermano.

—Has cambiado —continúa—. Ahora que mencionas lo que sientes por Mina, tiene sentido.

—¿Cambiado cómo?

—Te negaste a compartirla.

Abro el otro ojo y lo miro fijamente, listo para lanzarme a la misma vieja y cansina batalla, pero él está sonriendo.

—Creí que me estabas alejando. —Se da una palmada en la frente—. Y mientras, tú te estabas enamorando.

—No te estaba alejando. Mina no es alguien a quien pueda compartir.

—¿Lo ves? Tú *sí* que la amas.

—No reconocería el amor aunque lo anunciaras ondeando una bandera donde pusiera AMOR a dos dedos de mi cara. Además, no creo que Mina quiera mi amor.

—¿Por qué lo dices?

—Acaba de decírmelo ella. Dijo que era mejor que no me enamorase de ella.

Él se rasca la cabeza.

—Sí, bueno, después de cómo la has tratado...

—Vaya jodido lío. —Al menos ahora entiendo por qué no podía confiar en mí y por qué no me contó que se había visto con Gergo.

—Tal como lo veo yo, solo hay una forma de averiguar si tengo razón.

—¿Tener razón sobre qué?

—Sobre que la amas. —Me mira a los ojos—. Si la amas, la dejarás marchar.

Sus palabras me dejan desolado. Porque tiene razón. Retenerla es egoísta. Retenerla es para mi beneficio. Si me importa ella más de lo que me importo yo mismo, lo haré. Le enseñaré la puerta y la dejaré libre. La dejaré cruzar esa puerta y me arriesgaré a no volver a verla jamás.

Nunca había sabido que un pensamiento pudiera doler más que una puñalada en el riñón, pero así es. La idea de perderla me asfixia hasta que no puedo coger ni gota de aire. Y sin embargo, lo he sabido todo el tiempo. Es lo que me ha estado reconcomiendo desde que obligué a Mina a reconocer sus sentimientos y declararme su amor. Lo que me ha estado devorando poco a poco, alimentándose de mi conciencia recién descubierta. Mina ha logrado lo que nadie más ha conseguido hacer. Me ha convertido en un ser humano.

Un hombre.

Un hombre que ama a una mujer.

Esa epifanía me deja pasmado. Me mata. Porque en este momento, sé lo que voy a hacer.

Ilya, tan a menudo en sintonía con mis penas, me agarra del hombro.

—Lo siento, *bro*. —Se obliga a usar un tono optimista—. Puede que ella vuelva. Tal vez que hasta se quede.

¿Después de todo lo que ha pasado? Lo dudo mucho. Solo un tonto esperaría lo imposible.

—Ella dijo que estaba enamorada de ti —dice Ilya—. Eso cuenta para algo.

—Sí. —No lo digo de corazón, sin embargo. Mi amor es oscuro. No es un amor de cuento de hadas, del tipo con el que las mujeres sueñan en sus fantasías.

Hasta las mujeres como mi Mina.

—¿Cuándo lo harás? —pregunta Ilya, asumiendo correctamente que mi decisión está tomada.

—Después del trabajo. —Mi corazón se hace putos añicos. Ella no volverá, lo sé—. Eso será lo mejor.

—Sí —conviene solemnemente—. Mejor no agitar las aguas antes. Necesitamos que todo esté en orden.

Nos sentamos juntos en el suelo en penumbra, como los hermanos que éramos antes. Igual que cuando en las muchas noches de hambre y de frío yo consolaba a Ilya con una barra de pan robada o una broma no tan divertida, él se sienta conmigo en mi hora más oscura.

Temo el día de mañana como ningún otro día.

Mañana, voy a dejar libre a Mina.

M I N A

*M*e despierto tensa, con la pesadilla de mis padres todavía fresca en mi mente. El sol atraviesa la ventana de la habitación de Yan con un suave resplandor. Normalmente, esa escena de normalidad me habría calmado, pero nada de este día es normal.

Hoy es el día en que nos cargamos a Dimitrov.

No doy nada por sentado, ni la familiaridad de la cálida luz ni la comodidad de las acogedoras mantas. Cada minuto es precioso. Cada segundo cuenta. Sin embargo, no puedo encontrar la paz en el momento. No puedo apreciar el calor del cuerpo de Yan que está pegado contra el mío ni la bonita forma en que las partículas de polvo bailan en los rayos de sol. La inquietud se agita en mi vientre, como algo indefinible que me pone los nervios de punta. Eso es extraño. Normalmente estoy tranquila antes de un trabajo. El nerviosismo de los hombres se me debe de estar contagiando.

La respiración de Yan es rítmica, y su nariz está enterrada en mi cuello, pero está despierto. No necesito ver su cara para saberlo. Siempre estoy en sintonía con él estos días.

—¿Has dormido bien? —susurra contra mi oreja, arañándome el cuello con su barba.

Me estremezco ante la deliciosa fricción.

—Como un bebé. —Me siento bien esta mañana, y rezo una silenciosa oración de agradecimiento por recibir tal clemencia. Hoy necesito toda mi fuerza y mi ingenio.

Girándome sobre mi espalda, Yan se estira sobre mí. El calor de su piel desnuda hace que mi cuerpo cobre vida, la dureza de su erección empuja entre mis muslos y enciende un fuego instantáneo en mis venas. Él me sostiene la mirada mientras me agarra por las muñecas y las levanta por encima de mi cabeza. Bebiendo en mi expresión, frota la punta de su polla contra mi humedad antes de empujar hacia adentro. Se me corta la respiración al sentir el repentino estiramiento, y se me pone la piel de gallina; los folículos se contraen con intenso placer y un extraño y relajante dolor.

—¿Todo bien? —Su voz es perezosa y todavía está ronca por el sueño, pero sus ojos están alerta y vigilantes, observando mi expresión mientras sale casi por completo y luego me la mete deslizándola hasta el fondo.

Me muerdo el labio y echo la cabeza hacia atrás. La única respuesta que puedo conseguir darle es un parpadeo.

Él besa mi cuello, chupando la piel de detrás de mi oreja.

—Esa es mi chica.

Su tono de aprobación hace que me derrita. La inquietud se desvanece en una ola de pasión cuando comienza a moverse con un ritmo pausado mientras levanta la cabeza para estudiarme una vez más. La forma en que me mira con esa hambre desnuda, haciendo que me abra y me rinda a mis sentimientos, es tan potente como un contacto físico. Su manera de devorarme con esa simple mirada evoca un placer tan intenso como el roce de su polla sobre las sensibles terminaciones nerviosas dentro de mí.

Estar sujeta de esta manera, atrapada por su cuerpo y sus ojos, hace que responda enseguida. A pesar de sus movimientos pausados, mi placer se concentra deprisa. Me estoy ahogando de deseo bajo su musculoso cuerpo. Está probando su poder sobre mí: cuánto puede hacer que mi cuerpo se incline ante él, cuánto tiempo puede mantenerme al borde antes de que pierda todo sentido del tiempo y el espacio… Mientras tanto, me escudriña con esos ojos de color verde como joyas, deleitándose con mi reacción, observando con reverencia cada jadeo y gemido.

Cuando llego a mi límite, a ese lugar oscuro y peligroso donde se roban los corazones y se pierden las mentes, él me recompensa con alivio. Moviendo las caderas, aplica la cantidad justa de presión sobre mi clítoris para permitirme escapar de la enloquecedora prisión de deseo en la que me ha atrapado. Me quita las cadenas y permite que mi corazón eche a volar dando un salto de placer. El éxtasis es tan potente que apenas recuerdo mi propio nombre. Con qué facilidad me quita la razón.

Me deja terminar por completo antes de correrse, llenando mi cuerpo con su semilla. Él entra y sale de mí hasta que está vacío, y luego empuja un poco más. Se mueve con la febril determinación de un hombre tratando de derramar su marca y posesión en mí. No es diferente de todas las otras veces que hemos follado, y sin embargo, no es lo mismo. Cuando apoya su frente contra la mía, apretando mis muñecas, estamos completamente alineados. La última nota discordante ha caído, se ha afinado. Nuestro acoplamiento es perfecto. Por completo. Nuestras respiraciones jadean la misma melodía, nuestros corazones martillean el mismo ritmo errático. Somos dos instrumentos que resuenan en armonía. Parece como...

Amor.

Ese pensamiento es dulce. Amargo. Me devuelve a la realidad. Solo fue ayer cuando me preocupaba que él jamás correspondiera a mis sentimientos, pero ahora, mi temor es por todo lo contrario. Él no debería amarme. No puede. Es mejor si mi amor sigue siendo unilateral. Lo amo demasiado para herirle así. Pero nuestros corazones ya se han fusionado, y el hombre que me mira no es el hombre que me secuestró en un callejón oscuro.

Él es el hombre que me ama.

Me tambaleo al darme cuenta. El pensamiento golpea mi corazón y lo deja descolocado en mi pecho. Todavía estoy luchando para aceptar esa verdad no buscada cuando él sale de mí, dejando un charco húmedo entre mis piernas y una frialdad desconcertante en mi alma. Estoy tratando de conciliar esa distancia helada con el calor del conocimiento que arde en mi mente, pero luego él presiona nuestras bocas en un beso que me consume de adentro hacia afuera. Una barrera se desliza entre nosotros aun cuando ese beso funde en un fuerte forjado nuestros cuerpos y almas. Es un beso como ningún otro, un beso que pronuncia amor y adiós en un mismo aliento. Es empujar y tirar, una fuerza que tiene el mismo poder para fusionar o destruir.

Estoy flotando en ese espacio confuso cuando él separa sus labios de los míos para darme un casto beso en la mejilla.

—Será mejor que nos duchemos —dice.

Echa para atrás las mantas y me coge de la mano para llevarme hasta el baño, pero la distancia entre nosotros aumenta hasta que el ambiente se hace duro como el cartón, y mi garganta late con un nudo de lágrimas sin derramar.

Cuando Yan sale de la ducha y me da una toalla, ya no puedo contener mi lengua.

—¿Va todo bien?

Se encuentra con mi mirada directamente mientras se seca.

—¿Y por qué no debería?

—Estás distinto.

—Ahora no es momento para el psicoanálisis amateur —dice él secamente.

Su mala contestación es como una aguja clavándose en mi corazón. Después de lo que acabamos de compartir, es desconcertante, pero yo recompongo mi expresión.

—Tienes razón. Deberíamos centrarnos en el trabajo.

Me atrae hacia él y me planta un beso en la coronilla.

—Vístete. Haré el desayuno.

Dejando a un lado la molesta preocupación, me concentro en las tareas que tienen prioridad. Mientras los hombres se preparan, me pongo los postizos, me aplico una loción bronceadora y mientras se seca, trabajo los rellenos de mis pómulos y el maquillaje. Sujeto bien una redecilla con horquillas y me pongo con cuidado la peluca. Entonces me visto. Los pendientes largos, las pulseras y el anillo con piedras preciosas añaden los toques finales.

Una vez he acabado, estudio mi reflejo en el espejo de cuerpo entero. El resultado es bueno. Genial, en realidad. Nadie podrá darse cuenta de que no soy la auténtica Natasha Petrova, ni siquiera de cerca. No, a menos que la haya conocido en persona, y ese no es el caso de Dimitrov.

Yan e Ilya están en el salón cuando salgo de la habitación, vestidos con los monos de trabajo y las gorras de la empresa de transporte. Ilya me obsequia con un gesto de aprobación. Yan pasa su mirada sobre mí, pero no hay gesto alguno en sus ojos. Ni aprobación ni desaprobación. Solo están... ausentes.

—¿Yan? —Me acerco y trato de cogerle la mano, pero él se aparta.

Señala con la cabeza hacia la mesa preparada con fiambres, queso, tostadas y zumo de naranja.

—Será mejor que comas algo. Necesitarás todas tus fuerzas.

—¿Te traigo un té? —pregunta Ilya, extrañamente simpático.

Mi mirada va de un gemelo al otro.

—¿Qué es lo que ocurre?

—Nada —responde Yan secamente—. Salimos en quince minutos. Asegúrate de estar lista.

—¿Dónde está Anton? —pregunto.

Yan mete parte de mi ropa cuidadosamente doblada en una cara bolsa de viaje para guardar las apariencias en el hotel.

—Ocupándose de Kiss.

¿Qué? ¿Hoy de entre todos los días?

—¿No podía esperar?

—No. —Añade un par de zapatos a la bolsa sin mirarme—. Para mañana, Kiss podría haberse ido de nuevo o estar muerto, y quiero respuestas.

—¿Y mi guardaespaldas?

—Le dirás a Dimitrov que le surgió algo. —Se encoge de hombros—. Esas cosas pasan.

Lo miro boquiabierta.

—¿Hablas en serio?

—No te preocupes. —Ilya me da un apretón en el hombro.

—Nos apañaremos bien sin Anton.

Ignorando a Ilya, mantengo mi atención centrada en Yan.

—¿Por qué no me lo habías dicho?

—Yo no tengo por qué decirte nada —me grita Yan —. Tú solo tienes que hacer tu trabajo.

Doy un respingo ante ese arranque.

—No pasa nada —dice Ilya suavemente—. Son solo los nervios. El trabajo, ya sabes. —Le lanza una mirada desagradable a Yan.

—Come —dice Yan—. Tienes diez minutos.

No tengo hambre, pero Yan tiene razón. Necesitaremos nuestras fuerzas.

Después de un desayuno ligero, me pongo el pintalabios y los zapatos de tacones altos que habíamos comprado para la ocasión. Yan e Ilya prueban los micrófonos inalámbricos de sus orejas que están conectados a sus relojes inteligentes. Les permite una comunicación con manos libres discreta y sin esfuerzo. Como me registrarán, yo no llevo micro. Solo tendré el teléfono que me pasa Yan y que deslizo en mi bolso. Es el número seguro que Dimitrov usó para contactarme, en caso de que sus guardias decidan verificarlo. Los hackers de Yan han subido los contactos y aplicaciones de Natasha Petrova al teléfono, completos con copias de sus cuentas en redes sociales. No sabemos lo minuciosamente que me va a registrar Dimitrov.

Cargamos el cuadro embalado, la caja con los materiales para los disfraces y la bolsa de viaje en la furgoneta. Cuando estoy a punto de subirme, Yan me pasa los dedos por la muñeca y, por un instante, el hombre ferozmente apasionado de esta mañana surge atravesando la barrera de helada indiferencia.

—Ten cuidado —dice él.

—Y tú también.

Me besa en la frente, para no estropear mi lápiz labial, antes de ayudarme a subir al lado del pasajero. Ilya se mete en la parte de atrás y Yan conduce. Nos detenemos en el otro hotel a pocas manzanas del Hotel París, donde los dos guardias de seguridad ya esperan en la habitación que alquilamos. Me encargo de sus disfraces, convirtiéndolos en dobles de Yan e Ilya, antes de que caminen hacia el Hotel París por los callejones. Limpiamos nuestros rastros y huellas dactilares, dejamos el hotel, guardamos la bolsa de los disfraces en la furgoneta y ha llegado la hora de que empiece el espectáculo.

Como estaba previsto, aparcamos en un callejón cercano al hotel. Si los hombres de Dimitrov están observando, nuestra llegada debe parecer discreta. Petrova respetaría el secreto. Me pongo unas enormes gafas de sol y me meto en mi papel. Cuando bajo de la furgoneta, llevo los hombros rectos y los pechos levantados. Camino con pasos largos y mis piernas no vacilan al andar con tacones. Saludo con la cabeza al portero que espera en la entrada de servicio como yo fuese la Reina de Saba y entro por delante de los transportistas que llevan el paquete y mi bolsa. Entramos por la cocina y cogemos el ascensor de servicio que solo llega al primer piso, donde se encuentra la sala de conferencias.

Salgo al primer piso y los hombres me siguen. Desde detrás de mis gafas oscuras, mantengo los ojos abiertos. Nada parece estar fuera de lo normal. No hay hombres sospechosos al acecho, solo algunos de los guardias habituales de Dimitrov pululando delante de la sala de conferencias, fingiendo servirse un café de una jarra que se encuentra en una mesa en el vestíbulo. Los reconozco por las fotos del archivo que estudié durante nuestros preparativos.

El gerente está en esa planta. Hace grandes aspavientos durante el proceso de darme la bienvenida y desearme una feliz estancia, y luego chasquea los dedos en dirección a un botones, que viene corriendo a coger mi bolsa de las manos de Yan. El gerente se ofrece a acompañarme hasta mi suite, pero le digo que no con mi voz de Natasha Petrova, afirmando que no deseo que me molesten. Me entrega la tarjeta antes de inclinarse y besar mi mano, asegurándome que estará a mi absoluta disposición. Meneo las caderas al cruzar el vestíbulo, mientras los guardias babean a mis espaldas, con los ojos fijos en el impresionante tamaño de mis tetas falsas.

Es un buen espectáculo, uno convincente.

Entro en el ascensor normal por delante del botones. Yan e Ilya lo siguen, equilibrando la caja entre ellos, con las gorras con el logotipo de la empresa de transportes bien encajadas, ocultando sus ojos. El botones pulsa el botón del cuarto piso. Subimos en silencio. Salgo al rellano, pendiente de cualquier posible elemento de sorpresa, pero todo está tranquilo. Al abrir la puerta de la suite Klimt, estudio el espacio con ojo crítico a beneficio del botones, que no está dentro de nuestro plan.

—¿Está todo a su gusto, señora? —pregunta.

—Me servirá. —Saco un billete de cien del bolso y se lo meto en la mano.

—Oh, gracias, señora.

—Por favor, cuelgue el cartel de "No molestar" en la puerta cuando salga —le ordeno.

—Sí, señora.

Cuando la puerta se cierra detrás del botones, Yan e Ilya se ponen rápido a trabajar. Utilizan los martillos de sus cinturones de herramientas para abrir la caja mientras yo inspecciono la suite. No hay nadie escondido dentro y no hay cámaras que yo pueda detectar. Uso el escáner portátil que Yan se ha escondido debajo de la chaqueta para comprobar si hay micros o dispositivos de transmisión. Cuando he terminado, los gemelos ya han apoyado la pintura contra la pared de la sala de estar y han dejado la caja en el balcón, asegurándose de que la puerta corredera se quede abierta.

—Está limpio —le digo cuando la luz del escáner se pone verde.

—Nos largamos —anuncia Ilya, moviéndose hacia la puerta.

Yan me coge por la cadera, titubeando.

—Quítate las gafas. —dice con voz tensa—. Quiero verte los ojos.

Esa petición me descentra. Me saca de mi papel, y cuando me quito las gafas de sol y las dejo en la mesita de café, vuelvo a ser Mina. Pertenezco a Yan. Por un instante, simplemente nos miramos el uno al otro, y una sensación instintiva de pertenencia pasa entre nosotros.

Mirando al reloj, Ilya dice:

—Tenemos que irnos.

No hay nada que Yan pueda decir sin gafar la operación, ciertamente nada como "Todo irá bien" o "Te amo". El amor nunca formó parte del plan. Me duele el corazón al saber que inevitablemente voy a hacerle daño, pero es un amor nuevo, un amor joven. Se recuperará. Seguirá adelante, y tal vez encuentre a alguien menos maltrecho de quien preocuparse. Y sí, quiero eso para él. Quiero que sea feliz. Dios sabe que disfrutó de demasiada poca felicidad al crecer.

Con un último apretón, Yan me suelta. Ilya me sonríe antes de salir al pasillo. Yan sigue los pasos de su hermano, pero se detiene en el umbral.

—Vete. —Le hago un gesto indicándole que se marche. No hay tiempo para las dudas. Cumplir el horario previsto lo es todo. Los de seguridad del hotel ya estarán esperando en el ascensor.

Me lanza una última mirada tachonada con algo parecido al anhelo y la incertidumbre, y luego se va. La puerta se cierra con un clic, dejándome encerrada en el silencio.

De inmediato, mi cuerpo hormiguea de energía, como siempre lo hace en una misión. Es la adrenalina. Sin embargo, a pesar del subidón físico, estoy tranquila y concentrada. El trabajo me hace sentir que tengo un propósito que no sea ser la distracción sexual de Yan. No me había dado cuenta de cuánto necesitaba volver a la acción hasta ahora.

Solo tardo un momento en asumir de nuevo mi papel. Me aliso el vestido y me arreglo el pintalabios en el espejo. Estoy poniéndome un rizo detrás de la oreja cuando la llamada que esperaba suena en la puerta. Poniendo mi cara más sensual, la abro y dejo paso a un séquito de hombres con trajes oscuros. Dimitrov se encuentra en el centro, flanqueado por dos guardaespaldas con auriculares y pistolas colgando en sus fundas. Un hombre bajito con gafas de montura dorada y cabellos de un castaño apagado se mueve a su izquierda. Con su cuerpo delgado y su traje a rayas, destaca en medio del resto del grupo de tipos musculosos y vestidos de negro.

Debe de ser el experto en arte.

—Justo a la hora convenida. —Le tiendo una mano —. Me gusta que un hombre sea puntual.

Los ojos castaño oscuro de Dimitrov se centran en mí como si yo fuese la obra de arte puesta a subasta.

—Señorita Petrova. —Besa mi mano, usando un poco de lengua—. Estoy extasiado de que mis modales le agraden.

La humedad de su lengua viscosa envía un escalofrío interno de repulsión a través de mí, pero lo oculto detrás de una sonrisa.

—No puedo esperar a que hagamos negocios juntos.

El deseo en su rostro es salvaje y descarado.

—Ahora tengo que pedirle excusas por hacer esperar a una dama como usted mientras mis hombres revisan la habitación.

Me hago a un lado.

—Por favor, dígales a sus hombres que adelante.

Según lo acordado, dos guardias entran en la suite para buscar micros, cables o armas. Un tercero me cachea después de que Dimitrov se disculpe por el tratamiento irrespetuoso pero necesario. Aguanto la respiración mientras el guardia pasa sus palmas sobre los postizos de mis caderas y alrededor de mis muslos, pero son de buena calidad. El material poroso está diseñado para absorber el calor corporal. A través de la ropa, parecen tan cálidos al tacto como la piel. Los guardias regresan de registrar el dormitorio y el baño, asintiendo con la cabeza en dirección a Dimitrov.

—El cuadro está allí —dice uno de los hombres al salir.

Mi tono es seductor.

—Ahora me toca a mí. —Giro un dedo para indicar que Dimitrov debería darse la vuelta.

—¿Dónde está su guardaespaldas, señorita Petrova? —pregunta Dimitrov con una ceja levantada.

—Indispuesto Y por favor, llámeme Natasha. ¿Puedo llamarte Casmir?

—Por supuestísimo, Natasha. —Levanta los brazos con una sonrisa burlona—. No dudes en registrarme a fondo.

No dudo en cachearle. Natasha no sería tímida a la hora de tocarle. Todo lo contrario. Me entretengo cerca de su ingle. El contacto casi me hace sentir nauseas, pero consigo ocultarlo. Él es musculoso. Está en buena forma. Su mirada es perspicaz, su mente rápida. Sería un oponente peligroso en cualquier combate.

—Mi experto —dice Dimitrov dice cuando la prueba finalmente ha terminado, extendiendo un brazo hacia el hombre apocado del traje azul—. Por razones obvias, prefiere permanecer en el anonimato.

Repito la búsqueda con el experto, menos el extra de persistencia en la ingle.

Cuando tanto Dimitrov como yo nos quedamos satisfechos de que ninguna de las partes lleva un arma, los invito a él y a su experto a pasar, cerrando la puerta detrás de ellos y echando el pestillo.

—Por aquí —les digo, conduciéndoles hacia el salón.

Dimitrov jadea y pone una mano sobre su corazón

con gesto teatral cuando ve el cuadro. Moviendo sus dedos hacia el hombrecillo, dice:

—Por favor.

El experto se acerca, entrecerrando los ojos mientras se quita las gafas para limpiarlas en un pañuelo que saca del bolsillo de su chaqueta.

Dirigiéndome a la habitación, digo por encima del hombro:

—¿Champán?

—Sería lo más apropiado —murmura Dimitrov con un brillo malévolo en sus ojos.

Todo sobre ese hombre hace que se me erice la piel, pero le tiro un beso.

—Vuelvo en seguida.

Me muevo sin prisa, meneando las caderas. Solo camino más rápido cuando estoy fuera de su vista, y aún más rápido cuando paso junto a la mesa en la que una botella de Don Pérignon se está enfriando en un cubo de hielo. Mis tacones no hacen ruido sobre la espesa moqueta.

Solo me faltan cinco pasos para el baño.

Cuento los segundos. Dentro de tres, Dimitrov estará muerto.

Uno.

Dos.

Justo cuando agarro el pomo de la puerta, un fuerte brazo se cierra alrededor de mi cintura.

—¿Vas a alguna parte, Natasha? —El tono de Dimitrov es bajo y amenazante antes de meterme la lengua en la oreja.

YAN

*T*odo va según lo planeado, pero no puedo quitarme el conflicto de mis entrañas. Esta mañana casi me muero. Hacerle el amor a Mina sabiendo que la voy a perder hoy me destrozó por dentro. El espacio que intenté poner entre nosotros después de nuestra intensa relación sexual fue lo más difícil que había hecho, después de lo de dejarla sola en esa suite para encontrarse con esa escoria de Dimitrov.

Ilya y yo nos subimos al ascensor. Los dos hombres de seguridad del hotel ya están solo con sus camisas y su ropa interior. Sus chaquetas y pantalones están metidos en una bolsa que se encuentra en el suelo. Usan una tarjeta de acceso para bloquear el ascensor, asegurándose de que no se detenga en ningún piso.

Cuando las puertas se cierran, Ilya y yo nos quitamos rápidamente nuestras pesadas botas de trabajo antes de quitarnos el mono. Llevamos camisetas y pantalones militares debajo. Nos dejamos puestos los guantes de algodón que hemos utilizado para transportar y manejar el cuadro. Su verdadero propósito no es el de proteger una valiosa obra de arte, sino no dejar huellas dactilares. El gobierno no permitirá que sus fuerzas policiales nos persigan por un golpe que ordenaron ellos mismos, no a menos que nos atrapen con las manos en la masa, pero nunca se sabe. No me gusta dejar rastros innecesarios. Nuestro contacto limpiará la habitación de las huellas de Mina antes de dejar que los federales entren en escena.

Cuando vuelvo a meter los pies en mis botas, mi mente se dirige a Mina. ¿Estará bien?

Maldita sea. Mi mente no está centrada en lo que debería. Probablemente captando mis emociones volátiles, Ilya me mira de reojo mientras le entrega su mono a uno de los hombres.

Los hombres se ponen los monos y las gorras, y yo les paso las llaves de la furgoneta. Nadie habla. Bajamos al vestíbulo en medio de un tenso silencio. Una vez han salido y nosotros estamos subiendo de nuevo, Ilya me mira fijamente.

—¿Qué? —le ladro, con ganas de pegarle un puñetazo a algo.

—Tienes que controlarte, hombre.

—¿Quién dice que no lo estoy haciendo?

—No estás aquí. —Apunta hacia el suelo—. Estas a jodidas millas de distancia.

Tiene razón. No soy el único con mucho que perder. La vida de mi hermano también está en juego.

—Es por Mina —admito con un suspiro de derrota

—. Estoy preocupado. —No, decirlo así es ponerlo demasiado suavemente—. Me estoy volviendo jodidamente loco de preocupación.

—Oye. —Me agarra del hombro y baja la cabeza para mirarme a los ojos—. Ella ha hecho cantidad de trabajos de estos sin ti. Sabe lo que se hace.

—Aun así. —Es una mujer, y una pequeñita y delicada. Y estará encerrada en una habitación de hotel con un criminal peligroso en, miro mi reloj, siete minutos. Joder. Agarro mi cabeza entre mis manos. Solo pensar en eso me hace sudar. Cada parte de mí quiere volver y sacarla de allí.

—Céntrate —dice Ilya, dándome un empujón—. En unos minutos, todo habrá terminado.

Habrá terminado. Mina y yo habremos terminado. Todo habrá terminado. Mi vida perderá todo su sentido cuando ella me abandone.

—No pienses en eso —dice Ilya, adivinando correctamente lo que me pasa por la cabeza—. Luego podrás emborracharte y destrozar todas las sillas y las mesas del bar.

—Es solo... —El indicador del cuarto piso se enciende. El piso de la suite Klimt. El piso donde está Mina, esperando a Dimitrov—. Desearía poder encerrarla y protegerla de cualquier daño.

—No es el tipo de mujer que puedas meter entre algodones. Encerrarla la mataría lentamente. Ya viste lo mal que se puso esos primeros días después de que la capturaras. Mina necesita esto. Apuesto a que también es jodidamente buena.

Mi pecho se hincha de orgullo. Sí, será buena. La mejor. Pero aun así, esto es duro. Mi instinto de protección me exige que la mantenga alejada de situaciones peligrosas. Por otra parte, hasta ayer, mi posesividad me exigía que la retuviera para mí solo. Para siempre. Y si fui capaz de cambiar mi naturaleza misma por ella, lo suficiente para decidir liberarla, puedo doblegar mi instinto de protección para darle mi confianza.

—¿Bien? —pregunta Ilya, escudriñando mis ojos.

—Sí. —Agradezco tener a este tonto del culo aquí ahora mismo.

El ascensor suena cuando llega al sexto piso.

Agarrando la bolsa con la ropa de seguridad de los hombres, Ilya dice:

—Es hora de jugar.

Salimos al último piso. Compruebo la imagen de la cámara de la ciudad de la calle que se envía a mi reloj inteligente, cortesía de nuestros piratas informáticos. Dos monovolúmenes con las ventanillas tintadas aparcan en la calle justo cuando los guardias de seguridad del hotel se detienen junto a nuestra furgoneta. Dimitrov y sus hombres salen de los vehículos. Hay cinco guardias y un hombre delgado sin auricular, que supongo que será el tío que sabe de arte. Dimitrov se acerca hasta un coche aparcado junto a la acera. La ventanilla del conductor se baja. Él se inclina hacia el interior e intercambia algunas palabras con el hombre de dentro. Justo como esperaba, Dimitrov ha hecho que nos vigilaran. Es bueno que nuestra llegada haya estado tan bien organizada. Dimitrov asiente. Se endereza y da unos golpecitos en el techo del automóvil, y luego cruza la calle con sus hombres. Entran al hotel justo cuando cogemos la escalera de incendios y nos dirigimos a la azotea.

Un parapeto ornamentado que recorre todo el perímetro del tejado nos protege de la vista. Nos agachamos detrás junto a la bolsa de los rifles. Dimitrov debería estar en la suite ahora. Sus hombres registrarán la habitación, y Mina lo estará cacheando a él a la vez que Ilya y yo nos cambiamos los guantes de algodón por unos finos de cuero.

Mientras abro la cremallera de la bolsa con las armas, el tono de llamada de mi teléfono suena en mi oído. Compruebo el identificador de llamadas en mi teléfono.

Es Anton.

Una chispa helada de premonición se enciende en mi columna vertebral. No nos llamaría ahora mismo de no tratarse de algo fuese urgente. Sabe que tenemos exactamente tres minutos antes de bajar haciendo rappel por la pared del edificio hasta el balcón de la suite Klimt.

Ilya, que está conectado a mi reloj inteligente a través de nuestro sistema de comunicaciones, me lanza una mirada de preocupación. Toco el micrófono una vez para atender la llamada, a la vez que compruebo que mi arma está cargada correctamente, y respondo:

—¿Anton?

—¡Sacad a Mina de ahí!

Mi cuerpo se torna un bloque de hielo y la sangre se me congela en las venas.

Él prosigue con tono apresurado.

—Es una trampa.

MINA

*E*l brazo que rodea mi cintura me aprieta tan fuerte que no puedo respirar. Sin esfuerzo, Dimitrov me levanta en el aire.

Mierda. Me pongo a sudar. No se suponía que fuese a seguirme hasta el dormitorio. ¿Hasta dónde estoy dispuesta a llevar el juego de la seducción? ¿Cuánto tardará su experto en darse cuenta de que los he engañado? Seguramente, si es de verdad un experto, ya debería saber a estas alturas que el cuadro es una falsificación.

Debería dejar que Dimitrov me manosee. Le cogeré por sorpresa antes de que ese hombrecillo pueda alertarle. Todavía podemos conseguirlo. Puedo liquidarlos a los dos, o al menos retenerlos hasta que lleguen Yan e Ilya.

Atrapada entre el cuerpo de Dimitrov y la puerta del baño, me quedo quieta, dejándole que lama el interior de mi oreja mientras unos escalofríos de repulsión me invaden.

—Respóndeme, Natasha —dice, haciéndome daño al agarrarme con excesiva fuerza—. ¿O debería llamarte Mink?

¡Joder!

La sorpresa me golpea. *Es una trampa.*

No pienso en por qué. No pienso en cómo. Solo pienso en sobrevivir.

Mi plan de seducción es ya inútil. Va a haber una pelea.

Teniéndome así sujeta, Dimitrov tiene ventaja. Tengo que soltarme, y rápido. Estoy en una posición vulnerable. Puede aplastarme las costillas o romperme el cuello.

Mi entrenamiento toma las riendas. Entro en modo de combate automatizado. Golpeando con mi cabeza hacia atrás, apunto a la parte más sensible de su cuerpo que tengo a mi alcance. Suena un crujido cuando le acierto en la nariz. El impacto tiene el efecto deseado.

Él me suelta y retrocede un paso, tambaleándose.

—¡Puta de mierda!

Aprovecho la oportunidad para darme la vuelta.

Nunca le des la espalda a tu oponente.

La sangre chorrea de su nariz. Se está agarrando el cartílago roto entre las manos, con los ojos llameantes de odio y furia. Se escucha otro crujido cuando se endereza la nariz con una sonrisa malévola.

Cabrón correoso.

Levanto la pierna rápidamente, apuntando a su entrepierna, pero él no va a volver a dejarme que lo coja con la guardia baja. Salta hacia atrás, evitando la patada. Al mismo tiempo, saca un brazo y me lanza un puñetazo.

Pero yo también soy rápida. Me agacho antes de que el golpe me dé, usando el impulso para rodar a un lado y suavemente ponerme sombre mis pies a una corta distancia. Es un baile ágil que me resulta fácil, uno que fue taladrado en mí hasta que se convirtió en una segunda naturaleza. Ahora estoy en el espacio estrecho entre la cama y la pared, y la mesita de noche queda a mi espalda.

Él avanza rápidamente.

—¿Creías que podrías engañarme?

Finjo estar atrapada, haciéndole creer que va a poner sus patas sucias sobre mí. Mientras me alcanza con la velocidad de ataque de una serpiente, me subo a la cama y agarro la barra horizontal del marco de cuatro postes. Con un poderoso empujón, me balanceo en el aire, abriendo las piernas. Su rostro se llena de sorpresa cuando lo atrapo por el cuello en la prensa de mis muslos, cruzando los tobillos para asegurar la llave de la muerte.

Ahogando su cara en mi entrepierna, aprieto mis piernas y giro mis caderas al mismo tiempo. Un hombre menos experimentado habría muerto con el cuello roto en cuestión de segundos, pero Dimitrov no es un hombre cualquiera. Es un criminal endurecido acostumbrado a luchar sucio. Se dobla con el movimiento antes de dejarse caer de rodillas, casi arrancando mis manos de la barra. No tengo más remedio que dejarlo ir o caerme al suelo justo delante de él.

Me recupero rápidamente. Antes de que pueda ponerse de pie, me balanceo hacia atrás y doy patadas con mis piernas, golpeándole de lleno en el pecho con los tacones afilados de mis zapatos.

Las patadas duelen. Hace el suficiente daño para doblarlo hacia atrás y dejarlo sin aliento. Cogiéndose la camisa, mira las manchas rojas de la sangre que se filtran por la tela allí donde mis tacones le han rasgado la piel.

—Vas a pagar por esto —sisea, poniéndose de pie.

No dudo. Le clavo un tacón en la mano que se agarra al borde de la cama para sostenerse.

Se oye el crujido inconfundible de los huesos al romperse, y la sangre brota del agujero que ha dejado mi zapato. Acercándose la mano al pecho, vuelve a caerse hacia atrás y lanza un grito que seguramente alarmará al experto.

A estas alturas, Ilya y Yan ya deberían de estar en el balcón. Al escuchar que pasa algo, el experto abrirá la puerta a los guardias de Dimitrov. La prioridad ahora es evitar que él abra esa puerta. Me ocuparé de Dimitrov después. Por el momento, Dimitrov está sufriendo lo suficiente como para estar fuera de combate, aunque solo sea por un corto espacio de tiempo.

Usando la fuerza de mis brazos, me balanceo sobre la cama hacia el otro lado mientras Dimitrov recupera el aliento en el suelo con la sangre brotando de su mano. Apenas siento el ardor en mis músculos o el impacto discordante en mis piernas cuando aterrizo de pie en los talones. Estoy a punto de ir directa a la puerta cuando el hombrecillo aparece en el umbral. Desconcertada, me detengo en seco. Él cierra la puerta y gira la llave antes de apoyar un hombro contra la pared en una postura confusamente despreocupada.

Suena un disparo en la otra habitación. Incluso con el silenciador, el sonido resuena a través de mí como una campana de bronce en la torre de una iglesia.

Se escucha otro en respuesta.

Mierda. Demasiado tarde. El hombre ha dejado entrar a los guardias. Yan e Ilya están atrapados en un fuego cruzado, y los superan en número por tres.

Ráfagas frías y calientes recorren mi cuerpo. Lo último que nos esperábamos es que fuese una trampa. No tenemos un plan de contingencia, no para la batalla que está teniendo lugar en el otro cuarto. Nuestra orden al gerente del hotel fue clara. No queríamos a nadie en este piso hasta que el trabajo estuviese terminado. Todo el cuarto piso fue evacuado y cerrado por una supuesta fumigación rutinaria. Con los silenciadores, puede pasar cierto tiempo antes de que alguien se dé cuenta de que hay un tiroteo en el piso. Y si un invitado o empleado se da cuenta de lo que está pasando y llama a la policía, seguimos estando jodidos. Si nos capturan nos torturarán para sacarnos información sobre nuestros aliados y clientes antes de encerrarnos tan profundo y tan lejos que nos pudriremos antes de que nadie nos encuentre. El gobierno no vendrá en nuestra ayuda. No pueden admitir que ordenaron el golpe contra Dimitrov. Ellos también fueron claros al respecto.

Si nos cogen, estamos solos. No podemos confiar en que nadie nos ayude.

Mi corazón y mi mente se aceleran cuando pienso en Yan y lo que estará sucediendo detrás de esa puerta cerrada, pero tengo que confiar en que él sabrá librar su propia batalla. Y yo tengo que cuidarme de atender a la mía.

Dirijo mi atención al hombre apocado, que probablemente escapó aquí para protegerse a sí mismo y a Dimitrov de las balas que volaban en el cuarto de al lado, y le digo:

—Ve al baño y quédate allí. No tienes por qué salir herido.

Él se mete las manos en los bolsillos, y mira a Dimitrov:

—Hay dos hombres luchando contra cinco. No tienen ninguna posibilidad. Estoy seguro de que tu equipo puede quedarse con un hombre menos. ¿Quieres que haga venir a uno de los guardias?

—No —dice Dimitrov entre dientes, poniéndose en pie, tambaleante—. La zorra es mía. Voy a matarla con mis propias manos y me la follaré mientras lo hago.

Así que la trampa se extiende hasta este punto. Ese hombre apocado no ha sido nunca un experto en arte. Sea lo que sea, sus palabras despreocupadas me incitan a la furia. Él no conoce a Yan e Ilya. Sí que tienen una oportunidad.

Han de tenerla.

El hombre se encoge de hombros.

—Como quieras.

El experto o lo que sea que sea no se mueve. Él no viene por mí. Lo cual es bueno, ya que Dimitrov está de pie nuevamente.

Girando, me giro de lado para tener a los dos hombres a la vista mientras evalúo la situación. Dimitrov sumerge su mano herida en el cubo de hielo, probablemente para detener la hemorragia y calmar un poco el dolor. Luego coge la botella de Don Pérignon con su mano sana. La baja con fuerza y la rompe contra el borde de la mesa. El champán burbujea sobre los cristales rotos y se derrama por la moqueta.

Palpo a mis espaldas y cojo el cable de la lámpara de la mesilla, dándole una vuelta alrededor de la muñeca mientras bromeo:

—Eso sí que es desperdiciar un champán tan bueno.

Sosteniendo la botella rota a modo de cuchillo delante de él, Dimitrov se lanza contra mí. Muevo de golpe la muñeca, arrancando el enchufe de su agujero. El cordón sirve como lazo y la lámpara como arma pesada. Giro la lámpara por el aire una vez antes de lanzarla contra Dimitrov.

El pie de metal le golpea en la muñeca y la bombilla estalla, haciendo que una lluvia de cristales finos como el papel caiga sobre la moqueta. Crujen sus zapatos cuando él salta sobre ellos, soltando la botella rota y sacudiendo la muñeca mientras suelta una fea palabrota.

—Un punto para Mink —dice el hombrecillo—. Zero para Casmir.

—Cállate la puta boca —grita Dimitrov, enseñando los dientes como si quisiera destrozarme con sus colmillos.

Vuelvo a girar la lámpara, y esta vez le acierto a un lado de la cabeza.

Ahora es un toro herido y furioso. Su rabia se apodera de él y ya no pelea de forma inteligente. Actúa en base a su esa rabia instintiva. Tristemente predecible. Cuando carga, con la cabeza inclinada para golpearme en el estómago con toda la fuerza de su cuerpo, le doy en la nuca con la base de la lámpara de hierro forjado. El golpe es lo bastante fuerte como para hacer que sus piernas se doblen. En el momento en que sus rodillas golpean la alfombra, le arranco el cordón a la lámpara, lo enrollo alrededor de su cuello y lo retuerzo.

Él hace un desagradable sonido de gorgoteo, intentando frenéticamente alcanzar mis tobillos, pero yo ya estoy corriendo alrededor de él y saltando sobre su espalda. Me golpea inútilmente. Sus brazos no llegan lejos ni de forma efectiva por detrás de su espalda. Él va a por mi cabello, pero lo esquivo con bastante facilidad, habiendo predicho ese movimiento. Al darse cuenta de que no se va a librar de mí usando sus manos, se retuerce como un loco, pero yo soy ligera y consigo seguir sujeta sin mucho esfuerzo. Por fin, se da por vencido y trata de meter los dedos por debajo del cable. Lo retuerzo tres vueltas más, lo bastante como para que se clave en la gruesa carne de su cuello.

El tiroteo continúa, pero me obligo a no pensar en ello. Lucho contra Dimitrov con todas mis fuerzas mientras mantengo un ojo en el hombrecillo. Ese tipo raro sigue inmóvil, apoyado en la pared, igual que un extraño sociópata.

—Admítelo, Casmir —dice—. Te está dando una paliza una chica.

Dimitrov golpea con su mano ensangrentada en la alfombra. Gira la cabeza y levanta los ojos hacia el hombre en gesto de súplica. Él ni se inmuta.

¿Qué pasa con la extraña actitud del hombrecillo ese? No sé cuál es su rollo, pero es mejor que liquide a Dimitrov rápidamente para poder lidiar con él.

Desafortunadamente, Dimitrov es un luchador. El cabrón se niega a rendirse. Con un estallido de fuerza inhumano, rueda hacia un lado y encima de mí. Termino boca arriba, atrapada debajo de su cuerpo con él mirando hacia el techo. Antes de que pueda evitarlo, me planta un codo en el estómago.

El golpe me deja sin aliento. Con un sonido sibilante, trato de respirar. Mi control sobre el cable se afloja. En un abrir y cerrar de ojos, Dimitrov está de pie y me arranca el cable de la mano, con tanta fuerza que me hace un corte en la palma. El mismo cable que he utilizado para estrangular a Dimitrov se encuentra ahora alrededor de mi cuello. Pataleo y recibo algunos golpes, pero Dimitrov está espoleado por su ira. Me medio arrastra, medio lleva hasta la cama, subiéndome al colchón.

¡Pum! ¡Pum!

La lucha al otro lado de la puerta se intensifica. Me imagino a Yan e Ilya refugiándose detrás de los muebles y destrozando la suite mientras yo lucho por mi vida. Tal vez los guardias los mantienen alejados de la puerta por orden de Dimitrov. Quizás Dimitrov les dijo que mi vida era suya. Es lógico. Un hombre como Dimitrov no permitirá que nadie más mate a un traidor contra el que tenga una venganza personal. Y lo engañé de la manera más humillante, no solo usando su propia lujuria como arma contra él, sino también haciéndole quedar como un tonto.

Mi visión se vuelve borrosa, pero me niego a rendirme.

Me debato con más fuerza por debajo de Dimitrov, arañando allí donde mis uñas encuentran donde hacerlo, pero su chaqueta de traje obstaculiza mis esfuerzos. Voy a por su cara. Él se aparta lo suficiente como para que apenas raspe su mandíbula.

Abandonando el cordón, pone sus manos alrededor de mi cuello. Su mano lesionada funciona mal, pero aun así, su fuerza es aterradora, del tipo alimentado por el odio y la ciega voluntad de sobrevivir.

—Te mataré jodidamente despacio.

Trato de librarme de él sacudiendo mis caderas, pero es un peso muerto. Una mirada frenética a la puerta me asegura que el hombrecillo ese todavía está allí de pie observando el espectáculo con evidente diversión. ¿Le pone ver cómo asesinan a la gente?

Otra tanda de disparos suena más cerca, tal vez justo detrás de la puerta, pero son sonidos débiles en comparación con el zumbido de mis oídos mientras Dimitrov continúa ahogándome. Mis pulmones protestan y mi pánico emerge.

Invocando todo mi entrenamiento, dejo de resistirme y luchar, y me obligo a pensar.

—No eres tan valiente ahora que eres la que recibes —murmura Dimitrov.

Sujeta mi cuello a la cama con su mano herida mientras alcanza su hebilla con la otra, dándome el oxígeno justo para que no me desmaye. Para que esté consciente para lo que tiene planeado para mí.

—¿Vas a seguir ahí parado? —pregunta al hombrecillo—. ¿O quieres probar el coño de esta traidora?

—Te dejaré a ti primero —responde el hombre.

Que le jodan. Que les jodan.

Se escucha un fuerte crujido proveniente del salón. Viene seguido por el ruido de la madera al astillarse.

Dimitrov está ocupado con su torpe frenesí, bajándose los pantalones antes de meter sus caderas entre mis piernas. La sangre de su nariz rota gotea sobre mi cara, y unas gotas de saliva salpican mis labios cuando gruñe:

—Me voy a follar todos los agujeros de tu cuerpo. Después voy a ver como lo hacen mis hombres. Y luego, antes de matarte, te follaré con esa botella rota.

Quiero escupirle en la cara. Quiero hundirle los dientes en la lengua y arrancársela de la boca, pero reprimo el impulso instintivo de luchar movida por la rabia. Reprimo el impulso lanzarme a la batalla a ciegas. Tengo que pelear con mi cerebro y no con mi cuerpo, tal como me enseñó Gergo.

Pensar en mi amigo me tranquiliza, y saber que Yan está al otro lado de esa puerta me da fuerzas.

Cuando la polla de Dimitrov cae sobre mi muslo, me arranco la peluca y agarro una de las horquillas que la mantenían en su sitio. Deslizando el extremo curvo alrededor de mi dedo medio, aseguro las puntas afiladas entre los otros dedos y cierro el puño mientras Dimitrov me sube el vestido, buscando a tientas mi ropa interior. Cuando el bastardo me sonríe, lo apuñalo en el ojo.

Su grito es escalofriante. Él trata de apartarse, pero yo agarro su cabello con mi mano libre y sostengo su rostro hacia mí. Él golpea salvajemente, acertando principalmente al aire. No me detengo. Lo apuñalo en el ojo y en la mejilla, en todas partes donde cae mi mano. Echa la cabeza hacia atrás y aúlla, deteniéndose una fracción de segundo en su esfuerzo por escapar del ataque. Eso me basta para permitirme apuntar. Concentrando todas mis fuerzas le clavo el alambre largo y afilado de la horquilla en el oído.

El penetrante grito de un hombre llevado más allá del umbral del dolor atraviesa la habitación. No es un grito, sino un agudo aullido, un sonido que va de la mano con la tortura. Nada duele más que un tímpano roto. Nada hace que una persona se vuelva más loca que una aguja en el oído interno.

Saco mi arma. Él me suelta para golpearse la oreja con una palma. Un riachuelo de sangre rezuma entre sus dedos. Es la pausa más larga que necesito para localizar la vena yugular de su cuello. El pinchazo del alfiler en una vena no es nada comparado con el dolor en un ojo o una oreja, pero su ojo bueno se agranda y el herido se abulta cuando la horquilla se hunde en su cuello. Como todos los animales, comprende instintivamente cuándo ha llegado el final. Lleva la derrota escrita en su rostro, pero como todos los hombres con excesiva confianza en sí mismos, se debate por creerlo. Me mira en estado de shock. Su belicosidad le ha abandonado por completo. No se enfrenta a la muerte con elegancia.

La saluda gritando y llorando.

Empujando a un babeante Dimitrov sobre un costado, me arrastro desde debajo de su cuerpo semidesnudo. Se desangrará. Con Dimitrov eliminado, el sociópata con pinta de roedor es ahora mi mayor amenaza inmediata. Miro a la puerta, lista para saltar como una tigresa, pero el hombre ya no está.

¡*Pum!* ¡*Pum!*

Tengo que llegar hasta Yan. Tengo que ayudarles a él y a Ilya.

Mis costillas protestan cuando me muevo. Dimitrov debe de haberme roto una o dos con sus golpes. Ignorando el dolor, me alejo cojeando de la cama, pero me detengo cuando algo fuerte presiona contra mi sien y el inconfundible chasquido de un seguro siendo amartillado suena en mi oído.

—No tan rápido, Mink —dice el hombrecillo—. No vas a ir a ninguna parte.

Varias preguntas pasan simultáneamente por mi mente. ¿Por qué no ha ayudado a Dimitrov? ¿Quién demonios es? ¿Por qué no me está disparando ya?

Estoy pensando en las respuestas, tratando de montar el puzle mientras busco una salida a este nuevo dilema, cuando mi mirada cae sobre la botella rota del suelo. Puedo quitarle el arma de la mano y apuñalarlo con la botella antes de que él sea consciente de lo que está sucediendo.

Otro disparo.

Levanto las manos e intento comprar algo de tiempo.

—No me dispares. Haré lo que quieras.

Él se ríe entre dientes.

—Eso lo dudo.

Mis músculos se tensan y mi cuerpo se pone en alerta, preparándose para atacar. Estoy a punto de moverme cuando la madera de alrededor del picaporte explota y la puerta entera cae en la habitación.

Una figura alta aparece en el marco, y todo dentro de mí se queda quieto. Hasta la tierra parece haber dejado de girar. Incluso el tiempo se detiene cuando Yan aparece allí con una mirada fría y feroz en su rostro. Está cubierto de sangre y apunta al hombre con una pistola , tal vez una que tomó de los guardias.

Con el corazón en pausa, mi mirada va de Yan al

hombre apocado, y a la pistola en su mano. Tiene el dedo doblado sobre el gatillo.

El gatillo se mueve una mínima fracción. El resorte que es empujado hacia atrás se amplifica en el silencio que resuena en mi cabeza. Tal vez sea imaginario, pero lo que es real es la bala del tambor.

Mi mundo comienza a girar de nuevo cuando Yan habla.

—Suéltala. —Su mirada se agudiza, sus ojos se tensan. Reconozco la determinación en esas lagunas de color jade mientras él calmadamente sigue apuntado y dice—: Ahora mismo.

El hombre se ríe.

—No creo. O tiras el arma o ella muere.

—No vas a dispararle. —Los labios de Yan trazan una leve sonrisa—. Es tu único billete para salir de aquí.

Yan no me mira, ni a Dimitrov, ahora callado y quieto, tumbado semidesnudo sobre la cama, con la polla flácida al descubierto. Toda la atención de Yan se centra en el hombre que presiona un arma contra mi cabeza.

—Suéltala —dice Yan otra vez—, y te mataré rápido.

El hombre se ríe.

—Estás haciendo suposiciones prematuras. Hoy no moriré y no la dejaré ir. Como has dicho, ella es mi billete para salir de aquí.

La sonrisa de Yan se vuelve condescendiente.

—¿Siempre te escondes detrás de la faldas de las mujeres?

El hombre dobla sus dedos alrededor de mi brazo, apretándome con fuerza.

—Esta no cuenta como una falda normal. La he visto en acción.

Es entonces cuando Yan me mira, y lo que veo en sus ojos me da escalofríos. Le va a disparar al hombre.

El mensaje pasa entre nosotros. Es un lenguaje no verbal que solo dos personas que están tan en sintonía como nosotros pueden entender. Hay un leve atisbo de sonrisa en los ojos de Yan, una sonrisa que es solo para mí. Con esa única mirada, Yan me cuenta todo lo que me demostró esta mañana. Mi vida entera se encuentra condensada dentro de esa mirada. Todo lo que siempre he querido se destila en este único momento.

Ahora.

Moviéndome rápido, le clavo un hombro al tipo antes de agacharme. Él pierde el equilibrio y da un paso hacia un lado. El cañón de la pistola se eleva en el aire cuando me suelta y trata de encontrar el equilibrio agitando los brazos. El disparo sale del arma, y la bala perdida golpea el techo. Trocitos de yeso caen hasta el suelo flotando como copos de nieve. Antes de que recupere el equilibrio, Yan dispara.

Clic.

Y no ocurre nada.

Miro a Yan sin comprender mientras el horror transforma su rostro. Luego lo comprendo, y mi estómago se congela. El tambor está vacío. El hombre se da cuenta al mismo tiempo. Una sonrisa burlona aparece en su rostro mientras apunta de nuevo, esta vez hacia Yan.

El cuerpo de Yan se tensa. Es como una bobina enrollada, lista para soltarse, pero nadie es más rápido que una bala.

No pienso. Salto. Agarro el brazo del hombre y trato de quitarle el arma. La voz de Yan diciendo mi nombre me llega como si estuviera bajo el agua. El sonido es confuso, distorsionado. Quiero decirle que no pasa nada, pedir ayuda, hacer venir a Ilya, pero otro disparo sale del arma.

Por un momento, estoy completamente confusa. No estoy segura de por qué un llanto salvaje y primitivo se derrama del pecho de Yan. No estoy segura de por qué la cabeza del hombre explota y su cerebro salpica la alfombra. Vagamente, soy consciente de que Ilya entra corriendo a la habitación con una escopeta en la mano y del ruido de sirenas a todo volumen. Soy consciente de que Yan me coge, y baja mi cuerpo al suelo. Soy consciente de sus manos fuertes y el sonido inconsolable que hace mientras se arrodilla sobre mí. Soy consciente de su angustia mientras presiona sus manos sobre mi costado y ruge:

—No. Joder, no. No, no, no.

Siguiendo su mirada, veo el rojo que mancha sus manos. Veo la herida y sé la verdad.

Él me ama. Con mis defectos y pecados, con mi retorcido yo; Yan me ama por lo que soy.

Ahuecando su rostro, susurro:

—Lo sé.

—Mina —dice con urgencia—, quédate conmigo. Quédate conmigo, maldita sea.

Las sirenas ya se están desvaneciendo. Pero me quedo con él. Me quedo con él incluso cuando la luz se desvanece.

35

YAN

—¡*M*ina! —grito, mientras se le escapa la vida de los ojos justo delante de mí.

¡No! Esto no. Cualquier cosa menos esto.

La dejaría marchar una y mil veces antes de dejarla morir.

Un pánico desconocido para mí se apodera de mi mente. Mis emociones causan estragos en mi corazón. Me asaltan el miedo, la ira, el remordimiento, la culpa y después otra vez el miedo. Es más de lo que puedo soportar. Estoy a punto de desmoronarme, pero tengo que recobrar la compostura.

¡Joder! Tengo que pensar.

Hay que llevar a Mina a un hospital. ¿Pero dónde? Con una herida de bala, nos harán preguntas. El gobierno no dará la cara por ella. El violento desastre de esta suite ya supone haber llegado demasiado lejos.

Dejando de lado mis emociones, actúo rápido.

Priorizo las acciones a medida que se forma un plan en mi mente.

Busco a Ilya. Mi hermano está de pie a mi lado, mudo por la conmoción. Tiene la vista fija en la sangre que brota del costado de Mina y a través de mis dedos enguantados.

Mi voz es áspera, dominante.

—Ilya.

Sus ojos se clavan de golpe en los míos.

—Almohada —digo, extendiendo una mano.

Él coge una almohada de la cama y me la pone en la mano.

Presiono la almohada contra la herida de Mina.

—Llama a nuestro contacto del gobierno. —Me quito el cinturón a toda prisa y lo abrocho a la cintura de Mina para mantener la almohada en su lugar. Debería ayudar a detener o al menos ralentizar la hemorragia—. Dile que necesitamos una limpieza.

Cojo a Mina en brazos, corro hacia la puerta y casi choco contra el gerente que entra cuando estoy a punto de salir.

—¿Qué diablos está pasando? —me grita—. Una de las camareras ha oído disparos. ¡Qué narices, en el nombre de... —su voz se detiene cuando ve y asimila la destrucción y los cadáveres. Su rostro palidece.

—Nos han tendido una trampa —le digo, apartándole.

Él le echa un vistazo a la forma inmóvil de Mina.

—No podéis marcharos —dice con voz temblorosa —. Tenéis que quedaros y lidiar con esto.

Saliendo del baño, Ilya anuncia:

—Un equipo del gobierno viene de camino. —Se mete el teléfono en el bolsillo. Su tono es brusco, sus modales apresurados—. Harán que esto parezca parte de la guerra que mantienen los cárteles de las drogas por todo el país.

—Pero... —El gerente se atraganta al mirar uno de los cuerpos. —¿Mi hotel?

—Mantenga esta planta cerrada hasta que llegue nuestro contacto —le grito por encima de mi hombro, mientras corro hacia la escalera de incendios. No podemos arriesgarnos a coger el ascensor. Nadie debe vernos salir del edificio.

Ilya se adelanta corriendo para abrirme la puerta. Llamo a Anton por el teléfono vía satélite mediante un comando de voz mientras bajo las escaleras lo más rápido que puedo sin arriesgarme a caer.

—Voy de camino —dice Anton por encima del zumbido de un motor. Está en el avión.

—¿Cuánto tiempo? —pregunto.

—Veinte minutos.

—¿Tienes bastante combustible para llevarnos a Budapest?

No pregunta qué ha pasado ni por qué a Budapest. Sabe que las preguntas pueden hacerse después.

—Repostaré en el hangar.

—Nos encontraremos allí.

Ilya abre la puerta de servicio y comprueba el callejón. Esta salida solo se usa para hacer entregas y sacar la basura. No hay nadie por allí. Estamos en un punto ciego donde no llegan las cámaras de vigilancia de la calle. El coche de huida está aparcado junto a los cubos de basura. Ilya saca la llave de mi bolsillo y abre las puertas. Nos hemos dejado el bolso de Mina con el teléfono, y nuestras armas, pero nuestro contacto los hará desaparecer antes de permitir que los federales entren en la escena del crimen. De cualquier modo, nos hemos quedado sin munición. Pararnos a recoger los rifles solo nos habría retrasado.

Me meto en el asiento de atrás, sosteniendo cuidadosamente a una inconsciente Mina en mi regazo. Me pongo el cinturón de seguridad y aseguro el cierre. Va a ser un viaje rápido.

Ilya se pone al volante. Es un conductor competente. Confío en que nos llevará hasta allí sin problemas. Cumple los límites de velocidad hasta que salimos de la ciudad y luego pisa a fondo el acelerador. El campo de aviación se encuentra a cuarenta minutos en coche, pero llegamos en poco más de veinte.

Anton nos espera fuera del hangar. Echa un vistazo a Mina antes de correr delante de nosotros hacia el avión. Da unas palmaditas en el ala y dice.

—Está listo.

Nos metemos adentro, yo en la parte de atrás con Mina en mis brazos e Ilya delante, al lado de Anton. Las preguntas me abrasan la mente. ¿Qué ha pasado? ¿Quién cojones nos ha traicionado? Me quito los guantes y compruebo el pulso de Mina. Es débil, pero está ahí.

Aguanta, Minochka. Quédate conmigo.

Anton me pasa unos cascos de auriculares con micrófono integrado. Me arranco los que llevo puestos para ponérmelos. Le pasa un set similar a Ilya para que podamos hablar por encima del ruido.

Cuando estamos en el aire, pregunto:

—¿Algún problema con la autorización para el aterrizaje?

—Solucionada —responde Anton sin pausa—. Pero va a costarnos otros cincuenta mil.

Me importa un bledo el dinero. Lo único que me importa es Mina.

—¿Armas?

Anton señala hacia atrás con la cabeza.

—Un AK-47 y dos Glocks.

—Bien.

—Ilya se vuelve en su asiento para mirar a Mina. Su cara grande está atípicamente pálida. A él también le importa ella.

—Tendría que estar en un hospital. ¡Joder! Deberíamos haberla llevado al más cercano, en Praga.

—¿Y que la arrestaran? —le digo—. ¿Hacer que nos detuvieran a nosotros también? ¿Cómo podríamos haberla ayudado entonces?

La frente de Ilya se perla de sudor.

—¿Por qué Budapest?

—Mina tiene una amiga médica en la clínica donde está su abuela.

—¿Quién dice que esta médica nos ayudará? —pregunta Ilya.

Si es necesario, le pondré una pistola en la

cabeza, pero tengo la sensación de que no nos negará asistencia médica. He hecho mis deberes. La buena doctora y directora de la clínica, Lena Adami, era la mejor amiga de la difunta madre de Mina. Es como una madrina para Mina. La importante donación que hice recientemente a la clínica en nombre de Hanna tampoco puede perjudicarnos en ese sentido.

—Él ha hecho lo correcto —explica Anton a Ilya—. Mina no estaría a salvo en ningún lugar público.

Mi espalda se pone más rígida de lo que ya está, y un músculo se pinza entre mis omóplatos.

—¿De qué estás hablando?

La voz de Anton es tensa.

—Le han puesto precio a su cabeza.

Apenas logro aplacar mi ira explosiva.

—¿Qué?

—Es un todos contra todos —continúa Anton—. Cinco millones. Cada asesino a sueldo desde aquí hasta la Antártida la está buscando.

Instintivamente la sujeto con más fuerza.

—¿Quién? ¿Cómo?

—El hijo de puta al que torturé me lo cantó todo. —Anton me mira por encima del hombro—. Esto no te va a gustar.

—Ya no me gusta, joder.

—Acorralé a Laszlo Kiss en su acogedora cabañita —dice Anton—. Al principio, no soltó nada, no hasta el tercer dedo. Las cosas solo se pusieron más y más interesantes con cada dedo después de eso.

—Solo escúpelo —salto, pasando una mano sobre la frente húmeda de Mina.

—Kiss dijo que les pagaron por atacar a Mina, a los once.

Me siento derecho.

—¿Qué?

—Cállate y escucha —dice Anton—. A los hombres se les pagó por hacer el trabajo, y lo hicieron bien. Ya estaban resentidos contra Mina, de todos modos. No querían a una mujer en su equipo, especialmente a una mujer que les hacía morder el polvo. Era humillante. Sus egos estaban heridos. Cuando les llegó la oferta, no tuvieron que pensárselo mucho. Era dinero rápido. Sin consecuencias. El oficial superior se aseguraría de que se barriera debajo de la alfombra. Pan comido. Y nada más. Seguirían con sus vidas y tendrían una gran bonificación en sus cuentas bancarias con el beneficio adicional de que Mina dejaría el equipo.

No puedo creer lo que oyen mis putos oídos.

—¿Fue una estratagema para deshacerse de ella? — Por lo que su superior me había dicho justo antes de que le cortara la lengua, el hecho de que él quisiera que Mina se fuera no debería ser una sorpresa, pero no puedo entender que estuvieran dispuestos a llegar tan lejos solo para hacerla marchar.

—Eso es lo que dijo Kiss. Después de lo que le hice, te puedo asegurar que no estaba mintiendo. —Anton hace una mueca—. Mina no quería dejarlo por sí sola, así que consideraron que necesitaba un pequeño empujón.

—¿Un pequeño empujón? —Le dieron tal paliza a Mina que casi la matan. Es posible que nunca pueda tener hijos. Es un precio jodidamente alto para hacer que alguien pague solo para que se vaya. Me alegro de que esos hijos de puta estén muertos. Me alegro de haberlos hecho sufrir antes de que alguien más los matara.

—Según Kiss —prosigue Anton—, se les fue la mano. Se suponía que debían hacerle a Mina algo de daño y meterle el miedo en el cuerpo, pero una vez que comenzó la violencia, su sed de sangre se apoderó de ellos.

—¿Quién fue? —pregunta Ilya, con la furia que siento en mis huesos impresa en su rostro—. ¿Quién les pagó? Dime que tienes un nombre.

—Claro que sí. —Anton ajusta un dial en el panel de control—. No os lo vais a creer. —Me mira de nuevo—. Fue Gergo Nagy, su oficial de adiestramiento.

Hijo de puta. La ira reprimida se convierte en una oleada de furia que recorre mi cuerpo hasta que cada molécula arde con un deseo incandescente de matar. Las cosas que me imagino haciéndole a ese *ublyudok* harían que incluso un asesino endurecido como Ilya reaccionase con una mueca.

Voy a atrapar a Nagy. Voy a atraparlo y hacérselo pagar.

Mi voz no refleja mi furia. Es fría y cruel, una pista de que estoy en mi estado mental más peligroso.

—Se suponía que Mina y Nagy eran amigos. ¿Por qué haría Nagy algo así? —Para haber orquestado un ataque tan brutal, su motivación debió ir más allá que la mera discriminación sexista.

Anton se frota el cuello.

—Aparentemente, Nagy quería que Mina trabajara para él, pero ella no mordió el anzuelo.

—¿Haciendo qué? —mascullo entre dientes.

—Asesinar.

Clic. Las piezas del puzle caen en su lugar. Nagy se iba a trabajar por libre. Vio el potencial de Mina y el dinero que le reportaría ese potencial.

—Kiss dijo que Nagy sabía que Mina necesitaba dinero para el tratamiento de su abuela —prosigue Anton—. Las facturas médicas se estaban acumulando. Nagy plantó la semilla, sugiriendo que podrían ganar más trabajando para ellos mismos. Mina rechazó la oferta de Nagy. Él lo intentó con ahínco, pero sus argumentos no la hacían cambiar de opinión.

—Pero una agresión lo bastante brutal sí podría. —Los violentos votos que estoy haciendo en nombre de Mina están echando humo por debajo de la fina capa de mi autocontrol—. Nagy organizó la agresión y fingió salvarla, haciéndola creer que le debía la vida.

—Ese hijo de puta —Ilya gruñe, y sus labios adquieren una mueca de asco.

—Exacto —dice Anton—. La experiencia fue lo bastante traumática para asegurarse de que Mina dejara el ejército. Después de todo, se habría encontrado con el mismo problema en cualquier otro equipo. Su oficial superior se aseguró de que ella entendiera eso. El resto es predecible. Al necesitar un montón de dinero para pagar por los cuidados de su abuela en alguna clínica elegante, Mina se unió a Nagy como asesina. Él le enviaba encargos, a cambio de comisiones que Mina no sabía que se quedaba.

Paso los dedos por los suaves cabellos de mi chica, deseando poder evitarle lo que ha sufrido. Deseando haber sido yo el que recibiera esa bala.

Deseando que ya estuviéramos en Budapest.

—¿Cómo se enteró Kiss de todo esto? —pregunta Ilya.

—Nagy y Kiss compartieron algunas noches de borrachera en prostíbulos cuando Nagy dejó el ejército. Nagy alardeó de su plan delante de Kiss una noche de esas, después de una botella de vodka. Kiss fue cómplice de la agresión, por lo que Nagy no lo consideraba una amenaza.

Más piezas del puzle siguen encajando. Poco a poco, la imagen fea y desagradable toma forma.

—Cuando fui a por los agresores de Mina, Nagy se puso nervioso.

—Estaba preocupado de que los hombres al final cedieran a la tortura y hablaran —dice Anton.

—Así que Nagy los puso fuera de circulación —concluye Ilya.

—Correcto —dice Anton—. Kiss no se escondía solo de nosotros. También se estaba escondiendo de Nagy.

Algo más me corroe por dentro, como un ácido.

—¿Y qué hay del precio por la cabeza de Mina?

—Kiss oyó de un antiguo militar que conocía que fue el propio Nagy quien ofreció la recompensa.

El muy cabrón.

—Nagy nos vio juntos en la estación de Budapest —digo—. Sabía que Mina había asumido la culpa por el trabajo de hacernos pasar por terroristas. Debe de haber estado preocupado de que ella al final me dijera la verdad y fuésemos a por él.

—Así que se aseguró de que todos los asesinos del mundo fueran tras ella con la esperanza de que alguien finalmente tuviera éxito. —Ilya escupe en el suelo al lado de su asiento—. *Ublyudok.* —En nuestro negocio, un hombre que apuñala a uno de los suyos por la espalda es escoria de la peor clase que existe—. ¿Quién nos tendió la trampa?

Tengo una muy clara idea, pero quiero que Anton lo diga. Quiero escuchar el nombre del traidor. Quiero que las sílabas de ese nombre se graben en mi corazón y en mi cerebro. Quiero que el sonido asqueroso de esas consonantes y vocales sucias arda en mis pensamientos y sentimientos hasta que pueda sofocar ese odio con la violencia que pienso llevar a cabo con mis propias manos.

Anton le lanza a Ilya una mirada inexpresiva.

—¿Quién crees tú?

—Nagy —dice Ilya con poco disimulado odio.

—Después de cortarle la garganta a Kiss, les dije a nuestros hackers que miraran si había algo nuevo sobre Nagy —dice Anton—. Pensaron que era muy interesante que Nagy se hubiera reunido con Dimitrov ayer en su casa en Praga. Se las arreglaron para obtener una grabación de audio vía satélite. Nagy, ese hijo de puta, le contó nuestros planes como si tal cosa, con una taza de té en la mano, tumbado en la terraza de la piscina de Dimitrov. —Anton aprieta el volante del avión como si se imaginara que es el cuello de Nagy—. Te llamé en el mismo instante en que recibí esa información.

Joder. Mina tuvo que haberle contado algo a Nagy cuando se encontró con él en Budapest. No hay otra explicación. Nagy nos vendió a Dimitrov, sabiendo que nos superarían en número y creyendo que los hombres de Dimitrov acabarían con Mina, con mi equipo y conmigo: un montón de pájaros de un solo tiro, eliminando así los problemas que habría tenido si Mina o el último de sus agresores que quedaba vivo le hubiesen dejado con el culo al aire. Mala idea.

—Es hombre muerto. —Mi voz es de hielo, aun cuando el fuego consume mis venas—. Ilya, corre la voz de que doblaré la cantidad que ha ofrecido Nagy. Ahora ese precio será a cambio de su cabeza, pero lo quiero vivo.

Las facciones de Ilya se suavizan un poco cuando mira a Mina.

—Por tu bien, espero que alguien lo encuentre antes que yo.

No si yo llego hasta él primero.

La codicia de Nagy casi le cuesta la vida a Mina. Él organizó su brutal agresión y se hizo pasar por su salvador. Fingió proporcionarle un medio de ganarse la vida mientras se cobraba comisiones a sus espaldas. La dejó asumir la culpa del trabajo que él había hecho. La vendió mientras se hacía pasar por su amigo. Da igual lo desesperado que yo esté por despedazar a Nagy y arrancarle las tripas, es Mina quien debe cargárselo. Pero eso no significa que yo no pueda hacerle sufrir antes de entregárselo.

Juro por la vida de Mina que encontraré a Nagy. Se lo entregaré a Mina aunque sea lo último que haga.

—¿Cómo lo lleva? —pregunta Ilya, con su rostro formando una máscara de preocupación.

Se me hace un nudo en el estómago. Las emociones amenazan con surgir, pero las empujo bajo la superficie. Si les doy rienda suelta a mis sentimientos, me volveré loco, y eso no ayudará a Mina.

—Es una chica dura. Va a salir adelante.

Tiene que hacerlo.

—Poneos el cinturón —dice Anton—. Por suerte teníamos el viento de cola. Estaremos tocando tierra en cinco minutos.

Menos mal, joder. El vuelo de una hora me ha parecido una eternidad. Tengo los nervios en carne viva, y mis emociones están desatadas. Por fuera, estoy actuando con la racionalidad eficiente de un hombre con entrenamiento militar. Por dentro, soy un desastre. La herida de Mina, una herida que bien podría resultar fatal, está poniendo en peligro mi cordura, mientras que la información que Anton ha compartido me está haciendo hervir de rabia.

Mientras sostengo el cuerpo inmóvil de Mina, hago

un juramento silencioso, el de corregir todos mis errores. Le daré la libertad que pretendía. Le daré cualquier cosa que esté en mi mano. Si creyera en Dios, rezaría. Estoy lo bastante desesperado como para rezar igualmente. Haré cualquier cosa, cualquiera. Me convertiré en un maldito cura si ese es el trato que tengo que hacer.

En el hangar hay un vehículo que nos han traído los de la agencia de alquiler. Anton, bendita sea su alma eficiente, les llamó mientras nos esperaba en Praga. Ilya agarra las dos Glocks para llevarlas con nosotros. Armado con el AK-47, Anton se queda atrás, usando el hangar como oficina temporal para aprovechar nuestro satélite y verificar el área alrededor de la clínica en busca de actividades o personas sospechosas. Uno nunca puede estar lo bastante seguro. Ilya se pone al volante y conduce.

Acunando a Mina con un brazo contra mi pecho en el asiento trasero, uso mi móvil seguro para marcar el número de la clínica y preguntar por la Dra. Adami. No quería llamar mientras estábamos en el aire y encontrarme con un equipo de federales esperándonos en el aeródromo cuando aterrizáramos. Dudo que ella avise a las autoridades, pero prefiero andar con pies de plomo.

Ella coge mi llamada con tono jovial, presumiblemente debido a esa gran donación, o tal vez esté realmente contenta de que Mina finalmente haya encontrado a alguien. Sé que Hanna le ha hablado de mí, porque puse unos micros cuando visitamos a

Hanna. Estoy más agradecido de lo que me gustaría admitir de que la abuela de Mina me apruebe, que hasta le caiga bien.

—Sr. Ivanov, qué agradable sorpresa —dice Adami en ruso fluido—. ¿Qué puedo hacer por usted?

No hay tiempo para andarse por las ramas.

—Mina necesita ayuda.

La alarma reemplaza la calidez en su tono.

—¿Qué sucede?

—Ella está herida.

—¿Qué clase de herida?

—De bala.

Se le corta el aliento.

—¿Dónde estáis?

—De camino.

—Si es una herida de bala, necesitará cirugía.

—Por eso vamos para allá.

—¿Está metida en problemas?

—Sí —digo honestamente—. No se lo pediría de no ser así.

—Ya no soy cirujana de urgencias.

—Pero lo fue usted durante años. —Averigüé eso al investigar la clínica—. Por favor. Mina no tiene más opciones. Usted es su única esperanza.

—Ya veo. —Hay un breve y tenso silencio—. Entonces le ruego a Dios ser capaz de ayudarla.

Sé lo que quiere decir. Si Mina no sale adelante, los dos nos sentiremos responsables de no haberla salvado. Pero no voy a pensar de esa forma. Si quiero que Mina luche, tengo que luchar aquí con ella.

—Usted *sí* la ayudará. —Amenazaré, torturaré y mataré para que esto suceda.

Su voz se vuelve más fuerte, como si estuviera decidida.

—Hay una entrada de personal en el lado este del edificio.

Cerrando los ojos brevemente, contengo una exhalación de alivio.

—Estaremos allí en diez minutos.

En la clínica, el guardia nos saluda a través de las puertas. Adami debe de haberle advertido sobre nuestra llegada.

Según lo prometido, Adami está esperando en la entrada este. Su cara está seria, sus mejillas incoloras.

—Traedla dentro. Iremos por el sótano. Hay menos posibilidades de toparse con alguien.

Ilya y yo la seguimos por un tramo de escaleras y por un laberinto de pasillos subterráneos antes de salir a la superficie en una de las plantas superiores. Adami nos lleva a una sala de consultas privada a corta distancia. Afortunadamente, no nos encontramos con nadie. Una vez dentro, cierra la puerta y baja las persianas.

—¿Qué ha ocurrido? —pregunta mientras yo cuidadosamente dejo a Mina sobre la camilla.

—Le han dado un balazo en el costado.

—Hace años que no opero —me recuerda la doctora.

—Usted es todo lo que tiene.

Ella me contempla por un momento antes de decir:

—Será mejor que se deshaga usted de esa ropa ensangrentada y se lave. Voy a necesitar algo de ayuda.

—Ilya. —Señalo la puerta, indicando que debe montar guardia. Al menos su ropa no está cubierta de sangre.

Dejando la Glock cerca de mí sobre una encimera, me desnudo hasta quedarme en ropa interior y tiro mi ropa y botas manchadas a un cubo etiquetado: "Desechos biomédicos".

—Puede lavarse ahí. —Adami me muestra un lavabo y me pone jabón antiséptico y una toalla limpia en las manos.

Me limpio todo lo rápido y bien que puedo mientras ella desabrocha el cinturón que sujeta la almohada al costado de Mina, le quita los zapatos y le corta el vestido.

—Dios mío —exclama cuando ve los cardenales de Mina—. ¿Qué le ha pasado?

—No puedo contárselo.

Echando un vistazo a mis calzoncillos, ella dice:

—Hay una bata en el gancho de detrás de la puerta. Creo que encontrará un par de zuecos en el armario.

Me pongo la bata y el calzado mientras Adami comprueba los signos vitales de Mina.

—Pulso débil y frecuencia cardíaca rápida —dice, reuniendo apresuradamente el instrumental herméticamente cerrado—. Ha perdido algo de sangre, pero no creo que necesite una transfusión. —Se muerde el labio—. Solo lo sabré con seguridad después de una ecografía. En realidad tendría que estar donde la pudieran monitorizar mejor.

—Si la llevo a otro hospital, será mujer muerta.

Ella cierra ligeramente los ojos antes de asentir con determinación.

—Haré lo que pueda. Gírala de este lado y sujétala así.

Después de lavar la herida con agua jabonosa, la examina.

—Es una herida superficial. Mina ha tenido suerte. La bala le ha atravesado el costado sin darle a ninguno de sus órganos vitales. Parece que no hay ninguna arteria desgarrada ni fragmentos de bala, y no veo ningún otro daño evidente. —Presiona un cardenal color violeta en el estómago de Mina—. Tendremos que hacerle una ecografía para asegurarnos de que no haya hemorragia interna. De cualquier manera, le costará un tiempo recuperarse. Estará débil, especialmente por la pérdida de sangre.

—¿Puede tenerla aquí?

—Quiere decir en secreto.

—Sí.

Ella vacila, y luego asiente.

—Sí.

Sostengo el cuerpo helado de Mina mientras la doctora se pone a trabajar, cosiéndola. Afortunadamente, Mina permanece inconsciente. Adami trabaja deprisa, desinfecta la herida y le coloca un vendaje sobre los puntos.

Cuando la doctora va a lavarse la agarro por la muñeca.

—¿Se recuperará?

—Sus posibilidades de recuperarse del disparo son buenas a menos que haya infección.

—Vivirá —digo, necesitando que la doctora me lo confirme. Necesito que diga esas palabras.

Ella me lanza una mirada extraña.

—Por ahora.

—¿Por ahora? —El pronóstico me acelera los latidos del corazón—. ¿Qué quiere decir con lo de *por ahora*?

Su expresión es extrañamente comprensiva.

—Ella no se lo ha dicho.

—¿Decirme qué?

—Hanna me contó que usted y Mina se van a casar. ¿Es cierto?

Casarnos. Fragmentos fugaces de recuerdos que involucran rubíes, un anillo y "para siempre" pasan por mi cabeza, pero es difícil concentrarse en algo cuando la doctora no me ha dado el veredicto que necesito.

—¿Qué tiene eso que ver con esto?

—Necesito saber cuál es su relación con Mina.

—Somos... —¿Qué somos? ¿Secuestrador y cautiva? ¿Novio y novia? ¿Amantes? No puedo responder a esa pregunta. Solo sé que no es suficiente. Ni de lejos. Me decido por—: Todo. Ella lo es todo.

—Lo siento. No tendría que haber hecho ese comentario. Toda esta situación... —Hace un gesto en dirección a Mina—. Me ha pillado con la guardia baja. Mina es muy especial para mí.

Lucho contra el impulso de agarrar a la mujer y sacudirla hasta que sus dientes resuenen en su cráneo.

—¿Qué es lo que no me está diciendo?

—No puedo divulgar información personal a nadie que no sea de la familia. Mina ni siquiera quería que Hanna lo supiera. Es mejor que Mina se lo diga, si eso es lo que ella decide.

Mil alarmas suenan en mi mente. Algo va mal. Algo va terriblemente mal. Por la forma compasiva en que Adami me contempla, de repente tengo la sensación de que una herida de bala es la menor de mis preocupaciones.

Aprieto su brazo con fuerza.

—Usted no lo entiende. Mina lo es *todo*. Sin ella, el infierno no es una palabra lo suficientemente fuerte como para describir en qué se convertiría mi existencia.

La fiebre de mi alma debe de estar mostrándose en mi rostro, porque ella deja caer los hombros en un gesto de rendición cansada.

—Puedo ver que ella significa mucho para usted. Creo que usted también significa mucho para ella. Hanna me habló muy bien de usted.

Hanna. Joder. En medio del pánico, no lo pensé. Tendré que darle las noticias, pero en este momento, tengo mayores preocupaciones en mi mente.

—Cuéntemelo —le ruego—. Por favor. Solucionaré lo que sea que vaya mal.

La mirada de Adami se suaviza.

—Me temo que esto es lo único que no tiene arreglo posible, Sr. Ivanov.

—Haré lo que haga falta. —Daré mi vida, mi alma.

Ella me mira por unos largos momentos, luego suspira.

—Muy bien. Sabiendo cómo se siente acerca de Mina, y después de esto... —mira de nuevo el cuerpo inconsciente de Mina—... supongo que tiene derecho a saberlo. —Inclina la cabeza y me sonríe con tristeza. — Lamento que tenga que enterarse así. Mina tiene cáncer. Leucemia.

36

MINA

*A*bro los párpados, haciendo un esfuerzo, y lucho contra la niebla que oscurece mi mente. Es difícil. Me siento aturdida y pesada, como si la gravedad me tuviera atrapada. Lentamente, mi visión borrosa mejora. La habitación es desconocida pero familiar. Las paredes blancas y los cuadros de arte contemporáneo me recuerdan a la habitación de Hanna. La clínica.

¿Estoy en la clínica?

Una oleada de recuerdos inunda mi cerebro. *¡Yan!* Se me acelera el pulso. Girando la cara hacia un lado, compruebo la habitación en un ataque de pánico, pero luego me relajo. Yan está ahí sentado en una silla al lado de la cama, con los codos sobre las rodillas y la cabeza entre las manos. Como atraído por un hilo invisible atado a mi conciencia, él levanta la cabeza. El estado en que se encuentra hace que me duela el corazón. La barba sin afeitar de más de dos días ensombrece su mandíbula bien dibujada. Bajo los oscuros círculos que nublan sus ojos, sus mejillas están hundidas y huecas. Lleva una camiseta gris y pantalones de chándal con el logotipo de la clínica, y calza zuecos de hospital.

Esos zuecos blancos, tan poco propios de Yan, me hacen esbozar una sonrisa, pero ese pequeño esfuerzo hace que mis labios se resquebrajen.

Él se levanta de un salto y me coge la mano.

—Estás despierta.

Intento tragar saliva para eliminar la sequedad de mi boca.

—A menos que esté soñando.

Él cierra sus ojos brevemente, besa mis nudillos y mantiene mi mano presionada contra sus labios un largo momento.

—¿Te duele algo? —Me toca la frente—. ¿Tienes frío?

—Sed.

—Agua. Sí. —Mira a su alrededor con consternación aunque hay una jarra y un vaso con una pajita en la mesita de noche—. ¿Hielo? ¿Tal vez prefieras un zumo?

Señalo con la cabeza en dirección a la jarra.

—Eso servirá.

Llena el vaso y me acerca la pajita a los labios.

—Sorbos pequeños. No bebas demasiado deprisa.

Consciente de mis labios agrietados, no dejo que mi sonrisa se haga más amplia.

—Ya me lo sé.

—¿Te duele algo? —pregunta otra vez.

—Ni siquiera me siento las piernas.

—La Dra. Adami te puso morfina.

—¿Adami? —*Estoy* en la clínica, como indican la habitación y la ropa prestada de Yan.

Él deja el vaso sobre la mesita de noche y me seca los labios con una servilleta de papel.

—No podíamos arriesgarnos a llevarte a ninguna otra parte.

Por supuesto que no. Es lógico.

—Astuto. ¡Gracias!

—¿Gracias? —En contraste con sus rasgos cansados, el verde de sus ojos es más oscuro y brillante, reflejando una luz frenética—. Has recibido un balazo por mí y yo... —Se mesa los cabellos y me mira como un hombre al borde de la locura—. ¿Qué cojones se supone que habría hecho yo si ese disparo hubiese sido fatal?

Pruebo a contestar con humor.

—¿Agradecer seguir estando vivo?

—No lo hagas nunca más, ¿me oyes? Nunca más volverás a jugarte la vida. No por mí. Ni por otra puta persona. Prométemelo.

Le cojo la mano.

—No puedo hacerte esa promesa. Actué automáticamente. Si la situación se repite, volveré a hacerlo.

Agarra mis dedos en su gran palma, apretando demasiado fuerte.

—*Nunca más*. O...

—¿O qué?

Me mira con desesperación impotente, pero no hace amenazas manipuladoras. No pone la vida de Hanna sobre la mesa ni dice que irá tras mi único amigo.

¡Guau! Lo miro maravillada. Esto es extraordinario. Es la primera vez que realmente me trata como a una igual y no como a su prisionera, la primera vez que no me obliga a doblegarme a su voluntad. Puede que no le guste lo que le he dicho, pero no me dice qué hacer ni cómo comportarme. A su manera, me acaba de dar libertad.

La máxima libertad.

La de elegir.

El momento es de una importancia astronómica. Mis ojos se inundan de lágrimas. Son lágrimas de alegría por no haber perdido al hombre que amo y lágrimas de alivio por estar viva, pero también son lágrimas de gratitud por estar en este punto de nuestra retorcida relación, un punto al que nunca pensé que llegaríamos. Después de la forma en que comenzamos, es más de lo que podría haber esperado, pero no lo querría de otra forma. Somos lo que somos. Nos juntamos como lo dictaba nuestra naturaleza: con violencia y sumisión forzada, con odio y represalias. Sin embargo, lo que tenemos ahora es aún más fuerte por los obstáculos que hemos superado.

Yan dijo una vez que la atracción siempre había estado allí. Tenía razón. Y la semilla del amor siempre formó parte de ella. Luchamos por este momento, por lo que hay entre nosotros. No fue fácil, y no voy a negarlo ni echarlo a perder.

Voy a agarrarme con ambas manos durante el tiempo que me quede.

—No llores —susurra él, limpiándome las lágrimas con un pulgar—. Te amo, Minochka, más de lo que jamás podrás saber.

Le agarro la su muñeca, y beso la palma de su mano.

—Sí lo sé.

Sus ojos brillan como piedras de jade.

—Tendría que habértelo dicho. —Su voz suena atormentada—. Joder. Podrías haber...

Muerto sin saberlo. Sé lo que está pensando. Sé cómo funciona su mente.

—Y las chicas listas sabemos que lo que no se dice es más importante que lo que sí —sentencio, repitiendo las palabras que él me había dicho en otro momento en un cobertizo de madera mohoso. Ya parece que fue hace toda una vida.

Él apoya su frente en la mía, y su cálido aliento baña mi cara.

—Maldita sea, Mina. —Su angustia es tan palpable que puedo sentir cómo se filtra a través de mi piel.

—Se acabó —susurro—. Estoy bien. —Una imagen cruda de Ilya con una escopeta en las manos de repente invade mi memoria—. ¿E Ilya? ¿No estará herido, verdad?

Él se aparta y sonríe.

—Ese tonto del culo está ahí fuera jodidamente ansioso por verte.

—Cuéntame qué pasó primero. —Todavía tengo demasiadas preguntas.

Su expresión se vuelve hermética.

—Hay mucho que contar, pero primero deberías ponerte mejor.

Levanto una ceja.

—¿En serio?

—¿En serio qué?

—¿Me vas a tratar como a una chica frágil que se desmaya al oír hablar de armas y sangre?

Suspirando, niega con la cabeza.

—¿Qué voy a hacer contigo?

—Espero que un montón de cosas, cuando yo consiga que mis piernas vuelvan a cooperar.

Sus ojos se oscurecen de lujuria.

—No tienes ni idea. Las cosas que quiero hacerte... —Se contiene y vuelve a sacudir la cabeza.

—¿Y Hanna?

—No te preocupes. Ella ya ha venido a verte. Le dije que alguien te había disparado por una vendetta que venía de tus tiempos en el ejército.

—¿Y te ha creído?

Él sonríe.

—No estoy seguro. Pensé que te dejaría manejarlo a ti como mejor te parezca.

—¿Y qué hay de Lena?

—Ha sido de gran ayuda. —Una sombra pasa por su cara—. Nos deja quedarnos aquí hasta que te hayas recuperado por completo.

Intento sentarme, pero es una putada lo mucho que duele.

—Tranquila. —Yan se lanza hacia adelante, ayudándome a ponerme en una posición más cómoda. —Adami te ha hecho una ecografía. No tienes ningún daño interno, pero debes tener cuidado de no abrirte los puntos.

—¿Están todos muertos?

—Sí. —El odio hace que los ángulos agudos de su cara parezcan más duros—. No ha quedado ni uno.

—Cuéntamelo. —No me lo negará dos veces.

Su voz tensa revela lo difícil que le resulta revivir el episodio.

—Cuando nos dimos cuenta de que era una trampa, Ilya y yo nos separamos. Yo subí al tejado según estaba previsto mientras él bajaba por las escaleras para regresar por el pasillo. De esa manera, yo podría acudir en tu ayuda, y él podría evitar un ataque en caso de que decidieran venir detrás de nosotros hasta el tejado. En el mejor de los casos, podríamos atraparlos entre los dos en la suite conmigo entrando desde el balcón e Ilya desde el pasillo. Los cabrones estaban demasiado confiados. Pensaron que superarnos en número sería suficiente. —Se burla—. Nos estaban esperando adentro. Disparé a uno a la vez que bajaba del tejado. Al mismo tiempo, Ilya derribó la puerta. Fue entonces cuando se dieron cuenta de que los teníamos atrapados entre nosotros, sin salida. Se pusieron a cubierto, nos pusimos a cubierto, y hubo un tremendo tiroteo. Nos superaban en número, pero ellos tenían la desventaja de tener que defender su frente y sus espaldas. —Más tensión invade su gran cuerpo—. Mientras tanto, tú estabas encerrada en la habitación con Dimitrov y su experto en arte.

—No creo que fuera un experto en arte.

—Lo que sea que fuera —dice fríamente Yan—, es bueno que Ilya lo matase antes de que yo pudiera ponerle las manos encima. Nos llevó bastante rato eliminar a los cinco guardias. Me estaba volviendo loco cuando finalmente pude llegar a ti. —Si la furia pudiera condensarse en un color, sería el brillante verde jade de sus ojos. Me coge la mano entre las suyas con suavidad —. ¿Te tocó ese hijo de puta de Dimitrov?

—Lo intentó, pero le hice sudar.

Yan me aprieta con más fuerza.

—Joder, Mina, siempre supe que eras peligrosa, pero nunca podría haber adivinado cuánto hasta que lo vi con mis propios ojos.

—¿Le pegó un tiro Ilya al hombre que me disparó? Las cosas se me ponen un poco borrosas al final.

Yan inhala profundamente, soltando mi mano. Con las fosas nasales dilatadas, dice:

—Ilya le quitó una escopeta a uno de los guardias. Le voló la cabeza a ese hijo de puta.

Una pregunta surge ardiente en mi mente.

—¿Quién nos traicionó?

Yan se queda quieto. Justo cuando creo que no va a responder, responde mi pregunta con otra pregunta.

—¿A quién le contaste nuestros planes?

Todo mi cuerpo se sacude, se me hiela la piel. No

puede ser. Solo se lo dije a una persona y a él le confiaría mi vida. Es imposible. Pero cuanto más tiempo nos miramos Yan y yo, más me veo obligada a enfrentarme con la respuesta. Si Yan, Ilya y Anton no se lo dijeron a nadie, y yo solo le dije a Gergo...

—El gerente del hotel o nuestro contacto... —digo, agarrándome a un clavo ardiendo.

—¿A quién se lo contaste, Mina?

—El vendedor de disfraces o la falsificadora del cuadro podrían haber filtrado la información. Tal vez pusieran micros en tu apartamento o mi llamada a Dimitrov estuviese intervenida.

—Mi piso está limpio y nuestros teléfonos no fueron intervenidos. Los escaneamos a diario. No fueron ni el tipo de los disfraces ni tu falsificadora. —El gesto decidido de su mandíbula me dice que no va a dejar que me esconda de la verdad—. ¿A quién se lo contaste?

Me cubro el rostro con las manos y admito la horrible verdad no solo para Yan, sino también para mí misma.

—A Gergo. Gergo Nagy.

—Cuando le advertiste. —Él suelta mis manos—. Mírame, Mina. Cuando le avisaste ese día aquí en esta misma clínica.

—No. —Trago saliva—. Aquí no. Nos siguió hasta Praga. Se coló en el probador de la boutique donde compramos el vestido para mi disfraz de Petrova.

Yan parece estar a punto de explotar.

—¿Que hizo qué?

—Tú estabas absorto en tu trabajo. —Me miro las manos, incapaz de encontrarme con la mirada dura de Yan—. Dijo que quería ayudarme a escapar. Me dio miedo que le mataras. Le dije que necesitaba el dinero del trabajo de Dimitrov, pero él no lo dejaba estar, así que le di la información suficiente para tranquilizarlo. Nunca pensé que me traicionaría. —Mi mente es un doloroso amasijo de confusión—. ¿Por qué? ¿Por qué haría él algo así? No lo entiendo.

—¿Por qué no dejaste que te ayudara a escapar? —Yan me agarra la barbilla e inclina mi rostro hacia el suyo—. ¿Por qué no dejaste que me disparara?

—Yo tenía sentimientos por ti —admití con una exhalación temblorosa—. Juro que no quise traicionar tu confianza. Lo único en lo que podía pensar era en el arma en la mano de Gergo y en lo distraído que estabas, el blanco tan fácil que eras en ese momento. —Sostengo su mirada y me muerdo el interior de la mejilla—. ¿Me odias?

—No —responde él suavemente. —Nunca podría odiarte. Pase lo que pase.

—¿Cómo supiste que era una trampa?

Él me suelta.

—Kiss.

—¿Anton dio con él?

—Sí. —Suelta un sonido burlón —Descubrimos mucho más de lo que habíamos previsto.

—¿Cómo...?

—Que Gergo tuvo una reunión con Dimitrov el día antes de la misión y le habló de nuestro plan.

El dolor me atraviesa el corazón.

—¿Por qué me haría eso? ¿Qué puede justificar ese tipo de traición? ¿El dinero?

—Es mucho más complicado que eso.

Parece estar dando rodeos.

—Si estás tratando de ahorrármelo, estás perdiendo el tiempo. Puedo soportar la verdad.

Su mirada es de duda. Pero es la simpatía lo que me asusta.

—¿Yan? ¿Qué está pasando?

Me coge la mano de nuevo de esa manera amable que hacen las personas cuando están a punto de compartir malas noticias.

—Gergo pagó a los hombres que te agredieron. —Me da un momento para que digiera la información—. Organizó la agresión.

—¿Qué? —Le suelto los dedos con un respingo—. Eso no es verdad.

—Tú no querías dejar el ejército y e irte a trabajar por libre con él. Encontró una forma convincente de hacerte cambiar de opinión.

Me pongo a temblar.

—Es mi amigo.

—Fingió salvarte —Yan continúa sin piedad—, sabiendo que no solo le jurarías tu lealtad sino que le deberías la vida.

—Pero ¿por qué? —pregunto con voz entrecortada—. ¿Qué podría ganar él haciéndome abandonar el equipo?

—¿Por qué hacen los hombres las cosas crueles que hacen?

—¿Por dinero?

—Cobraba comisiones por los trabajos que te pasaba.

No quiero admitirlo, pero mi mente ya está volando hacia las conclusiones lógicas. Mi razón ya está abrazando la verdad, aunque a mi corazón le cueste.

—Gergo sabía que tenía sentimientos por ti. Se lo dije más o menos ese día en la boutique. Estaba preocupado de que te dijera la verdad.

—Es decir, que fue él quien nos hizo quedar como terroristas.

—Y como me estaba enamorando de ti, yo me convertí en un riesgo.

La boca de Yan se tensa.

—Pensó que vendernos a Dimitrov mataría a dos pájaros de un tiro, y así se desharía de ti y a la vez, de mi equipo.

Caigo en la cuenta de otras cosas de golpe.

—Él mató a mis agresores. Los mató para asegurarse de que no pudieran hablar cuando tu equipo de mercenarios fue tras ellos.

Yan asiente.

—Kiss conocía el plan de Gergo. Lo confesó todo antes de que Anton lo matara.

Una maraña de emociones brota de mi confianza pisoteada y mi corazón roto. Pero es la ira a lo que me aferro. La decepción es demasiado hiriente, demasiado poderosa. Si se lo permito, me destruirá.

Cuando hablo de nuevo, mi voz es neutra, y mis sentimientos quedan ocultos bajo la superficie.

—¿Está muerto?

—Todavía no. Pero lo encontraré. Te lo prometo.

Llaman a la puerta. Antes de que ninguno de los dos pueda responder, aparece Ilya mirándonos desde el umbral. Una gran sonrisa se extiende por sus mejillas.

—Ahí estás —dice como si me hubiera estado buscando durante años.

Su genuina felicidad al verme borra la fealdad que se ha infiltrado en mi corazón. La devastadora verdad casi me parece intrascendente cuando él entra en la habitación y extiende sus brazos para abrazarme. Dios sabe que ahora mismo me viene muy bien uno de sus abrazos de oso.

Yan lo atrapa antes de que pueda abrazarme.

—Cuidado. Todavía le duele. —Por una vez, los celos no son su motivación. No hay animosidad en el comportamiento de Yan cuando Ilya me planta un beso en la frente.

—Te mereces unos azotes —declara solemnemente Ilya, cruzando sus musculosos brazos.

—Dados por mí —Yan aclara rápidamente. Sus ojos dicen, *y solo por mí*.

—Nos tenías muertos de preocupación —dice Ilya.

Lo miro de arriba abajo.

—¿Estás bien?

—Sin un rasguño —dice con orgullo—. La pregunta es, ¿cómo lo llevas *tú*?

Resulta imposible no sonreír.

—Parece que Lena hizo un buen trabajo.

—Si necesitas algo —dice Ilya—, solo tienes que pedirlo. Lo que sea.

—Tiene de todo —dice Yan un poco demasiado enérgicamente.

Por dentro, mi sonrisa se hace aún más grande. Supongo que Ilya no debería forzar demasiado la tolerancia recién estrenada de Yan.

Ilya se vuelve hacia Yan.

—Vine a decirte que acabo de recibir una llamada de nuestro contacto. Todo está solucionado. Lo han limpiado todo. El tiroteo se ha hecho pasar como la última de las batallas sangrienta de las guerras entre traficantes. Han identificado al hombre que le disparó a Mina.

—¿Quién *era* ese gusano? —pregunto.

—Stjepan Filipović, el segundo de Dimitrov. Se rumorea que habían estado chocando sus cuernos sobre el territorio y el dinero durante los últimos años. Filipović quería que su parte fuese mayor y poder opinar sobre cómo se gestionaba el negocio. Su conexión con Dimitrov nunca se había podido probar hasta que su cadáver se encontró en la misma habitación que el de Dimitrov. Los federales obtuvieron una orden de registro para su casa e interrogaron a su personal. Uno de ellos habló a cambio de inmunidad. —Ilya mira entre nosotros—. ¿Y sabes qué? Estaba conspirando contra Dimitrov, volviendo a sus proveedores de drogas en su contra con sobornos. La idea era forzar la jubilación anticipada de Dimitrov con una bala en el cerebro. La reunión en el Hotel París fue una oportunidad de oro. Fue la oportunidad de Filipović para deshacerse de Dimitrov. Tres de los cinco guardias estaban comprados. En el momento en que estuviéramos muertos, iban a cargarse a Dimitrov y a los otros dos guardias. El informante no dijo nada acerca de que el cuadro fuese falso; solo sabía que Filipović quería achacar los asesinatos a un trato que había salido mal. Mina era un extra. Filipović esperaba cobrar los cinco millones que habían puesto de precio por su cabeza.

—¿Qué? —Me quedo boquiabierta.

Yan le da un manotazo a Ilya en la cabeza.

—Todavía no sabe nada de esa parte.

—Oh. —Ilya me ofrece una sonrisa de disculpa.

—¿Cinco millones? —suelto—. ¿Alguien le puso cinco millones de precio a mi cabeza?

—Gergo. No te preocupes —dice Yan con tono amenazador—. He doblado esa cifra por *su* cabeza.

Oh, Dios mío. Soy un blanco andante.

—Os estoy poniendo en peligro. A Hanna, a Lena, a todos vosotros.

—Nadie salvo nosotros, Lena, y Hanna sabe que estás aquí —dice Yan—. Estamos a salvo.

—Anton está usando el almacén como base para monitorizar los alrededores —dice Ilya—. Tú no tienes que preocuparte por nada excepto por ponerte bien. Hablando de eso, voy a ayudar a Anton a llevar algunas de las cosas más pesadas. —Me guiña un ojo—. Luego te veo, *malyshka*.

—Todos los cabos sueltos están atados —digo cuando Ilya se va—, salvo por Gergo. —Nunca pensé que la traición podría sentirse igual que una quemadura física en tu estómago.

—No por mucho tiempo —dice Yan sombríamente. Se gira de lado hacia la ventana, mirando hacia los jardines con los hombros tensos y la mandíbula apretada.

—¿Que sucede?

Transcurre un instante antes de que él hable.

—Lena me lo ha contado.

—¿Te ha contado qué?

Vuelve a mirarme. El dolor que se extiende sobre su rostro es tan fuerte que me parte el corazón.

—Que tienes cáncer.

Mierda. No. No es así como quería que lo descubriera.

—Que has estado en remisión durante dieciséis meses —continúa—. No te cortaste el pelo cuando dejaste el ejército. Se te cayó por el tratamiento de quimioterapia. Apenas te habías recuperado la noche que te secuestré en Budapest. Y ahora ha vuelto.

—Yan —digo dolorosamente. Debería habérselo dicho en el momento en que lo supe, pero quería desesperadamente fingir que solo éramos otra pareja normal, al menos por un corto tiempo.

—Por eso te hiciste el tatuaje del colibrí: un símbolo de vida, supervivencia.

—Sí.

—¿Es por eso que viniste aquí cuando escapaste? ¿Para que Lena te hiciera unas pruebas?

Aparto la mirada.

—Sospeché cuando me sangró la nariz y comenzaron los moretones.

—¿Por qué no me lo habías dicho?

Me atrevo a mirarlo a los ojos otra vez.

—Las cosas eran... diferentes entre nosotros.

—Eras mi prisionera. —Su tono está cargado de autodesprecio—. ¿Cómo podías confiar en mí?

Sé de qué va este poco característico ataque de culpa. Va de dolor. Va de perder a alguien cuando acabas de descubrir que amas a esa persona.

—No es culpa tuya.

Un músculo vibra en su mandíbula.

—¿Por qué no me lo contaste cuando las cosas *fueron* diferentes?

—Quería terminar primero con el trabajo de Dimitrov. Necesitaba el dinero para Hanna, y no pensé que me dejarías hacerlo de saber la verdad.

—Tienes toda la puta razón —dice con tono salvaje—. Aun así, tendrías que haber confiado en mí. Yo ya me había encargado de ello.

—¿Encargado de qué?

—Hice una donación en nombre de Hanna, suficiente para asegurar su estancia y cubrir las facturas por el resto de su vida.

Mi pecho se tensa con una mezcla de alegría y alivio.

—Yan. ¿Por qué hiciste una cosa así?

—¿Por qué crees tú?

Porque me ama. A pesar de la terrible experiencia de las últimas veinticuatro horas y lo que está por venir, mi corazón se dispara al pensar en eso. Esta es la porción más pura de toda mi vida.

—Deberías habérmelo dicho, Mina. Joder, ¿cómo pudiste ocultarme esto?

—Tú también me has ocultado cosas —le señalo suavemente—. No me dijiste que habías hecho una donación.

Se pasa una mano por la cara.

—Han habido demasiados putos secretos entre nosotros. No más, ¿me oyes?

—Puedo vivir con eso.

Camina hacia la cama y toma mi mano entre las suyas.

—Nunca supe lo que estaba buscando hasta que te encontré. Eres todo lo que nunca tuve y nunca volveré a tener. Por favor, Mina, te lo ruego, lucha por nosotros.

Se me hace un nudo en el estómago.

—No es así de simple. —Trato de alejarme, pero él se aferra.

—Lo sé, Minochka, lo sé. Hanna me lo contó. Ella me contó lo enferma que estabas, cómo perdiste todo tu cabello y como vomitabas hasta que estabas tan débil que ni siquiera podías llegar al baño. —Inhala bruscamente, como si la imagen mental fuera una tortura—. Sé que ha sido más difícil de lo que puedo imaginar, pero esta vez, estaré aquí para ti.

Le cojo por la mejilla, tratando de suavizar el golpe.

—La tasa de supervivencia es baja. El tratamiento puede que solo prolongue el sufrimiento.

Sus ojos adquieren una luz febril.

—He hecho mis deberes. Hay un nuevo tratamiento. Todavía es experimental, pero los resultados son extremadamente prometedores.

—El tratamiento anterior *era* experimental. Pagué una pequeña fortuna por él, y aquí estoy.

—Esto es diferente. Es más que trasplantes de células madre y transfusiones de sangre y curación alternativa y Reiki y cualquier otra cosa que hayas probado. Es revolucionario. Sí, implicará algo de quimioterapia, pero no tanta como te dieron la otra vez. El investigador que lo está desarrollando es un genio. No solo está haciendo investigación y ensayos clínicos. Está usando voluntarios. Por eso está haciendo progresos tan grandes así de deprisa. Hazlo, por favor, Mina. Te lo suplico. Hazlo por nosotros. *Lucha* por nosotros.

Las lágrimas nublan mi visión.

—Yan, por favor... no quiero que pases por la decepción si no funciona. Cuando te dije que no te enamoraras de mí, fue para protegerte. Por favor, no caigas más profundo de lo que ya lo has hecho.

Agarra mis hombros.

—Al diablo con eso. Ya estoy pasando por ello, y no hay nada que puedas hacer para cambiar eso. Nunca podré amarte más de lo que ya lo hago. Nadie podría. —Su feroz mirada brilla por sus propias lágrimas contenidas, y su abrazo es casi demasiado apretado—. No importa cuánta distancia intentes forzar entre nosotros, yo voy a sufrir. *Estoy* sufriendo. Tomaré lo que pueda conseguir. Un mes. Un día. Unos minutos. Daría mi vida por solo un momento contigo.

Sus manos caen como si ese discurso le hubiera quitado hasta el último átomo de su energía. El hombre que está frente a mí está abatido, aplastado, perdido. Es más de lo que puedo soportar.

Cojo aire y extiendo mis brazos como una invitación. Cuando él se inclina, doblo mis brazos alrededor de él y lo sostengo cerca de mi pecho y mi corazón se abre cuando siento los temblores que sacuden su cuerpo grande y duro. Y mientras sus lágrimas me mojan el cuello, acaricio su rostro sin afeitar, dándole consuelo y tranquilidad de la única manera que puedo.

—Shh. —Le beso en la coronilla, inhalando su fuerte y viril aroma masculino—. Aunque no esté aquí, seguiré estando contigo. Esa es mi promesa. Recuérdalo siempre.

—No hables así —dice él con voz ronca.

—No más secretos, ¿recuerdas? Tenemos que ser honestos. Hemos de aceptar que la muerte es una posibilidad, una muy grande.

Yan se aparta para mirarme, con la desolación impresa en sus bellos rasgos.

—Cásate conmigo.

—¿Qué?

—Cásate conmigo —dice con ardiente certeza—. Mañana. Aquí.

Trago saliva, atravesando el nudo de mi garganta.

—Estoy conmovida, pero...

—¿Pero qué?

—No quiero hacerte viudo.

—Puede que no lo hagas. Yo podría morir mucho antes que tú. Me pueden matar a mí en un trabajo.

—¡No digas eso!

—¿No lo ves? Lo que importa es el ahora. Te quiero en todos los sentidos. Quiero que lleves mi nombre durante el tiempo que tengamos. El tiempo no es lo que importa. Un año o cincuenta no es lo que cuenta. —Toma mi palma y la coloca sobre su corazón—. Es lo que hay aquí. No es el tiempo. Es la calidad.

Intento apartar mis propias lágrimas mientras más pureza y belleza inigualable, mucho más de lo que merezco, llenan mi corazón, mi alma y todas las horas que me quedan de la vida.

—Siempre nos perteneceremos el uno al otro —dice—. Ahora. Mañana. Hasta que ambos nos hayamos ido.

Mis lágrimas fluyen tan rápido que ya no puedo controlarlas. Solo puedo mirarlo con mi corazón estallando de amor. El entumecimiento que llevaba décadas encima se ha ido, arrastrado por el tsunami de emociones que asaltan mi mente. Con una caricia, hizo que mi cuerpo cobrase vida. Con sus palabras, hizo lo mismo con mi alma. En lugar de estar fría y vacía, siento.

Él me hace sentir tanto...

—¿Qué me dices? —pregunta, con la esperanza surgiendo de entre la oscuridad de sus ojos para brillar como un faro en nuestra sombría situación.

—Sí. —Sonrío a través de mis lágrimas—. Sí, quiero ser Mina Ivanova.

Olvidándose de mi herida, me toma en sus brazos y me aprieta hasta que duele, pero no me importa el dolor, porque él ha cortado la cuerda que ataba mi corazón, dejándolo flotar como un globo rojo en un cielo sombrío. Pero no todo son sombras.

La mortalidad lo hace sombrío.

El amor lo hace milagroso.

37

YAN

*G*racias a la solicitud de la Dra. Adami, me han puesto una cama para mí en la habitación de Mina. Mina se duerme con frecuencia por su medicación contra el dolor. También es la forma natural que tiene su cuerpo de recuperarse. Ella necesita su descanso. Me gusta poder dormir junto a ella, aunque nuestras camas individuales pongan una pequeña distancia entre nosotros. No puedo soportar no estar a su lado, ni siquiera por un segundo, pero hay mucho que hacer. Cuando se duerme después del desayuno, me dirijo al sótano donde trabajan Anton e Ilya. No solo vigilan los alrededores, sino que también están encargándose de otra cosa. De algo extremadamente importante.

—¿Alguna novedad? —pregunto al abrir la puerta.

La habitación, uno de los espacios de almacenamiento más grandes, está equipada con estantes metálicos llenos de ropa de cama y productos de limpieza. A pesar del suelo y las paredes de cemento desnudo, está calentito, cortesía de la estufa eléctrica provista por Adami.

Anton está sentado detrás del escritorio que ha arrastrado dentro, estudiando la pantalla de su portátil. Ilya se apoya en el borde del escritorio con una bolsa de patatas fritas en la mano.

—Todavía nada —dice Anton—. Nuestro virus se ha colado dentro del software de la Interpol. Si Nagy se presenta en algún aeropuerto o estación de tren, lo sabremos. —Se rasca la cabeza—. El problema, por supuesto, es que es un genio del disfraz. Puede estar delante de nuestras narices sin que lo sepamos.

Un problema que me fastidia un montón.

—Él vendrá a por nosotros al final. —Ilya se mete un puñado de patatas en la boca—. Solo hay que estar preparados.

No es un riesgo que me guste correr. Ahora mismo, Nagy sabe que Kiss está muerto, igual que Dimitrov y su equipo. Sabe que conocemos el alcance de su engaño. Sabe que nunca más volverá a estar a salvo. Ningún hombre quiere mirar por encima del hombro durante el resto de su vida. Puede correr hasta que el polvo se asiente, pero Ilya tiene razón. En algún momento, vendrá a por nosotros. Eso es lo que haría cualquier asesino, especialmente uno que sabe que tenemos una cuenta que saldar, y cuya vida vale diez millones. La única forma en que puede cancelar ese precio que se le ha puesto a su cabeza es matándonos.

—¿Y qué hay de amigos y familia? —pregunto.

Anton se recuesta en su silla y estira las piernas.

—Es prácticamente un ermitaño. —Me mira con expresión pensativa. —Pero tal vez podríamos hacerlo salir.

—¿Cómo?

Su sonrisa es toda dulzura.

—¿Cómo se atrapa a un ratón?

—No. —Jodidamente no—. No vamos a tenderle una trampa. No voy a poner a Mina en riesgo.

—¿Y si está lejos de Mina? —pregunta Ilya.

—No la voy a dejar sola. Es demasiado peligroso.

—No —dice Anton— no deberíamos dejar sola a Mina, al menos no todos a la vez... y especialmente no ahora. Pero podemos hacerle creer que ella está en otra parte.

Me froto la nuca. No me gusta usar a Mina como cebo, esté ella allí o no, pero podrían pasar años antes de que atrapemos a Nagy y no estoy preparado para esperar tanto. Cada día son otras veinticuatro horas de más, otras veinticuatro horas en que la vida de Mina pende de un hilo.

—Explícate.

Anton entrelaza sus dedos sobre su estómago.

—Hacemos a nuestro contacto emitir certificados de defunción para nosotros y poner a Mina en una casa segura.

—Déjame ver si lo entiendo —dice Ilya con la boca llena—. Fingimos estar muertos y dejamos que Nagy crea que Mina hizo un trato a cambio de inmunidad.

—Exacto —dice Anton—. Ponemos la dirección de

la casa segura en el sistema, donde Nagy pueda hackearla. No demasiado a mano, eso sí; de lo contrario, se olerá el pastel.

—Así que —aclaro—, lo hacemos ir a una casa segura y le tendemos una emboscada allí.

—Tú te quedas para proteger a Mina. —Los ojos de Anton brillan con crueldad—. Ilya y yo hacemos caer a esa rata en nuestra trampa y lo traemos de vuelta aquí.

—Para que Mina se cargue a ese cabrón —agrega Ilya con entusiasmo.

—No. —No podemos traer los problemas a la puerta de Adami. Vosotros atrapáis a ese hijo de puta, y yo llevaré a Mina hasta allí.

—Hecho. —Anton se sienta y se acerca su portátil. —Me pondré a trabajar.

—Mantenme informado. Quiero estar al tanto de todo, hasta del más mínimo detalle. —Me vuelvo hacia mi hermano—. Necesito que vayas a la ciudad.

Él se baja del escritorio de un salto.

—¿Qué necesitas?

—Un anillo. El rubí más grande que puedes encontrar. Y los tres necesitaremos trajes.

Me mira boquiabierto.

—¿En serio? ¿Qué cojones, Yan?

—Consigue una tarta —continúo—. Algo blanco y elegante. Y Mina necesitará un vestido. Talla cero. Y al mismo tiempo, me traes también un cura.

—No es ninguna puta broma —dice Antón, riendo —. Felicidades, hombre.

—Maldita sea, Yan. —Ilya choca su hombro con el

mío y me da una palmada en la espalda—. Felicidades, hermano. Joder, vas a casarte. No me lo puedo creer.

Ni yo. ¿Quién lo hubiese dicho? Hasta hace unas semanas, no me habría creído que una mujer de la mitad de mi tamaño me iba a poner de rodillas.

—¿No te preocupa que Peter se entere de esto? —pregunta Anton—. Una cosa es retenerla, y otra distinta casarte con ella.

Le lanzo una dura mirada.

—Sokolov no me quiere como enemigo, y si lo hace, cruzaremos ese puente cuando lleguemos a él.

—¿Cuándo va a ser el gran acontecimiento? —Ilya pregunta con una sonrisa de diez megavatios, claramente ansioso por volver a un tema menos estresante.

—Hoy.

Anton me mira como si me faltase un tornillo.

—¿Qué?

La nube oscura que siempre llevo en el fondo de mi mente amenaza con lanzar una sombra sobre nuestra felicidad, pero la desdeño. No voy a regodearme en la tristeza ni en la negatividad y desperdiciar el precioso tiempo que tengo con Mina.

—Hay algo que debéis saber —comienzo con cuidado.

Por mi expresión tensa, deben percibir que lo que sigue no es bueno. Sus caras se ponen serias, y todos los signos de jovialidad se borran.

—Mina... —No importa que haya aceptado el

diagnóstico, eso no hace que sea más fácil decirlo—.
Ella tiene cáncer. Leucemia.

—Mierda. —La cara de tono oliváceo de Anton se
pone pálida—. Tío, lo siento.

—Joder. —Ilya se pasa una mano por su cráneo
afeitado, con cara de conmoción.

—No quiero que sintáis pena por ella —digo con
voz severa—. Lo último que necesita ahora es lástima.

Anton respira hondo.

—Sí, por supuesto.

—Ella va a luchar. —Lo digo más para mi propio
beneficio que el de ellos.

Ilya me agarra del hombro.

—Estoy aquí para ti, para los dos.

Yo asiento.

—Es bueno saberlo. Ponte a trabajar. Quiero ir a ver
si Mina está despierta.

—Gran idea. —Ilya casi me empuja hacia la puerta
—. Tu sitio está con ella. Largo. Tenemos esto
controlado.

Me detengo en la puerta y me vuelvo a mirar a mi
equipo, a los hombres que siempre me han apoyado.

—Gracias.

Saben que no solo les agradezco que lidien con esta
mierda para que yo pueda estar con mi mujer. Estoy
agradecido de que estén aquí para mí, para nosotros.
Los necesito tanto para esto como para cualquier
trabajo, si no más.

Anton asiente.

Ilya dice:

—Ni lo menciones.

Cuando vuelvo a la habitación, Hanna está visitando a Mina, y sus mejillas arrugadas están surcadas por las lágrimas.

—Acaba de contármelo —dice Hanna, sin molestarse en secarse las gotas que corren sin parar por su cara y su barbilla. Siempre tan considerada, hasta en un momento como este, se dirige a mí en ruso.

Mina da unos golpecitos a la mano temblorosa de su abuela.

—No quería preocuparte. Sabía que tratarías de convencerme de que hiciese el tratamiento.

—Gracias por persuadirla —me dice Hanna.

Le alcanzo un pañuelo de papel de la mesita de noche.

—Mina es una luchadora. Superaremos esto.

—Sí —asiente Hanna de inmediato—. Tienes que creerlo, Mina querida.

Le está costando levantar la mano, así que le quito el pañuelo y le seco los ojos con cuidado.

—De hecho, Mina y yo también tenemos buenas noticias que darte.

Ella nos mira a ambos.

—¿Os vais a casar?

—Hoy. —Le ofrezco una sonrisa de disculpa—. Sé que parece repentino...

—No, no —dice Hanna—. Estáis haciendo lo correcto. No deberíais desperdiciar ni un minuto. Ni un segundo.

—Quiero que seas parte de la celebración —dice Mina.

Y eso es posible si lo hacemos aquí. Sostengo la mirada a Mina para evaluar cuánto le ha contado a Hanna. Un pequeño gesto con la cabeza me indica que Hanna no sabe lo demás, lo del trabajo de Mina, ni que una amenaza mayor que una enfermedad pende sobre su cabeza.

—Debéis de tener mucho de que hablar —dice Hanna—. Os dejo con ello.

—Te llevaré de vuelta a tu habitación —me ofrezco.

Después poner a Hanna cómoda al sol en su balcón, regreso a contarle a Mina nuestro plan.

—Tú conoces a Nagy mejor que nadie —digo , después de haberle explicado lo que Anton, Ilya y yo hemos hablado. —¿Crees que picará?

Ella reflexiona por un momento.

—Soy un cabo suelto. Si cree que lo he delatado a cambio de inmunidad, querrá vengarse. Él vendrá a por mí, sin importar donde me encuentre ni lo arriesgado que sea. Pero no es ningún idiota. Vigilará la casa segura, al menos con cámaras, si no personalmente, para asegurarse de que realmente estoy allí.

—Ya había pensado en ello. Tenemos que aparentar que no sales de casa. Debemos hacerle creer que estás asustada al habernos sacado a nosotros de escena y dejarte sola del todo. Podríamos fingir una conversación con nuestro contacto en una línea que Nagy pueda intervenir.

—Si no voy a salir de la casa y él no puede

confirmar visualmente mi presencia por sí mismo, tendremos que plantar pruebas convincentes de que estoy allí.

—Enviaremos una enfermera una vez al día. Creerá que está curándote la herida. Entregas de pizzas y comida. Suministros médicos. Anton e Ilya estarán esperando allí, por lo que habrá signos de vida.

—Probablemente encontrará una manera de verificar las facturas de entrega.

—Tú puedes hacer las listas con todas las cosas que normalmente comprarías.

Ella me sonríe.

—Creo que podría funcionar.

La beso en la coronilla.

—No quiero que te preocupes de nada más aparte de ponerte bien. Yo me encargaré del resto.

Su bonita mirada azul es abierta y confiada.

—Lo sé.

Por primera vez desde que la secuestré, me está dando su confianza plena fuera del dormitorio. Me está mirando como siempre he querido que lo hiciera... como si no me ocultase nada, ni sus emociones, ni sus miedos ni sus secretos. Y es una cosa impresionante, tener la confianza íntima de una mujer, merecer su respeto.

Ser el hombre en que confía con todo su corazón.

Nunca la decepcionaré. Protegeré su corazón y sus verdades. Le daré un lugar seguro para ser ella misma, un lugar donde nunca tendrá que dudar de si es deseable o querida. Ella ya tenía mi devoción y admiración, y ahora también le daré la libertad que le prometí. La libertad de ser ella misma.

Por encima de todo, siempre la amaré. Incondicionalmente. Con todo lo que tengo.

—Te iba a liberar, ¿sabes? —le digo acariciando su cabello—. Después del trabajo. —Quiero que ella entienda mi distanciamiento aquella mañana. No quiero que nunca dude de mi amor.

Ella sonríe.

—Ya lo has hecho.

Sí, lo he hecho.

—El localizador —digo de mala gana—. Te lo podemos quitar.

—Eso da igual. Ya no sirve para el mismo propósito.

Oculto una exhalación de alivio. La parte posesiva y sobreprotectora de mí está contenta de que todavía pueda rastrearla. En nuestra línea de trabajo, eso solo puede suponer una ventaja. Inclinándome, beso sus labios.

—Voy a ver a Adami para hablarle de lo de esta tarde. ¿Algo en particular que te gustaría? He organizado un sacerdote y un pastel. ¿Qué se me ha olvidado?

Su sonrisa se vuelve más amplia.

—Parece que lo tienes todo cubierto.

—Bien entonces. —Le cojo la cara, y le robo otro beso, esta vez deteniéndome en abrirle los labios con la lengua. Joder, qué bien sabe. Como a miel y nata. Mi polla se pone dura. La deseo tanto que me duele, pero es demasiado pronto.

Me obligo a apartarme. Sus labios torneados están de un bonito color rosa cereza a causa de mi beso. Pronto. Pronto besaré cada centímetro de su cuerpo. En cuanto pueda levantarse y andar.

Aunque como están las cosas, ahora mismo seré *yo* quien lo tendrá muy difícil para poder andar.

Con una última mirada, viéndola sentada tan pequeña y delicada en la cama blanca del hospital, cierro la puerta detrás de mí y regreso al sótano para decirle a Anton que necesitamos organizar una enfermera y entregas creíbles con facturas auténticas. Se inclina sobre su ordenador y envía un mensaje cifrado a nuestro contacto. Ilya se ha ido para hacerse cargo de los preparativos de la boda.

Sonrío para mí mismo, pensando en eso. Ilya odia ir de compras. Pero por toda la lata que me ha dado sobre el tema de Mina, se lo tiene merecido. Luego hago una mueca. No es que él tenga el mejor gusto del mundo. Conociéndolo, estará en uno de esos sitios baratos que alquilan trajes setenteros con camisas de volantes. Me estremezco al pensarlo.

Dejando que Anton se ocupe de la logística, voy en busca de Adami para informarle sobre nuestros planes de boda. Es su clínica, después de todo. De camino a su oficina, veo a una enfermera que entra desde la calle. Me llama la atención porque es inusitadamente alta, casi igual que yo. Su cabello rubio está recogido en un moño aseado y su maquillaje está hecho con mucho gusto. Sus pantalones blancos y su bata son más ajustados que los de las otras enfermeras, mostrando deliberadamente sus curvas. Mi mente salta inmediatamente a Ilya. Ella es exactamente su tipo, el tipo por el que ambos solíamos ir antes de que yo encontrase a Mina.

Automáticamente, la saludo con la cabeza cuando ella se acerca, y le ofrezco una sonrisa formal. Ella no se asusta ni se sonroja como hacen las otras enfermeras cuando me ven.

—Pausa para el cigarro —dice con voz grave, lanzándome un guiño de complicidad y devolviéndome la sonrisa.

Compruebo la etiqueta con su nombre. Mariska Molnár. Parece bastante amable. Se la mencionaré a Ilya. Tal vez le apetezca tener una cita con ella.

Por algún motivo, me quedo con esa sonrisa, dándole vueltas al girar la esquina y entrar en la oficina de Adami. La forma en que Mariska Molnár me miró me molesta. No estaba flirteando. Su actitud era bastante altiva, como si yo estuviese por debajo de ella. Quizás no sea una buena idea lo de jugar a las casamenteras.

Adami levanta la vista de su escritorio.

—¿Puedo ayudarte, Yan?

Esa sonrisa. Me resulta familiar, como si la hubiese visto antes. También hay algo más, algo que no puedo señalar y que me incomoda. Entonces me paro en seco. Ella dijo que se había escabullido para fumar, pero no había ni pizca de olor a humo de cigarrillo en ella.

¡Joder!

Girando sobre mis talones, corro por el pasillo. No

hay tiempo para pararme a sacar el teléfono y llamar a Anton. Corro por mi vida.

Por la vida de Mina.

Al doblar la esquina, derrapo en el suelo brillante, y casi no consigo enderezarme. Saco la pistola de la parte trasera de mi cintura, y apunto con el cañón frente a mí mientras corro hacia nuestra habitación. Desde el final del pasillo, grito con todas mis fuerzas:

—¡Mina!

La puerta de la habitación está cerrada. Mis sentidos se agudizan. El miedo es un monstruo respirando en mi cuello mientras recorro el último tramo.

Se oye un estruendo, como de metal golpeando contra baldosas.

¡No!

Corro más deprisa hasta que me arden los pulmones por el sobreesfuerzo. Dos enfermeras, alarmadas por mi grito, vienen corriendo pero se detienen cuando ven el arma.

—¡Agachaos! Dejad despejado el pasillo.

Mi mente es un frenesí de locura cuando finalmente alcanzo la puerta y agarro el pomo.

Cerrada.

No dudo. Salto hacia atrás, cargo y la echo abajo de una patada.

Lo que veo no es lo que me esperaba. La mesita de noche está en el suelo, y la enfermera tirada a su lado. Mina está de pie junto a ella, con una pistola en la mano y agarrándose el costado herido con la otra. Una mancha roja se está extendiendo por la bata del hospital bajo los dedos de Mina.

—¡Mina!

Apuntando con la pistola, entro corriendo en la habitación. Mina no me mira, toda su atención está puesta en la mujer del suelo. Sigo su mirada. La enfermera se retuerce como una serpiente, con una aguja hipodérmica clavada en el cuello.

Mirando más de cerca, veo que tenía razón. Es un buen disfraz. Uno brillante. Pero esa sonrisa lo delató. Es la misma sonrisa que tenía en su rostro aquel día en la estación cuando nos miró a Mina y a mí antes de apartar la vista. La misma sonrisa arrogante que reconocí en su fotografía.

Nagy parece impotente, inofensivo, pero aun así… Mantengo mi arma apuntando hacia él.

—¿Qué cojones ha pasado?

—Veneno —dice Mina, sin apartar sus ojos de Nagy.

Me fijo en la aguja de su cuello.

—¿Qué veneno?

—Estricnina.

Estoy luchando por digerir la información.

—¿De dónde lo has sacado? —Tendría que haberle dejado un arma a mano, por amor de Dios. Un descuido por el que no me voy a perdonar.

—Adami.

—Sabías que él iba a venir a buscarte aquí —digo, cayendo en la cuenta.

—No lo sabía, pero quería estar preparada.

Nagy gorgotea y pone los ojos en blanco. Sé lo que hace la estricnina. Actúa sobre los nervios que controlan la contracción muscular, principalmente los de la médula espinal. Causa espasmos musculares dolorosísimos y afecta la respiración. La muerte se produce por paro cardíaco, insuficiencia respiratoria o daño cerebral.

Toco la mano con la que Mina sostiene el arma para atraer su atención hacia mí.

—¿Quieres rematarlo?

Su voz es tranquila.

—No.

Eso lo respeto. Nagy tiene convulsiones. Se hace una bola, se pone rígido y vuelve a encogerse. Sus dedos se crispan. Su cuerpo se queda inmóvil. Por fin, sus ojos se ponen vidriosos.

—Todo ha terminado. —Le cojo a Mina la pistola de la mano—. ¿Es suya?

—Sí.

Dejo el arma a un lado y vuelvo a meter la mía en mi cintura.

—¿Cómo lograste quitársela?

—Me hice la dormida. Iba a asfixiarme con una almohada. Le clavé la jeringuilla en el cuello antes de que pudiese verlo venir. Nos peleamos. Echó la mano a la pistola que llevaba escondida en el muslo, pero el veneno le hizo efecto antes de que pudiese cogerla. El arma cayó cuando él se fue al suelo con la mesilla. Eso me dio tiempo suficiente para salir de la cama y quitársela.

—Estás sangrando. —Le levanto la bata—. Déjame ver.

—No es nada.

Le quito el vendaje con dedos temblorosos e inspecciono la herida de debajo.

—Esto no es una nadería. Te has saltado algunos puntos. Ven aquí. —Tiro de su pequeño cuerpo hacia mí y la abrazo fuerte, sintiendo su calor, su fragilidad, su *vitalidad*. Todavía no me había recuperado de estar a punto de perderla en el Hotel París, y ahora esto. Si Nagy hubiera tenido éxito... la aprieto más fuerte, negándome a pensar en esa posibilidad, dejando muy apartado lo de su enfermedad—. Tendría que haberte dado una pistola —le digo con voz tensa, y me aparto para mirarla a los ojos—. Ese fue un puto fallo tonto.

—Yo dormía con la jeringuilla debajo de mi almohada, por si acaso.

—¿Por qué no me lo habías dicho?

—No pensé que fuera importante.

Sí. Para ella, no parecería algo importante. Es una forma sencilla de asegurarse, algo que la gente como nosotros da por sentado. Respiro hondo y me recuerdo que ella es como yo. Dura. Capaz. Despiadada, cuando tiene que serlo. Aun así, mi corazón siente que está a punto de estallar cada vez que me la imagino en peligro.

—Quiero saber estas cosas en el futuro —digo con tono severo. La miro a los ojos—. Incluso las cosas mundanas que crees no importan.

—Bien —dice enseguida, todavía la hostia de

tranquila, pero los temblores que empiezo a notar en su cuerpo cuentan una historia diferente.

—Se acabó —murmuro, ahuecando su delicada mandíbula—. Ya no podrá hacerte daño. —Recordando su herida, me obligo a dejarla ir—. Será mejor que Adami les eche un vistazo a esos puntos. Llamaré para que vengan a limpiar esto.

—¿A quién vas a llamar?

—Nuestro contacto en el gobierno se alegrará de saber que se ha librado de Nagy.

—Todavía debe de estar molesto por la guerra campal que estalló en el hotel.

—Consiguió no solo a Dimitrov, sino también a Filipović. Ya puede estar contento.

Estoy a punto de ir a buscar a Adami, pero Mina da un paso adelante, envuelve sus brazos alrededor de mi cintura y entierra su rostro en mi pecho.

—Quiero alejarme de todo esto. Solo un poquito.

Cruzando mis brazos alrededor de ella, acaricio suavemente su cabello.

—¿Qué tal te suena Mozambique? El clima es cálido durante todo el año, y uno puede comprarse una isla por casi nada.

—Eso suena bien —susurra ella.

—¿Qué tal una casa al estilo Robinson Crusoe? Sobre pilares en el agua.

—Me suena a paraíso.

—Te conseguiré una enfermera, y también una para Hanna. Ya lo he comprobado con el investigador que realiza el ensayo clínico. Podremos hacer tu tratamiento en casa, siempre y cuando vayamos a su laboratorio de Europa una vez al mes. Todo se está poniendo en marcha mientras hablamos.

—Lo has planificado de antemano —me acusa, levantando la cabeza para mirarme.

—Sin contar con un laboratorio que sea prácticamente una clínica pequeña. Sobre pilotes. —Le sonrío—. Eso solo lo pensé ayer.

—Sol, mar, Hanna, tú y yo. Sí, eso suena infinitamente bueno.

La beso en los labios.

—Vamos a limpiar esto, ¿de acuerdo?

Quiero que todo quede limpio. Es posible que no pueda quitarle lo que ha sufrido, pero maldita sea si no voy a mejorarlo.

—Oh, vamos —dice Ilya, tratando de no parecer culpable—. Admítelo. He hecho un buen trabajo.

Anton, Ilya y yo estamos de pie en su habitación, con las camisas, corbatas y trajes que compró mi hermano. No nos quedan mal. Tampoco el estilo es malo. Pero cuando miro a mis zuecos de hospital prestados, y blancos, nada menos, con un puto traje negro, quiero darle un cachete a Ilya en la cabeza.

—Habría estado casi bien del todo si no te hubieras olvidado de los zapatos. —Al menos él y Anton pueden ponerse sus botas.

—No dijiste nada de zapatos —se queja Ilya.

Anton intenta contener la risa con todas sus fuerzas.

—No está tan mal.

—Sí. —Me ajusto los puños de mi camisa con un tirón—. Vale.

—La tarta es la hostia. —Anton no puede más, y estalla en un ataque de risa.

—Oye. —Ilya coloca una mano sobre su corazón, con una expresión de indignación en su rostro—. Yan dijo algo blanco y elegante. Eso es elegante y blanco, ¿verdad?

Miro el pastel, que es un cuadrado de mazapán decorado con conejitos de ojos grandes que trepan por todos lados. El puto Conejo Idiota del videojuego y toda su familia de Rabbids.

—Es blanco —dice Ilya a la defensiva—. Es lo único que tenía la pastelería en blanco.

—Si le quitamos los conejos —dice Anton—, puede que no esté tan mal.

Llaman a la puerta. Adami asoma la cabeza por el marco.

—Es la hora.

Un ataque de nervios de una magnitud que no había conocido jamás, ni siquiera en un trabajo, me tensa las entrañas.

—Toma. —Ilya me entrega el anillo—. Será mejor que vayamos. No querrás que Mina llegue antes que nosotros.

Me meto el anillo en el bolsillo. Al menos esto es lo único que Ilya hizo bien. Es una piedra hermosa, de color rojo oscuro y perfectamente tallada, engastada en oro rosa y rodeada de rubíes más pequeños.

Mi corazón galopa como un toro a la fuga mientras nos dirigimos a la pequeña capilla donde los visitantes y los pacientes van a rezar. Lo de la capilla ha sido idea de Adami. He insistido en traer a Mina hasta allí en una silla de ruedas, pero mi chica no ha querido saber nada al respecto. Se ha empeñado en entrar andando por sí misma, con herida de bala y todo. Ella es una princesa dura.

Hanna y el sacerdote ya están allí. Hanna me abraza cuando beso su mejilla. Como ni Ilya ni yo habíamos pensado en las flores, Anton recogió algunas en el jardín: acianos y violetas blancas atadas con una cinta azul que una de las enfermeras nos consiguió.

Ocupo mi lugar en el pequeño altar con Anton e Ilya flanqueándome. Cuando Adami abre la puerta, me vuelvo para mirar a mi novia.

Con un vestido corto, blanco y acampanado, con un extravagante cuello de plumas, Mina parece una visión celestial, la suma de mis sueños hecha realidad. Ella es perfecta, hasta con sus zapatillas de hospital blancas. Mi garganta se seca y siento que mi pecho está a punto de estallar por las emociones. Ilya no me ha dejado ver el vestido antes de la ceremonia. Tengo que admitir que lo ha hecho genial. Aunque también se olvidara de los zapatos de Mina. No es que importe lo que ella se ponga. Un saco de patatas habría sido igual de perfecto.

Anton se precipita hacia adelante y le da a Mina el ramo improvisado antes de ofrecerle el brazo para llevarla por el pasillo. Mientras camina hacia mí, derecha y orgullosa a pesar de su lesión, mi pasado y mi futuro se desvanecen. Todo lo que ha sido y será se vuelve intrascendente en la inmensidad del momento, el momento en que ella elige libremente hacerse mía.

Renuncio a contener mis emociones. Lo que siento es demasiado para que cualquier hombre lo oculte. Lo dejo fluir, dejo que su sonrisa ilumine mi vida y le dé sentido a mi existencia. Dejo que ella conquiste mi alma y tome a mi corazón como prisionero. Ella es sublime. Hermosa. Pura perfección.

El sacerdote dice lo que dicen los sacerdotes en todas las bodas pero apenas oigo las palabras. Soy demasiado consciente del pequeño cuerpo de Mina y de lo bien que se siente donde se toca con el mío. Soy demasiado consciente de su olor y el calor de su piel cuando agarro su delicada mano y le deslizo el anillo por el dedo. El rubí es rojo como la sangre que ella derramó por mí, rojo como mi amor por ella.

—Sí quiero —dice ella, y mi mundo se vuelve perfecto.

Ella es mía.

Durante el resto de nuestras vidas.

EPÍLOGO: MINA

*L*as vistas de Praga son magníficas. El restaurante está en la colina al lado del castillo, y desde allí se ven los tejados abovedados de cobre que dominan el paisaje urbano como una escena directamente sacada de un cuento de hadas. La única vista más hermosa que la que tenemos por debajo es la del hombre sentado frente a mí.

Yan se aparta el cabello oscuro de la cara con una mano grande y masculina. El gesto es inocente, pero cuando recuerdo de lo que son capaces esas manos, se enciende una chispa en mi vientre. La forma en que su chaqueta se ajusta a sus anchos hombros aviva esa chispa y la convierte en una llama. Sus ojos se iluminan al darse cuenta de lo que provoca en mí, y el fuego de esas profundidades de color verde jade es una promesa de lo que sucederá más tarde en nuestro apartamento.

Aprecio que haya conservado ese lugar. Me trae recuerdos. Buenos recuerdos.

Cuando el camarero nos sirve el champán, Yan choca su copa contra la mía.

—Por estos tres años.

—Tres años —repito yo.

Tres años en remisión. No siempre ha sido fácil, pero fiel a su palabra, Yan estuvo allí para mí. Me dijo que era fuerte cuando estaba físicamente débil. Me dijo que era hermosa cuando se me cayó todo el pelo. Me dio de comer y me bañó. Me abrazó y me consoló. Celebramos los pequeños hitos juntos. Luego los más grandes. Luchó y se regocijó conmigo. Me abrazó cuando tenía mis pesadillas. Todavía lo hace, aunque en estos días sean menos frecuentes. No escatimó en gastos con la atención médica en nuestro hogar mozambiqueño. Contrató a todo un equipo para ocuparse de Hanna y de mí, para cocinar, limpiar y cuidarnos. Nunca se apartó de mi lado. Ni una vez. Fue mi roca cuando Hanna falleció mientras dormía el año pasado. El hueco que dejó su ausencia todavía duele, pero compartir mi dolor con Yan lo hace más llevadero.

Se inclina sobre la mesa, agarra un mechón mi melena, que me llega hasta los hombros, y lo deja resbalar entre sus dedos. Es una caricia seductora, una que me hace juntar las rodillas con fuerza por debajo de la mesa para calmar las ganas de entre mis piernas.

—Me gusta este vestido —dice en voz baja, pasando un dedo por la curva de mi cuello hasta mi hombro. La piel de gallina se despierta con su caricia.

Normal que le guste. Es él quien lo ha comprado. El

vestido es muy femenino, una creación de encaje sobre seda, con falda de vuelo hasta la mitad del muslo.

Le lanzo una mirada acalorada.

—Me gusta cómo estamos.

—¿Ahora sí? —Su timbre es áspero, lujurioso.

—Dijimos que íbamos a hacer turismo esta tarde —le recuerdo con una sonrisa. Hasta ahora, no hemos visto mucho más que el interior de su dormitorio. *Nuestro* dormitorio.

Mi teléfono vibra sobre la mesa. Echo un vistazo a la pantalla. Número desconocido. Un segundo después, el teléfono de Yan vibra también.

Mirándonos a los ojos, damos un sorbo a nuestro champán. Se supone que estas son unas vacaciones románticas para celebrar mi tercer año de estar sana. Se supone que no debemos trabajar. Pero veo la tentación en su mirada.

Entorno los ojos con gesto de desafío. Me quito un zapato y le paso los dedos por la pierna. Él se pone rígido, traga visiblemente y me agarra el pie antes de que llegue a mi destino. Colocando mi pie en su regazo, lo masajea suavemente incluso cuando su atención se agudiza. Me está mirando como un halcón, pillándome en el farol de intentar distraerle.

Otro momento de desafío silencioso pasa.

Cuando echo mano a mi teléfono, a la velocidad del rayo, él también se mueve. Ambos estamos desbloqueando nuestras pantallas, con nuestros dedos moviéndose rápidamente.

Le doy a enviar.

—Es mío.

Me lanza una mirada intensa.

—No si yo lo cojo antes.

—No te atreverás.

Él enarca una ceja.

—¿Eso es un desafío?

—Tú hiciste el trabajo de Polonia.

—Y tú el de Angola.

Mi sonrisa es seductora.

—Las damas primero.

—Oh, pero mi princesa solo es una dama cuando a ella le conviene. —Me pasa el pulgar por el arco de mi pie—. Podríamos hacer el trabajo juntos, al cincuenta-cincuenta.

—¿Tres millones para cada uno? —Hago un puchero—. Me había ilusionado con que fueran seis.

—Lo que es mío es tuyo de todos modos, Minochka. —Su sonrisa es puro sexo.

—Si lo pones así, ¿cómo puedo resistirme?

Él mira su reloj.

—Si nos damos prisa, podemos coger un vuelo y llegar al punto de encuentro a tiempo.

—¿Pedimos la cuenta?

Poniéndose de pie, saca mi silla.

—Solo si vamos a medias.

Cogidos de la mano, salimos a la magnífica luz del sol que se refleja en el río Moldava. El sonido de nuestros zapatos resuena por la calle adoquinada, un ritmo alegre que imita el latido de mi corazón. Mi respiración se dispara con la emoción que siempre viene con un trabajo.

Siento la emoción del peligro.

Me siento viva.

Yan tira de mi mano, cambiando de dirección hacia un callejón.

—Atajo.

Riendo, borracha de vida y felicidad, lo sigo por el estrecho y oscuro pasaje. El aliento abandona mi cuerpo cuando Yan me agarra por la cintura y empuja mi espalda contra la pared rugosa.

Me enjaula entre sus brazos, atrapándome con el peso de sus caderas.

—Creo que podemos perder un minuto.

—Lo que vamos a perder es el vuelo —digo, echando mano a su cinturón.

Desliza una palma por el interior de mi pierna, sobre la funda del muslo con mi cuchillo y pistola, haciendo que yo me moje al instante...

—Tomaremos nuestro propio avión.

—En ese caso... —Cojo la pistola de la parte posterior de su cintura, me arrodillo y cuidadosamente pongo el arma a sus pies.

—Joder, Mina. —Me atrapa la cabeza entre sus manos, con los ojos ardiendo de deseo y amor—. No puedo superarte. Nunca.

Desabrochando sus pantalones, miro su rostro.

—Entonces no lo hagas.

Me pasa los dedos por el pelo, tirando lo suficiente para que mis partes femeninas se aprieten.

—Eres jodidamente peligrosa.

Lo soy. Igual que él. Mi deseo por él lo consume todo. Por completo. No me importa dónde estemos ni qué hora sea.

—Hazlo —dice con los dientes apretados, ya impaciente.

Así que lo hago. Le doy lo que quiere, y él me deja. Me deja desarmarlo. Me deja hacerlo vulnerable. Me deja conquistarlo antes de cambiar las tornas y conquistarme él a mí.

Juntos, encontramos luz dentro de la oscuridad y calor en las frías estepas de nuestros corazones.

ANTICIPO

¡Gracias por leerlo! Espero que hayas disfrutado la historia de Yan y Mina y que dejes una reseña.

¿Preparado para otras historias chisporroteantes? Échales un vistazo a:

- *Mi Tormento:* la oscura historia de Peter y Sara, donde Yan aparece por vez primera
- *La trilogía Secuestrada*: la oscura historia de Nora y Julian
- *La trilogía Atrápame*: el romance sorprendente de Yulia y Lucas, donde pasan de enemigos a amantes.
- *El titán de Wall Street*: la historia de Marcus y Emma, una comedia romantica
- *La trilogía de Mia & Korum*: un romance épico de ciencia ficción con el macho alfa definitivo.

- *La prisionera de los Krinar*: el romance cautivo de Emily y Zaron, justo antes de la invasión Krinar.
- *El informe Krinar*: mi colaboración ardiente con Hettie Ivers, protagonizada por Amy y Vair y los juegos de su club sexual

Y ahora, por favor, pasa la página para leer unos fragmentos de *Secuestrada* y *Mi Tormento* de Anna Zaires.

EXTRACTO DE SECUESTRADA DE ANNA ZAIRES

Nota del autor: *Secuestrada* es una oscura trilogía erótica sobre Nora y Julian Esguerra. Los tres libros se encuentran ya disponibles.

Me secuestró. Me llevó a una isla privada.

Nunca pensé que pudiera pasarme algo así. Nunca imaginé que ese encuentro fortuito en la víspera de mi decimoctavo cumpleaños pudiera cambiarme la vida de una forma tan drástica.

Ahora le pertenezco. A Julian. Un hombre que tan despiadado como atractivo, un hombre cuyo simple roce enciende la chispa de mi deseo. Un hombre cuya ternura encuentro más desgarradora que su crueldad.

Mi secuestrador es un enigma. No sé quién es o por qué me raptó. Hay cierta oscuridad en su interior, una oscuridad que me asusta al mismo tiempo que me atrae.

Me llamo Nora Leston, y esta es mi historia.

Está empezando a atardecer y con el paso del tiempo, estoy cada vez más nerviosa por la idea de volver a ver a mi secuestrador.

La novela que he estado leyendo ya no consigue distraerme, así que la dejo y comienzo a andar en círculos por la habitación.

Llevo puesta la ropa que Beth me ha dejado antes: un vestido veraniego azul que se abrocha por delante, bastante bonito. No es exactamente el estilo de ropa que me gusta, pero es mejor que un albornoz. De ropa interior hay unas braguitas blancas de encaje sexis y un sujetador a juego. Sospechosamente, toda la ropa me queda bien. ¿Habrá estado espiándome todo este tiempo? ¿Estudiándolo todo sobre mí, incluida mi talla de ropa?

Este pensamiento me revuelve el estómago.

Intento no pensar en lo que va a suceder a continuación, pero es imposible apartarlo de mi mente. No sé por qué, pero estoy segura de que vendrá a verme esta noche. Puede que tenga todo un harén de mujeres ocultas en esta isla y que vaya visitándolas un día a la semana a cada una, como hacían los sultanes.

Aun así, presiento que llegará pronto. Lo que pasó anoche no hizo más que abrirle el apetito, por eso sé que aún no ha terminado conmigo, ni mucho menos.

Finalmente, la puerta se abre.

Camina como si toda la estancia le perteneciera. Bueno, en realidad, le pertenece.

De nuevo, me veo absorta en su belleza masculina. Podría ser modelo o estrella de cine con esas facciones. Si hubiera justicia en este mundo, sería bajito o tendría algún defecto que compensara la perfección de sus facciones.

Pero no, no tiene ninguno. Es alto y su cuerpo musculado hace que esté perfectamente proporcionado. Recuerdo lo que es tenerlo dentro y siento a la vez una molesta sacudida de excitación.

Como las otras veces, lleva unos vaqueros y una camiseta de manga corta. Una gris esta vez. Parece que le gusta la ropa sencilla, y acierta. No necesita realzar su aspecto físico.

Me sonríe. Lo hace con esa sonrisa de ángel caído, misteriosa y seductora al mismo tiempo.

—Hola, Nora.

No sé cómo contestarle, así que le suelto lo primero que se me viene a la mente.

—¿Cuánto tiempo me vas a tener retenida aquí?

Ladea la cabeza ligeramente.

—¿Aquí en la habitación? ¿O en la isla?

—En las dos.

—Beth te enseñará la isla un poco mañana. Podrás darte un baño si te apetece —me dice, acercándose un poco más—. No te quedarás aquí encerrada, a no ser que hagas alguna tontería.

—¿Alguna tontería? ¿Cómo cuál? —pregunto. Me empieza a latir el corazón a toda velocidad al tiempo que él se para justo enfrente y alza la mano para acariciarme el pelo.

—Intentar hacer daño a Beth o incluso a ti misma. —Su voz es dulce y su mirada me tiene hipnotizada mientras me observa.

Parpadeo para tratar de romper su hechizo.

—Entonces, ¿cuánto tiempo me vas a tener aquí en la isla?

Me acaricia la cara con la mano y la curva alrededor de la mejilla. Me descubro apoyándome en su roce, al igual que un gato cuando lo acarician, pero trato de recomponerme inmediatamente.

Esboza una sonrisa de suficiencia. El cabrón sabe el efecto que tiene sobre mí.

—Espero que durante mucho tiempo —me contesta.

Por alguna extraña razón, no me sorprende. No se hubiera tomado tantas molestias en traerme aquí si solo quisiera acostarse conmigo unas pocas veces. Estoy aterrada, pero tampoco me sorprende mucho.

Me armo de valor y le hago la siguiente pregunta:

—¿Por qué me has secuestrado?

De repente la sonrisa desaparece. No responde; se limita a observarme con su inescrutable mirada azul.

Comienzo a temblar.

—¿Vas a matarme?

—No, Nora. No voy a matarte.

Su respuesta me tranquiliza, aunque obviamente puede que me esté mintiendo.

—¿Vas a venderme? —consigo articular palabra con dificultad—. ¿Como si fuera una prostituta o algo así?

—No —me responde dulcemente—. Nunca. Eres mía y solo mía.

Me siento algo más aliviada, pero aún hay algo más que tengo que averiguar.

—¿Me harás daño?

Por un momento, vuelve a dejarme sin respuesta. En sus ojos se adivina un halo de oscuridad.

—Probablemente —responde con voz queda.

Y de repente se acerca a mí y me besa, esta vez de manera dulce y suave.

Permanezco allí, petrificada, sin reaccionar durante un segundo. Lo creo. Sé que me dice la verdad cuando afirma que me hará daño. Hay algo en él que me pone los pelos de punta, que me ha alarmado desde la noche que lo conocí.

No es como los otros chicos con los que he salido. Es capaz de cualquier cosa. Y yo me veo totalmente a su merced.

Pienso en enfrentarme a él de nuevo. Sería lo normal en mi situación, lo más valiente. Y aun así no lo hago.

Siento la oscuridad que hay en su interior. Hay algo

que no me encaja de él. Su belleza exterior esconde dentro algo monstruoso.

No quiero provocar esa oscuridad. No quiero descubrir lo que pasaría si lo hago.

Así que permanezco metida en su abrazo y dejo que me bese. Y cuando me agarra y me lleva hacia la cama de nuevo, no trato de resistirme de ningún modo.

En lugar de eso, cierro los ojos y me entrego por completo a esa sensación.

Secuestrada ya está disponible. Para saber más, visita www.annazaires.com/book-series/espanol/.

EXTRACTO DE MI TORMENTO DE ANNA ZAIRES

Vino a mí una noche, era un extraño cruel y muy atractivo de los confines más peligrosos de Rusia. Me atormentó y me destruyó; puso mi mundo patas arriba en su búsqueda de venganza.

Ahora ha vuelto, pero ya no persigue mis secretos.

El hombre que protagoniza mis pesadillas me quiere a *mí*.

—¿Vas a matarme?

Está intentando hablar con voz firme, sin conseguirlo. Aun así, admiro su intento de mantener la compostura. La he abordado en público para que se sienta más segura, pero no es tonta. Si le han contado algo sobre mi pasado, debe saber que podría romperle el cuello antes de que tenga tiempo de gritar pidiendo ayuda.

—No —respondo y me acerco cuando ponen la siguiente canción aún más alta—. No voy a matarte.

—¿Qué quieres de mí, entonces?

Está temblando entre mis brazos y algo en ese gesto me intriga y me inquieta a la vez. No quiero que me tenga miedo, pero, al mismo tiempo, me gusta tenerla a mi merced. Su miedo despierta al depredador que hay en mi interior, convirtiendo mi deseo por ella en algo mucho más oscuro.

Ella es la presa, suave, dulce y mía, hecha para que la devore.

Agachando la cabeza, hundo la nariz en su pelo fragante y le susurro al oído:

—Reúnete conmigo mañana a mediodía en el Starbucks que hay cerca de tu casa y hablaremos. Te diré todo lo que quieras saber.

Me aparto y ella se queda mirándome con esos ojos enormes en su rostro en forma de corazón. Sé lo que está pensando, así que me inclino de nuevo, agachando la cabeza, para que la boca me quede junto a su oreja.

—Si hablas con el FBI, intentarán esconderte de mí, igual que intentaron esconder a tu marido o a las demás personas de la lista. Te arrebatarán tu vida, te alejarán de tus padres y de tu trabajo, y todo será en vano. Te encontraré, no importa dónde vayas, Sara... no importa lo que hagan para mantenerte lejos de mí.

—Le rozo el lóbulo de la oreja con los labios y escucho cómo se le corta la respiración—. También podrían usarte como cebo. Si ese es el caso… si me tienden una trampa, me enteraré y nuestro próximo encuentro no será para tomar café.

Se estremece y yo respiro hondo, inhalando por última vez el aroma sutil que desprende, antes de soltarla.

Me alejo mezclándome entre la gente y le envío un mensaje a Anton para que sitúe al equipo en posición.

Tengo que asegurarme de que llega a casa sana y salva. Yo soy el único que puede acosarla.

Mi Tormento ya está disponible. Para saber más, visita www.annazaires.com/book-series/espanol/.

Anna Zaires es una autora de novelas eróticas contemporáneas y de romance fantástico, cuyos libros han sido éxitos de ventas en el New York Times y el USA Today, y han llegado al primer puesto en las listas internacionales. Se enamoró de los libros a los cinco años, cuando su abuela la enseñó a leer. Poco después escribiría su primera historia. Desde entonces, vive parcialmente en un mundo de fantasía donde los únicos límites son los de su imaginación. Actualmente vive en Florida y está felizmente casada con Dima Zales —escritor de novelas fantásticas y de ciencia ficción—, con quien trabaja estrechamente en todas sus novelas.

Si quieres saber más, pásate por www.annazaires.com/book-series/espanol.

Charmaine Pauls nació en Bloemfontein, Sudáfrica. Tras obtener un grado de Comunicación en la Universidad de Potchestroom ha desarrollado una variada trayectoria profesional en los ámbitos del periodismo, las relaciones públicas, la publicidad, la comunicación, la fotografía, el diseño gráfico y el marketing de marcas. La escritura siempre ha sido una parte esencial de todas esas actividades laborales.

Cuando Charmaine no está escribiendo le gusta viajar, leer, y rescatar gatos. Actualmente vive en Montpellier con su marido y sus hijos. Su hogar es una colorida mezcolanza lingüística de afrikáans, inglés, francés y español.

Para saber más, visita: www.charmainepauls.com.

Made in the USA
Middletown, DE
16 August 2021